गभ

शिशु-जन्म-संबंधी सं

नूतन पंडित मुंबई विश्वविद्यालय से समाजशास्त्र में स्नातक हैं। उसके बाद उन्होंने पत्रकारिता में डिप्लोमा किया और कई पत्रिकाओं में स्वतंत्र लेखन कर रही हैं। जब श्वास-अभ्यासों के प्रयोग से उनका पहला प्रसव आसानी से हुआ तो शिशु-जन्म से संबद्ध उनकी धारणा बदल गई। उन्होंने 1978 से नैसर्गिक शिशु-जन्म की कक्षाएँ लेनी शुरू कीं। उन्होंने नेशनल चाइल्डबर्थ ट्रस्ट, लंदन, का भ्रमण किया एवं उनकी कार्यशालाओं तथा कक्षाओं में सम्मिलित भी हुई। शिशु-जन्म के कई अपरंपरागत तरीकों के लिए डॉ. माइकल ओडेन्ट की जानी-मानी पिथिवर्स, फ्रांस की उनकी इकाई में भी वह गई हैं। श्रीमती पंडित ने कई नर्सिंग होम्स एवं गंगा राम अस्पताल, नई दिल्ली, में भी कक्षाएँ ली हैं। अब ऐसी कक्षाएँ वे स्वतंत्र रूप से नई दिल्ली में चला रही हैं।

महत्त्वपूर्ण सुझाव

कृपया इस पुस्तक का उपयोग अपने डॉक्टर की सलाह से करें।

गर्भावस्था

शिशु-जन्म-संबंधी संपूर्ण जानकारी से युक्त किताब

लेखक
नूतन लखनपाल पंडित

अनुवादक
रंजीत कुमार
अशोक कुमार ज्योति

रूपा

प्रकाशक
रूपा पब्लिकेशंस इंडिया प्राइवेट लिमिटेड 2008
7/16, अंसारी रोड, दरियागंज
नई दिल्ली 110002

सेल्स सेन्टर:
इलाहाबाद बेंगलूरू चेन्नई
हैदराबाद जयपुर काठमाण्डू
कोलकाता मुम्बई

रेखाचित्र: प्रिया नागराजन
डिजाइन: स्टूडियो लायन्क्स, फरीदाबाद
कवर फोटोग्राफ: महाट्टा, नई दिल्ली

ISBN: 978-81-291-1359-7

सातवां संस्करण 2016

10 9 8 7

मुद्रक
श्री मैत्री प्रिन्टेक प्राइवेट लिमिटेड, नोएडा-201 301

समर्पण

अपने पुत्रों प्रणव और अक्षय को।

अपनी आन्ट पुष्पा शर्मा जी को,

जिन्होंने मुझे नैसर्गिक शिशु-जन्म

की कक्षाओं में जाने के लिए

प्रोत्साहित किया और अपने आशीर्वादों

से समृद्ध किया।

–नूतन लखनपाल पंडित

नैसर्गिक शिशु-जन्म की कक्षाओं के लिए संपर्क करें–
नूतन लखनपाल पंडित
नेचुरल चाइल्डबर्थ सेंटर
डी-178, डिफेंस कॉलोनी, नई दिल्ली-110 024
दूरभाष : 24601689, 24690552
ई-मेल : nutanpandit@yahoo.com
वेबसाइट : http://www.ncbchildbirth.com
गर्भावस्था के पाँचवें महीने में कक्षाओं के लिए संपर्क करना उपयुक्त होगा,
जिससे कि आप छठे महीने से कोर्स में शामिल हो जाएँ।

आभार

मैं आभार व्यक्त करना चाहती हूँ कनाडा की श्रीमती मेरी वुड का, जिन्होंने मेरे पहले प्रसव के दौरान मुझे श्वासों का अभ्यास सिखाया; नेशनल चाइल्डबर्थ ट्रस्ट, लंदन के स्टाफ का, जिन्होंने मुझे लंदन में रहने के दौरान कार्यशालाओं एवं शिशु-जन्म की कक्षाओं में जाने के लिए अनुमति प्रदान की; डॉ. माइकल ओडेन्ट का, जिन्होंने मुझे बैठाकर कराए जानेवाले प्रसव को देखने की अनुमति दी और अपनी पूर्ण सुविधाओं से युक्त जल-प्रसव की इकाई एवं ऑपरेशन थिएटर दिखाया; और डॉ. एस. के. भंडारी का उनके उत्साहवर्धन के लिए।

मैं पांडुलिपि में अमूल्य मदद के लिए डॉ. आर.एल. बिजलानी की कृतज्ञ हूँ। अपनी इस किताब को पूर्ण करने में मेरी मदद के लिए मैं इन व्यक्तियों को धन्यवाद देती हूँ : डॉ. आशा सिंह, डॉ. मीरा लूथरा, डॉ. कँवल हजूरिया, डॉ. नलिनी सिंह, डॉ. कमला तिवारी, फिजियोथेरेपिस्ट दौलत दस्तूर, डॉ. जयंत बनर्जी, डॉ. प्रकाश पंजाबी, डॉ. रत्ना जफर हुसैन, डॉ. अशिमा एबॉट, डॉ. प्रीति बिजलानी, मल्का पुंज, अश्विनी मेहता, संगीता गुप्ता, नीता सेठ, आर. मनिराज, निरुपम चटर्जी, चित्रा शर्मा एवं प्रदीप कपूर।

अँगरेजी में लिखित मैं अपनी पुस्तक 'प्रेगनेन्सी' का हिंदी में अनुवाद के लिए श्री अशोक कुमार ज्योति एवं श्री रंजीत कुमार का आभारी हूँ। श्री अशोक जी ने हिंदी-भाषा-परिमार्जन में अत्यधिक रुचि लेकर इसे विशेष संप्रेषणीय बनाया। मैं इन्हें धन्यवाद देती हूँ।

अँगरेजी-पुस्तक 'प्रेगनेन्सी' की तरह हिंदी में प्रस्तुत यह पुस्तक 'गर्भावस्था' हिंदी-भाषी पाठकों के लिए लाभदायक होगी, ऐसा मेरा विश्वास है।

—नूतन लखनपाल पंडित

गर्भावस्था के संबंध में आम धारणाएँ

मिथक : दर्द असहनीय होता है।

गलत : अगर दर्द असहनीय होगा तो प्रकृति की सुरक्षा-यांत्रिकी व्यक्ति को अचेत कर देगी। प्रसव के दौरान महिलाएँ दवाइयों से तो अचेत कर दी जाती हैं, लेकिन दर्द से कभी नहीं। संकुचनों के प्रति सकारात्मक रूख अपनाने से दर्द सहना आसान हो जाता है।

मिथक : अपनी तंत्रिकाओं को चिकना बनाने के लिए प्रतिदिन एक चम्मच घी खाएँ।

गलत : स्वयं को लचीला बनाने के लिए आपको व्यायाम की आवश्यकता है, घी की नहीं। घी खाने से आप मोटी हो जाएँगी। क्रियाशील रहें, ताकि आपके जोड़ जकड़न में न हों। पहले महिलाएँ खेतों में काम करती थीं, दूध दुहती थीं, मक्खन निकालती थीं, गेहूँ पीसती थीं, इसलिए वे घी पचा पाती थीं। (देखें पृ. 77-78)

मिथक : नाभि-नाड़ी माता की नाभि से जुड़ी होती है।

गलत : नाभि-नाड़ी माता के गर्भ के अंदर के अंग खेड़ी से जुड़ी होती है। (खेड़ी को आफ्टर-बर्थ भी कहा जाता है, क्योंकि यह शिशु-जन्म के बाद निकल जाता है।) यह अंग नाभि-नाड़ी के द्वारा बच्चे तक भोजन तैयार करके पहुँचाता है, जो कि दूसरे सिरे पर बच्चे की नाभि से जुड़ा होता है।

मिथक : खुश रहें, अच्छी किताबें पढ़ें।

सही : अगर आप डरी हुई हैं या तनावपूर्ण हैं, तो आपके शरीर की रासायनिक क्रिया बदल जाती है, क्योंकि अलग हार्मोनों का स्राव शुरू हो जाता है। अंदर पल रहा बच्चा इस अंतर को महसूस करता है। अतः प्रसन्न रहने का प्रयास करना महत्त्वपूर्ण है।

मिथक : प्रसव के दौरान जोर न लगाएँ।

गलत : प्रसव के दौरान जब तक डॉक्टर या नर्स आपसे ऐसा करने को न कहें, तब तक जोर न लगाएँ। जब तक गर्भाशय का मुख पूरी तरह न फैल जाए, उससे पहले अगर आप जोर लगाएँगी, तो अधखुले

गर्भाशय-ग्रीवा (गर्भ-मुख) से बच्चे का सिर टकराने का खतरा है, जिससे बच्चे के सिर और गर्भाशय-ग्रीवा में सूजन आ सकती है।

मिथक :	**प्रसव के दौरान टहलें।**
सही :	जब आप प्रसव में हों तो टहलना सबसे अच्छी बात होगी। गुरुत्वाकर्षण की शक्ति बच्चे के नीचे उतरने की क्रिया में शीघ्रता लाती है और इससे प्रसवकाल छोटा हो जाता है। और जब आप पीठ के बल लेटी होती हैं, तो आपके बच्चे के शरीर के वजन और गर्भाशय के वजन से एक प्रमुख रक्तनलिका 'वेना कावा' पर दबाव पड़ता है, जिससे आपके और बच्चे तक रक्त की आपूर्ति बाधित होती है। अगर महिला प्रसव के दौरान टहलती है तो उसे दर्द कम महसूस होता है। (देखें पृ. 110)
मिथक :	**दो के बराबर खाएँ।**
गलत :	गर्भावस्था के दौरान दो के बराबर खाना महत्त्वपूर्ण नहीं है, बल्कि बुद्धिमत्तापूर्वक भोजन करना आवश्यक है। बच्चा एक परजीवी होता है, माता के शरीर में वह तत्त्व पर्याप्त न भी हो तो वह उसे ले लेगा। अतः अगर आप अच्छा नहीं खातीं, तो आप बुझी-बुझी-सी महसूस कर सकती हैं, जो कि शरीर में लोहे की कमी से उत्पन्न होती है।
मिथक :	**अगर आप जमीन पर पैर मोड़कर बैठती हैं, तो इससे बच्चे का सिर चौड़ा हो जाएगा।**
गलत :	सबसे अच्छा काम आप यही कर सकती हैं कि पैर मोड़कर बैठें, इससे श्रोणीय जोड़ का व्यायाम हो जाएगा। यह वही जोड़ है, जो बच्चे के जन्म के समय खुलकर उसे रास्ता देती है। नियमित अभ्यास से ये जोड़ लचीले बन जाते हैं और जन्म के समय आसानी से खुल जाते हैं। इसलिए इसमें आश्चर्य की बात नहीं कि झाड़-बुहार करनेवाली महिलाओं का प्रसव आसान होता है। बच्चा सुरक्षित रूप से गर्भ में रहता है और इसके सिर पर कोई प्रत्यक्ष दबाव नहीं पड़ता।
मिथक :	**अगर आप पेट अंदर की ओर खींचती हैं तो बच्चे का दम घुटने लगता है।**
गलत :	बच्चे का दम नहीं घुटता है, क्योंकि यह अपना ऑक्सीजन नाभि-नाड़ी के द्वारा लेता है, जो एक सिरे पर बच्चे की नाभि से और दूसरे सिरे पर खेड़ी से जुड़ा होता है। अगर आप पेट खींचती हैं तो बच्चे का वजन श्रोणीय अस्थियों के द्वारा सँभाल लिया जाता है, ताकि आपके पेट को लगातार खिंचने से आराम मिल सके।

मिथक : **हॉस्पीटल जाने से पहले एक गिलास दूध और घी अथवा बादाम का दूध लें।**

गलत : अगर आपका प्रसव शुरू हो गया है और कुछ खाने की इच्छा हो रही है तो हल्का खाएँ। एक बार जब प्रसव सुनिश्चित हो जाता है, तो बादाम, घी, दूध जैसी चीजें लेने से आपको उल्टी जैसा महसूस हो सकता है।

मिथक : **शिशु-जन्म के पश्चात् पेट को बाँधकर रखें।**

गलत : अगर आप अपने कपड़ों को जैसे-तैसे मोड़कर ऊपर कबर्ड में रख दें, तो अगली बार जब कबर्ड खोलेंगी, तो वे सारे कपड़े आपके ही मुँह पर गिरेंगे। अगर आप अपने पेट की मांसपेशियों को वापस किसी पेटी से धकेल देंगी तो वह फिर से बाहर आ जाएगा। अतः यह महत्त्वपूर्ण है कि शुरू के चालीस दिन या तीन महीने तक आप हल्के अभ्यास करें और फिर बाद में मांसपेशियों को सुगठित करने के लिए व्यायाम करें। (देखें पृ. 159 एवं 161)

मिथक : **अगर नाड़ी गले में लिपटी हुई है तो ऑपरेशन करना होगा।**

गलत : अक्सर बच्चों के जन्म के समय गले के चारों तरफ नाड़ी लिपटी हुई होती है। प्रसव सामान्य हो सकता है।

मिथक : **अगर बच्चा उल्टी स्थिति में है, यानी पैर पहले वाली मुद्रा में, तो ऑपरेशन करना पड़ेगा।**

गलत : अगर गर्भावस्था की शुरुआत में बच्चा पैर नीचेवाली स्थिति में है, तो प्रसव की संभावित तिथि के कुछ हफ्ते पहले उसके सिर नीचेवाली मुद्रा में आ जाने की संभावना है। अगर महिला का यह पहला प्रसव है, और बच्चे का सिर नीचे की स्थिति में नहीं आता है तो ऑपरेशन किया जाएगा। प्रसव की अनुमानित तिथि के एक महीना पूर्व किसी आदर्श होम्योपैथ* से दवा लेने से उल्टे बच्चे की स्थिति को पलटा जा सकता है। एक्यूप्रेशर की बिंदु बी-67, जो छोटे अँगूठे के नाखून की जड़ में होता है, उससे कहा जाता है कि उल्टे बच्चे को पलटा जा सकता है।

*आदर्श होम्योपैथ वह होता है, जो आपसे अनगिनत सवाल पूछता है, जैसे आपको मानसिक रूप से कैसा लगता है, आपके माता-पिता को क्या बीमारियाँ थीं, आप क्या-क्या चीजें पसंद या नापसंद करती थीं इत्यादि।

मिथक : **बच्चा अनुमानित तिथि पर ही आता है।**

गलत : सिर्फ 4% मामलों में ही प्रसव अनुमानित तिथि को शुरू होता है। 50% मामलों में एक हफ्ता आगे या पीछे, 80% मामलों में दो हफ्ते पहले एवं एक हफ्ते बाद, 10% मामलों में 42वें हफ्ते में एवं 4% मामलों में 43वें हफ्ते या उसके बाद होता है।

स्रोत : टेक्स्टबुक ऑफ आब्स्टेट्रिक्स, डॉ. डी.सी. दत्ता के द्वारा।

अनुक्रम

श्वास का अभ्यास, ध्यान-केंद्रित श्वास-अभ्यास, जोर नहीं लगाने का श्वास-अभ्यास, बदलाव, जोर लगाना

1

बिना भय के प्रसव

वर्षों के अनुभव से एक सच्चाई हम जान लेते हैं,
जिस दर्द का हमें डर होता है, उससे ज्यादा दर्द डर से पैदा होता है।

—जॉन गोल्डन

प्रसव एक सामान्य और व्यापक घटना है, फिर भी औसत महिला को प्रायः इसकी जानकारी अव्यवस्थित, अपूर्ण और विकृत होती है।

सामान्यतः किसी महिला की यह धुंधली धारणा होती है कि प्रसव का अर्थ है असहनीय दर्द और जोखिम। ऐसी धारणा उनके प्रारंभिक एवं बाद के जीवन में सुनी-सुनाई अस्पष्ट कहानियों से ही बनती है। गप्पें, फिल्मों या कल्पना के अंश ही एक निश्चेष्ट दर्द की तस्वीर बना देते हैं, जिसके प्रति स्त्री को अंततः चरम असहायता में झुक जाना पड़ता है। प्रसव के दौरान नकारात्मक विचार पूरे शरीर में डर के मारे तनाव भर देते हैं।

अगर कोई असहनीय दर्द से गुजरता है, तो यह प्रकृति का नियम है कि वह अचेत हो जाएगा। यह प्रकृति की सुरक्षा-प्रक्रिया है। हालाँकि प्रसव के दौरान किसी महिला को दवा के प्रयोग से अचेत किया जा सकता है; लेकिन दर्द देकर कभी भी नहीं। अतः जो दर्द महसूस किया जा सकता है, उसे बर्दाश्त भी किया जा सकता है।

दर्द-बोध

दर्द और प्रसव इतने लंबे समय तक एक-दूसरे से संबंधित रहे हैं कि गर्भाशय के सामान्य संकुचन को भी अक्सर दर्द ही कहा जाता है।

गर्भाशय का संकुचन और दर्द एक-दूसरे का पर्याय बन गए हैं। किसी महिला से अक्सर सुना जा सकता है कि दर्द, प्रसव का ईशारा है। फ्रांस में, कई ईकाइयों में 'प्रसव-कक्ष' को 'दर्द का कक्ष' भी कहा जाता है। वे महिला जो पहले भी प्रसव-प्रक्रिया से गुजर चुकी हैं वे भी 'दर्द' की बात करती हैं। और इस तरह शब्दों और स्नायु-केंद्रों के बीच एक क्षणिक जोड़ बन जाता है।

गर्भाशय के स्नायु प्रसव-प्रक्रिया की शुरुआत की सूचना मस्तिष्क को देते हैं। मस्तिष्क इसका पूर्वाभास करके अंततः इसे दर्द में बदल देता है। जब मनुष्य का शरीर स्वस्थ होता है और सुचारु रूप से कार्य कर रहा होता है, तब शरीर के विभिन्न अंग उनके कार्य की सूचना मस्तिष्क को देते रहते हैं। ये सूचनाएँ कई आंतरिक और बाहरी स्रोतों से आती हैं एवं इन्हें आपस में प्रतियोगिता करनी होती है। अतः इनमें से कई सूचनाओं की पूर्णतः अनदेखी हो जाती है।

हालाँकि जब आघात के द्वारा मस्तिष्क में संभावित ताकत को घटा दिया जाता है, तब हम दर्द के साथ आंतरिक अंगों के कार्य पूर्ण होने को महसूस करते हैं। उदाहरणस्वरूप, कोई बुरा समाचार पेट-दर्द या गले में दर्द का कारण हो सकता है।

प्रसव-प्रक्रिया के दौरान, मस्तिष्क के संभावित ताकत को लंबे समय की कई नकारात्मक अनुभूतियों को घटाया जा सकता है, जिसका परिणाम होता है असहनीय दर्द की अपेक्षा। दूसरे शब्दों में, अगर आप दर्द की अपेक्षा रखती हैं, तो यह मस्तिष्क की सामान्य गतिविधियों को बाधित कर देता है और आपको ज्यादा दर्द महसूस कराता है। प्रसव के बारे में वर्षों के नकारात्मक सूचनाओं का वही असर होता है, जो असर किसी पत्थर पर एक ही जगह लगातार गिर रही पानी की बूँदों का होता है। लाखों बूँद पत्थर पर निशान छोड़ने में सफल हो ही जाते हैं।

अतः प्रसव के बारे में सकारात्मक रूप से सोचना महत्त्वपूर्ण है। इसे एक प्राकृतिक अनुभव के रूप में सोचें। जैसे-जैसे आप बड़ी होती हैं आप मासिक, सहवास और फिर प्रसव के अनुभव से गुजरती हैं। यह आपके शरीर की एक सामान्य और प्राकृतिक प्रक्रिया है। जब प्रसव को प्राकृतिक रूप से एवं बिना दवा के होने दिया जाता है, तब शरीर एन्ड्रोफिन हार्मोन का निकास करता है, जो कि एक प्राकृतिक दर्द-निवारक हार्मोन है और सबकुछ अच्छा होने की अनुभूति देता है।

मस्तिष्क, मालिक है

जब प्रसव-प्रक्रिया प्रारंभ होती है तो गर्भाशय में संकुचन शुरू होता है। गर्भाशय की नसों के छोरों के द्वारा इसकी उत्तेजना को मस्तिष्क तक पहुँचाया और प्राप्त किया जाता है।

अगर मस्तिष्क इसकी पहचान तीव्र दर्द के रूप में करता है तो शरीर की रक्षात्मक यांत्रिकी, जो भाग जाने या लड़ने की सलाह देती है, स्त्री के पूरे शरीर को अपने नियंत्रण में ले लेगी। परिणामस्वरूप भाग जाने में अक्षम वह स्त्री, हर संकुचन का अपने पूरे बदन में ऐंठन लाकर उसका मुकाबला करेगी। आम ऐंठन के अलावा यह तनाव उसके गर्भाशय तक भी जा पहुँचेगा और प्रसव के लिए कार्यशील गर्भाशय की मांसपेशियों का प्रतिरोध करेगा। इसे ही दर्द के रूप में जाना जाता है।

हालाँकि अगर स्त्री यह समझ लेती है कि उसके शरीर में उठ रहा यह खिंचाव उसके गर्भाशय के द्वारा बाहर धकेलने के लिए किए जा रहे प्रयासों के कारण है और जिसके लिए उसे डरने की कोई आवश्यकता नहीं है, तो यह संकुचन की प्रक्रिया उसके लिए नया अनुभव साबित होगी। उसके गर्भाशय की मांसपेशियाँ बिना डरपूर्ण तनाव के और बिना किसी बाधा के कार्य करेंगी और हर संकुचन जन्म के निकट लाएगा। इससे महिला का छोटी अवधि में कम दर्द के साथ प्रसव हो सकेगा।

अतः प्रसव के दौरान स्त्री जो दर्द महसूस करेगी, वह उसके मस्तिष्क के द्वारा दर्द की पहचान डराने वाले दर्द या सामंजस्य के साथ प्रसव करने की इच्छा पर निर्भर करेगा।

सहानुभूतिपूर्ण स्नायु-तंत्र

जब अनुकूल स्नायु-तंत्र डर के द्वारा उत्तेजित हो जाता है तो यह गर्भाशय तक पहुँचने और वापस आनेवाले रक्त-प्रवाह को बाधित कर देता है। कोई भी अंग पर्याप्त ईंधन के अभाव और अवशेषों के निकास की किसी प्रभावी व्यवस्था के बिना पूरी क्षमता के साथ कार्य नहीं कर सकता। यह डर से पैदा होनेवाले और जनन अंगों पर पड़नेवाले सबसे चिंताजनक प्रभावों में से एक है, यह सीधे तौर पर अचानक आनेवाली कई जटिलताओं के लिए उत्तरदायी है, जो कि आमतौर पर एक सामान्य प्रसव होता।

लेंग्ली और एंडरसन (1893-94) के अनुसार गर्भाशय के सहानुभूतिपूर्ण स्नायुओं का डर के द्वारा उत्तेजन गर्भाशय को कमजोर, कड़ा और रक्तहीन कर देता है।

लेकिन जब उत्तेजन को हटा दिया जाता है, तो यह शीघ्रता से रक्त से भर जाता है और एक लचीला, गहरा गुलाबी गर्भाशय बन जाता है। एक रक्तहीन सफेद गर्भाशय, गर्भ के अत्यंत जरूरी अवसाद को जन्म दे सकता है और ऑपरेशन की आवश्यकता पड़ सकती है।

प्रवाह के बिगड़ जाने से दर्द होता है, क्योंकि रक्त-प्रवाह काफी मद्धिम पड़ जाता है और यह उपपाचन के पदार्थों को हटा नहीं पाता। प्रवाह में रुकावट गर्भाशय के पेशीय उत्तकों में गहरा दर्द पैदा कर सकता है और इस प्रकार प्रसव-प्रक्रिया की अवधि को बढ़ा सकता है। अगर शरीर के अंग सही स्थिति में हों, जैसे श्रोणि का आकार बच्चे के सिर के आकार के लिए पर्याप्त हो और बाहर आने के लिए बच्चा सही स्थिति में हो, तब भी मनोवैज्ञानिक डर और इससे जुड़ा हुआ दर्द—असली दर्द नहीं—प्रसव के समय को लंबा कर सकते हैं।

डर और इसके दूसरे प्रभाव न सिर्फ प्रसव-प्रक्रिया को बढ़ाते हैं; बल्कि रक्तस्राव और माता के उत्तकों को भी नुकसान पहुँचाते हैं और एनोक्जेमिया (रक्त में सामान्य से कम ऑक्सीजन का होना), श्वास रुकना और नए जनमे बच्चे के थकान के लिए भी उत्तरदायी होते हैं।

पेशीय कार्य

पूरे शरीर में कई पेशीय ढाँचे होते हैं, जो एक-दूसरे के साथ सामंजस्य के साथ कार्य करते हैं। उदाहरण के लिए, बाँह के ऊपरी हिस्से के सामने, पीछे के पेशी। अपनी बाँह ऊपर उठाने का प्रयास करें और आप अपनी बाँह के ऊपरी हिस्से के पीछे खिंचाव महसूस करेंगी। अब इन दोनों पेशी को एक साथ तानें तो आप पाएँगी कि बाँह सख्त हो गई है। अगर खिंचाव सख्त है और कुछ समय तक जारी रखा जाए तो पूरी बाँह में कंपन आने लगेगा और जल्द ही बाँह में दर्द होने लगेगा।

बच्चे के जन्म के दौरान भी गर्भाशय के पेशी में इसी प्रकार की हलचल देखने को मिलती है। गर्भाशय कई पेंशीय रेखाओं से बना होता है।

पेशीय रेखाओं का एक समूह रेखांश में होता है, यानी यह मुँह से गर्भ तक, सामने तक, ऊपर और गर्भाशय के पीछे तक जाता है। इन पेशीयों में संकुचन बच्चे को गर्भ से बाहर धकेलती है। इसके बाद गर्भाशय के निचले हिस्से में मुख के या निकास के पास वृत्तीय रेशाओं का जमावड़ा होता है। इन रेशाओं का फैलाव और संकुचन गर्भ के मुख को खोलती है। हालाँकि अगर ये वृत्तीय रेशाएँ कड़ी हो जाएँ तो ये गर्भाशय-ग्रीवा या गर्भ के मुख को बंद कर देंगे और गर्भाशय की गतिविधियों को रोक देंगे या बंद कर देंगे। तनी हुई पेशीयों के कारण यह अनिच्छित तनाव प्रसव को लंबा और दर्द पूर्ण बना सकता है।

प्रसव के लिए शारीरिक रचना

औरत के शरीर की रचना जन्म दे सकने के उद्देश्य से की गई होती है। जैसे किसी महिला की श्रोणीय हड्डी पुरुष से बड़ी होती है।

महिला की श्रोणि

महिला की श्रोणि में तीन जोड़ होते हैं, जो जन्म देने के समय अलग-अलग फैल जाते हैं। इनमें से दो सैक्रम के दोनों तरफ यानी बैकबोन के निचले हिस्से में होती है, जहाँ यह इलियॉक बोन्स या श्रोणि के बेसिन के आकार की हड्डियों से मिलती है। इन्हें 'सैक्रो-इलियॉक बोन्स' कहते हैं। एक जोड़ श्रोणि के सामने होता है, जिसे 'सिम्फीसिस प्यूबिस' कहते हैं। ये तीनों जोड़ जन्म के समय बच्चे के बाहर आने के लिए अलग फैल जाते हैं।

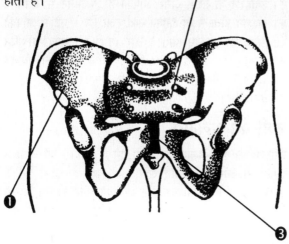

किसी महिला की श्रोणि दिल के आकार की होती है, जबकि पुरुष की श्रोणि सेब के आकार की होती है।

गर्भाशय-ग्रीवा या गर्भाशय के मुख से निकलने के बाद बच्चा योनि की तरफ बढ़ता है। योनि कई परतों से बना होता है और जिस प्रकार साड़ी की तहों को हम सामने से खोल सकते हैं, उसी प्रकार योनि भी खुल सकती है। जब बच्चा योनिमार्ग से गुजरता है, यह बच्चे को रास्ता देने के लिए खुल जाती है। जन्म के समय महिला अपने योनिमार्ग को जितना शिथिल रखती है, बच्चे के सिर को उतने ही कम प्रतिरोध का सामना करना पड़ता है।

बच्चे के सिर की हड्डियाँ या क्रेनियल जुड़ी हुई नहीं होती है। जब बच्चे का सिर जन्ममार्ग का सामना करता है, तो यह अपने आपको योनिमार्ग के आकार के अनुरूप ढाल लेता है। अगर जरूरत पड़ती है तो ये हड्डियाँ एक-दूसरे के ऊपर चढ़ भी सकती हैं। जन्म के बाद सिर की ये हड्डियाँ वापस अपने प्रारंभिक आकार में आ जाती हैं। इसी के कारण कुछ बच्चों के सिर पर जन्म के समय गूमड़ होता है, जो कुछ दिनों में चिकना हो जाता है।

जन्म की प्रक्रिया को नियंत्रित करने एवं इसे दर्द-रहित बनाने के लिए शरीर हार्मोन छोड़ता है।

एक दिलचस्प तथ्य है कि समूची प्रसव-प्रक्रिया का बहुत छोटे हिस्से में ही गर्भाशयी संकुचन और उससे जुड़ा 'दर्द' होता है। उदाहरण के लिए, अगर आपको हर 5 मिनट में 1 मिनट का संकुचन होता है तो इसका अर्थ हुआ कि 1 घंटे में आपको 12 मिनट का संकुचन होता है और 48 मिनट आपको संकुचन नहीं होता। शुरुआत में हर 15 मिनट में 30 सेकेंड का संकुचन हो सकता है और इस तरह 1 घंटे में आपको 2 मिनट का ही संकुचन होगा।

स्त्री का अनुभव

लेखिका के द्वारा चलाए गए जन्म देने हेतु तैयारी की कक्षा में 2,000 से अधिक महिलाएँ शामिल हो चुकी हैं। जन्म देने के अनुभव के प्रति उन महिलाओं ने स्वयं को आत्मविश्वस्त महसूस किया और साथ ही उन्हें बहुत कम या कोई भी दर्द महसूस नहीं हुआ।

मनोवैज्ञानिक रूप से तैयार कोई महिला किसी भी तरह के प्रसव का आत्मविश्वास के साथ सामना कर सकती है। रीता, जिसका ऑपरेशन के द्वारा बच्चा हुआ, का कहना है—'सुबह 4:30 बजे के आसपास बहुत ज्यादा रक्तस्राव होने लगा, जब गर्भाशय की दीवारों से प्लेसेन्टा अलग होना शुरू हुआ। यह आकस्मिक रक्तस्राव था। जब तक मेरी शल्यक्रिया हुई, प्लेसेन्टा का दो-तिहाई हिस्सा अलग हो चुका था और भ्रूण परेशानी में था। मेरे प्रसव के बारे में सबसे अच्छी बात यह थी कि मेरी और मेरी सुंदर बच्ची का जीवन मेरी सामर्थ्यवान् चिकित्सक के द्वारा समय पर किए गए उपचार के कारण बचा लिया गया; क्योंकि मेरा केस काफी खराब हो चला था।'

जब कोई महिला यह समझ सकती है कि उसके केस में शल्यक्रिया आवश्यक है तो वह इस निर्णय को विवेक के साथ स्वीकार करती है। और, क्योंकि उसने अपने प्रसव के दौरान श्वास और आराम की क्रिया जारी रखी होती है, इसलिए उसका मानसिक और शारीरिक स्वास्थ्य भी अच्छा होता है। और जब वह शांत और सँभली हुई होती है, तो वह अचेत करनेवाले को काफी कम मात्रा में एनेस्थीसिया के प्रयोग से ही नींद ला देने में सहायता करेगी, जिससे कि बाद में उसे और बच्चे को कम परेशानी का अनुभव करना पड़ेगा। साथ ही, अगर महिला को सभी बातों की जानकारी हो, तो वह किसी भी चीज को आँख मूँदकर स्वीकार नहीं करेगी।

जब किसी महिला ने जन्म देने के लिए स्वयं को क़िसी भी प्रकार से तैयार नहीं किया है और उसे इसका डर भी है तो हो सकता है कि प्रसव के प्रति वह भय से भर जाए। हर संकुचन दर्द का इशारा बन जाएगा और अंततः दर्द शुरू भी हो जाएगा। दूसरी तरफ, एक प्रशिक्षित महिला का प्रसव के प्रति सकारात्मक रूख होगा और उसकी प्रसव-प्रक्रिया आसान और निर्विघ्न होगी।

महिलाओं की एक श्रेणी होती है, जो एक बार प्रसव-प्रक्रिया शुरू होने के बाद कोई प्रगति नहीं करती। पूरी गर्भावस्था के दौरान वे किसी भी प्रकार की चिंता नहीं दिखाती और प्रसन्न दिखती हैं, लेकिन जैसे ही प्रसव-प्रक्रिया शुरू होती है, वे हिम्मत हार जाती हैं और शिकायत करने लगती हैं।

महिला को सकारात्मक सोच रखनी चाहिए। इसका बहुत महत्त्व है और इससे आप किसी भी स्थिति का सामना कर सकती हैं।

—नेहा बाली

मैंने उसे फिर-फिर याद दिलाकर और एकाग्रचित्त होने और श्वास के अभ्यास में मदद करने की कोशिश की।

—विवेक बाली
नेहा का पति

मैंने पाया कि श्वास और आराम के अभ्यास काफी मदद करते हैं। प्रशिक्षण की कक्षा और अभ्यास करने के कारण मैंने किसी भी प्रकार की आशंका महसूस नहीं की और अगर देखें तो प्रसव-प्रक्रिया को बर्दाश्त करना कोई मुश्किल काम नहीं था।

—रुक्साना श्रौफ

उनकी शिकायत होती है कि कुछ भी नहीं हो रहा और अक्सर उनके विकास की गति धीमी होती है, प्रसव-प्रक्रिया लंबी होती है और शल्य की आवश्यकता पड़ सकती है। ऐसी महिलाएँ अपने भीतरी डर को दबाकर रखती हैं और उन्हें अपने मस्तिष्क के अवचेतन में छिपा हुआ छोड़ देती हैं, जो प्रसव के दौरान बाहर आकर घटनाओं की सामान्य प्रक्रियाओं को बाधित करती हैं।

डॉ. डिक रीड की किताब 'चाइल्ड-बर्थ विदाउट फीयर' में एक केस के द्वारा इस बात को रेखांकित किया गया है। एक फीजियो-थेरापिस्ट थी, जो शिथिलन और बच्चे के जन्म की तैयारी करने को जोरदार प्रवक्ता थी। उसे अपने पहले बच्चे के जन्म के दौरान बहुत ही आसान और लगभग आरामदेह प्रसव हुआ। जब उसे दूसरा बच्चा होनेवाला था, तब उसे अचानक बहुत ही जोरदार संकुचन का अनुभव होने लगा। वे संकुचन इतने जोरदार थे कि उसे शंका हुई कि कहीं कुछ गड़बड़ है। वह अचानक हिम्मत हार बैठी और इधर-उधर जाकर चिल्लाने लगी। उसे तुरंत सूँघाकर दी जानेवाली पीड़ाहारी दवाई देकर नियंत्रित किया गया और बच्चा सामान्य रूप से पैदा हुआ। उसने स्वीकार किया कि उसने सोचा था कि उसका दूसरा प्रसव पहले से आसान होगा और जब उसने आशा से अधिक तकलीफ का अनुभव किया, तो उसके मन में बुरे ख्याल आने लगे और वह स्वयं पर से नियंत्रण खो बैठी और इस तरह डर उसके ऊपर हावी हो गया। उसके तीसरे प्रसव में उसे तुलनात्मक रूप से फिर आसानी हुई, क्योंकि उसके डर के कारणों के बारे में उसे बता दिया गया था। उसने यह भी समझ लिया था कि कोई भी दो प्रसव एक जैसे नहीं होते और यह भी कि कभी-कभी दूसरे और उसके बाद के प्रसवों में बड़े संकुचन का होना सामान्य बात है।

डर को अवचेतन के कोने में दबा देने से जन्म के दौरान कठिनाइयाँ उत्पन्न हो सकती हैं। इसलिए हर गर्भवती महिला के लिए यह महत्त्वपूर्ण है कि वे अपने डर और अनुमानों के बारे में चिकित्सक से चर्चा कर उसे समझ लें। कोई भी दो प्रसव एक जैसा नहीं होता और हर प्रसव एक-दूसरे से अलग होता है। यहाँ तक कि किसी एक महिला का भी दो प्रसव एक जैसा नहीं होगा।

प्रसव पूरी तरह अद्भुत था। मैं यह ठीक-ठीक जानती थी कि क्या उम्मीदें रखनी हैं। श्वास-प्रक्रिया ठीक थी—वरना मेरी माँ ने कहा था कि वह मुझे प्रसव-पीड़ा में नहीं देख पाएँगी। श्वास के अभ्यास ने मुझे इतना आराम पहुँचाया कि यह लगभग दर्द-रहित था।

—अमृता खोसला
दूसरा प्रसव
(पहला ऑपरेशन से)

हर संकुचन के समय वह बुद्ध की तरह बैठकर कुछ बुदबुदाने लगती थी। मैंने सोचा, वह कोई मंत्र पढ़ रही है; लेकिन उसने बताया, वह श्वास-अभ्यास कर रही थी।

—वंदना जगवानी
की माँ

प्रसव के बारे में किसी भी पूर्व कल्पित धारणाओं से खुद को अलग कीजिए। प्रसव में सही या गलत, पूर्ण या अपूर्ण जैसा कुछ भी नहीं होता। आपकी प्रसव-प्रक्रिया चलती रहेगी, आप इसके लिए कोई लक्ष्य तय नहीं कर सकतीं। आप सिर्फ स्वयं को इसके बारे में जानकारी और श्वास एवं शिथिलता के अभ्यास से लैस कीजिए।

प्राकृतिक प्रसव

प्राकृतिक प्रसव का अर्थ है, बच्चे को प्राकृतिक रूप से जन्म देना यानी आरामपूर्ण रूख के साथ बिना किसी पीड़ाहारी और बिना किसी मशीनी प्रक्रिया की सहायता के बच्चे को जन्म देना।

डॉ. डिक रीड की किताब 'चाइल्ड-बर्थ विदाउट फीयर' (लंदन 1977) में प्रसव के दौरान के एक औरत का एक दिलचस्प वाकया है। उसने डॉ. रीड को इस हद तक प्रभावित किया कि वह ब्रिटेन में प्राकृतिक रूप से बच्चे को जन्म देने के सुझावों के अगुआ बन गए।

वह घटना का वर्णन इस प्रकार करते हैं—'सही प्रक्रियाओं से बच्चे का जन्म हुआ। कोई भी हलचल या शोर नहीं हुआ। लगा, जैसे हर चीज तय योजना के तहत हुई। सिर्फ एक मामूली मतभेद था—मैंने अपनी मरीज को समझाने की कोशिश की कि वह चेहरे पर मास्क डाल ले और थोड़ी क्लोरोफार्म देने दे। बच्चे का सिर दिखने लगा था और रास्ते का विस्तार दीख रहा था। वह सलाह से नाराज हो गई और शांतिपूर्वक लेकिन दृढ़ता से उस मदद के लिए इंकार कर दिया। मेरे छोटे-से अनुभव में यह पहला मौका था, जब किसी ने क्लोरोफार्म के लिए मना कर दिया था। मैंने उससे पूछा कि वह क्यों मास्क का प्रयोग नहीं करेगी? उसने बूढ़ी महिला, जो उसकी मदद कर रही थी, की तरफ खिड़की की ओर देखा, फिर मेरी तरफ शर्माकर देखा और कहा, 'कोई दर्द नहीं हुआ। दर्द होने के लिए यह हो भी नहीं रहा। क्यों डॉक्टर, मैंने ठीक कहा न?' मैंने महसूस किया कि सचमुच प्रकृति का ऐसा कोई नियम या योजना नहीं, जो बच्चे के जन्म के समय दर्द को सही ठहरा सके।'

2

आपकी शरीर-रचना

हर महिला के लिए उसके शरीर की रचना को समझना महत्त्वपूर्ण है। ऐसा करने के लिए महिला को मुक्त रूप से अपने शरीर को परखना और उसे महसूस करना चाहिए। अधिकतर महिलाएँ इस बात से अनभिज्ञ होती हैं कि शरीर के दूसरे अंगों की तरह ही उनका जनन अंग कैसा दिखता है। महिलाएँ नीचे की उस जगह को गंदा समझती हैं और जितनी कम उन अंगों की देख-रेख कर सकें, उतने से ही काम चला लेती हैं। यह जानकर आपको अच्छा लगेगा कि योनि, जिसमें अपने आप साफ होते रहने की प्राकृतिक प्रक्रिया है, मुँह के अंदर के हिस्से से भी ज्यादा साफ रहता है। अपने शरीर के प्रति अच्छा महसूस कीजिए, यह गंदा या भद्दा नहीं है। यह आप हैं। स्वयं से जान-पहचान कीजिए। आप जनन कर सकने की योग्यता के कारण अद्वितीय हैं। हर महीने आपका मासिक आपकी उर्वरता को विश्वस्त करता है। एक आईना लीजिए और 'नीचे उस जगह' स्वयं को निहारिए। बिस्तर पर लेट जाइए और पैर को घुटनों से मोड़ लीजिए। अपने पैरों को बिस्तर पर समतल रूप से टिका लीजिए, दो जाँघों को अलग कर के उसके बीच एक आईना रखिए। किसी परिपक्व महिला की एक जो सबसे उभर कर

1. रोमकूप
2. भग-शिश्न
3. मूत्रमार्ग
4. योनिमार्ग
5. मलद्वार
6. मूलाधार

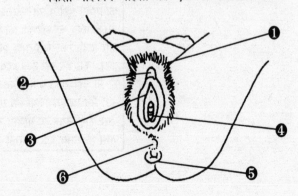

आनेवाली चीज होगी, वह है–'रोम'।

जब आप जघनास्थि से और नीचे देखेंगी–नाभि और पेट से नीचे जो रोमकूपों से भरा क्षेत्र है, तो आप अपने जनन और उत्सर्जक अंगों को देखेंगी। बाहरी रोम से ढंग के सतह के अंदर आप एक प्रतिलोमी V के आकार का क्षेत्र पाएँगी। V की दोनों बाँहें योनि के ओष्ठ हैं। V का सिरा जो नीचे की बजाय ऊपर होता है, उसके अंदर भग-शिश्न और उसके फण होते हैं, यह इस क्षेत्र का सबसे संवेदनशील हिस्सा होता है। प्रजनन-क्रियाओं के दौरान भग-शिश्न उसी प्रकार उत्तेजित हो जाता है, जिस प्रकार काम की उत्तेजना में पुरुषों का शिश्न उत्तेजित हो जाता है। योनि के किनारों के अंदर और भग-शिश्न के नीचे दो मुख या छिद्र होते हैं। भग-शिश्न के नीचे के छोटे छिद्र को 'यूअरा' या 'मूत्रमार्ग' कहते हैं, जहाँ से मूत्र का निकास होता है।

मूत्रमार्ग के नीचे एक बड़ा छिद्र होता है, उसे योनि कहते हैं। आपकी योनि से होकर मासिक स्राव निकलता है और उसी से आपके बच्चे का भी जन्म होगा। यह परतों से मिलकर बना होता है, जो इसे लचीला बनाते। काम-क्रिया या बच्चे के जन्म के दौरान जब योनि फैलती है तो ये परते हैं खुल जाती हैं। योनि के और नीचे मलद्वार होता है। मलद्वार से मल निकलता है। मूत्राशय एक बैग होता है, जिसमें निकास के पूर्व मूत्र जमा होता है। मूत्राशय मूत्रमार्ग से जुड़ा होता है। मलद्वार, मलाशय से जुड़ा होता है। यह बड़ी आँत का आखिरी हिस्सा होता है, जहाँ निकास के पूर्व मल इकट्ठा होता है।

जब आप गर्भवती होंगी तो आपका बच्चा गर्भाशय में रहेगा। इसकी मोटी दीवारें

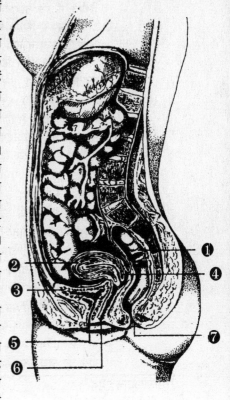

1. मलाशय
2. गर्भाशय
3. मूत्राशय
4. गर्भाशय-ग्रीवा
5. मूत्रमुख
6. योनिमुख
7. मलद्वार

होती हैं और यह मूत्राशय एवं मलाशय के बीच स्थित होता है। इसे आगे या पीछे की ओर आंशिक रूप से मोड़ा जा सकता है—उस स्थिति में इसे पश्चनत या अग्रनत कहते हैं। यह गर्भावस्था के दौरान अपनी स्थिति ठीक कर लेता है और जन्म के दौरान कोई जटिलता उत्पन्न नहीं करेगा। इसके ऊपरी हिस्से को इसका शरीर और नीचे के संकरे हिस्से को 'गर्भाशय-ग्रीवा' या 'गर्भ का मुख' कहते हैं।

अगर आप अपने हाथ धोकर एक ऊँगली को योनि में डालें तो आप अपने गर्भाशय-ग्रीवा को छू पाएँगी; क्योंकि यह योनि में बाहर की ओर निकला हुआ होता है। इसको छूने से वैसा ही महसूस होगा, जैसे नाक के अगले सिरे के गड्ढ़े या ठुड्ढ़ी को छूने से होता है। गर्भाशय-ग्रीवा से होते हुए गर्भाशय का रास्ता बहुत संकरा होता है और इसे 'ओएस' कहते हैं।

गर्भाशय के ऊपरी सिरे से रास्ता दोनों तरफ एक पतली ट्यूब की तरह जाता है, जिसे 'फेलोपियन ट्यूब' कहते हैं। ट्यूब के आगे की तरफ चिमनी की शक्ल का ट्यूब होता है, जो अंडाशय तक जाता है। दोनों फेलोपियन ट्यूब अंडाशय से जुड़े होते हैं और ये गर्भाशय के दोनों तरफ होते हैं। अंडाशय के दो कार्य होते हैं। वे स्त्रियों का सेक्स हार्मोन ओएस्ट्रॉन और प्रोजेस्ट्रॉन पैदा करते हैं। वे अंडाणु या डिंब भी पैदा करते हैं, जो छोड़े जाने के बाद केलोपियन ट्यूब में बिखेर या बहा दिया जाता है। फिर यह वीर्य के साथ निषेचित होता है।

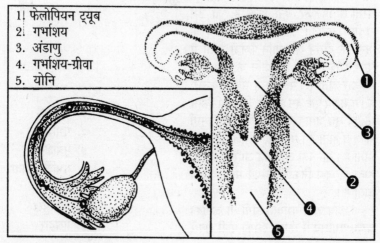

1. फेलोपियन ट्यूब
2. गर्भाशय
3. अंडाणु
4. गर्भाशय-ग्रीवा
5. योनि
1
2
3
4
5

यह वीर्य योनि से होता हुआ गर्भाशय-ग्रीवा के रास्ते गर्भाशय तक और फिर गर्भाशय से फेलोपियन ट्यूब तक पहुँचता है।

निषेचित डिंब या अंडा पुनः फेलोपियन ट्यूब से होता हुआ गर्भाशय तक पहुँचता है और गर्भाशय में स्थित हो जाता है, जहाँ यह फलता-फूलता है। जैसे-जैसे निषेचित अंडे का विकास होता है, गर्भाशय की मोटी दीवारें पतली होने लगती हैं, क्योंकि गर्भ के विकास के साथ यह बड़ा होने लगता और फूलने लगता है। विलक्षण स्थितियों में ही यह अंडा गर्भाशय के घेरे की बजाय स्वयं को फेलोपियन ट्यूब में और विरले उदाहरणों में ही स्वयं को पेट के कोटर अंडाशय या गर्भाशय-ग्रीवा में प्रतिरोपित करता है। ऐसे गर्भ की स्थिति को बाह्योन्मुख गर्भ कहते हैं और इसके लिए शल्यक्रिया की आवश्यकता पड़ती है। बाह्योन्मुख गर्भ के लक्षण पेट के तीव्र दर्द होते हैं। बाह्योन्मुख गर्भ के कारण होनेवाला दर्द शरीर की विभिन्न हरकतों, जैसे—झुकने, उठने या कार में चलने से बढ़ जाता है। बाह्योन्मुख गर्भ के कारण होनेवाली तकलीफ आमतौर पर गर्भावस्था के पहले तीन महीनों में ही उभरकर आती है।

बच्चे का विकास

9 महीनों के इस समय को तीन महीनों के तीन प्रमुख भागों में बाँटा जा सकता है।

पहले तीन महीने की समाप्ति पर बच्चा लगभग 3½ इंच लंबा होता है। प्रमुख अंग पूरी तरह से बन गए होते हैं, लेकिन पर्याप्त रूप से विकसित नहीं होते हैं। अमीनीय थैली में लगभग 3.5 ओंस द्रव होता है और भ्रूण के भ्रमण के लिए पर्याप्त जगह होती है, हालाँकि यह हिलना-डुलना माँ को महसूस नहीं होता। हृदय धड़क रहा होता है और आँखें हालाँकि बंद होती हैं, लेकिन अपने स्थान पर होती हैं। चेहरे के अंग ठीक ढंग से बन गए होते हैं और सिर के दोनों तरफ कान बन गए दिखते हैं। जननांग का विकास हो जाता है, जिससे बच्चे की पुरुष या स्त्री होने की पहचान होती है।

पहली तिमाही 1-3 महीने तक

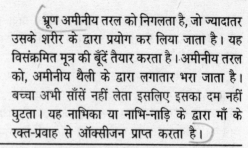

भ्रूण अमीनीय तरल को निगलता है, जो ज्यादातर उसके शरीर के द्वारा प्रयोग कर लिया जाता है। यह विसंक्रमित मूत्र की बूँदें तैयार करता है। अमीनीय तरल को, अमीनीय थैली के द्वारा लगातार भरा जाता है। बच्चा अभी साँसें नहीं लेता इसलिए इसका दम नहीं घुटता। यह नाभिका या नाभि-नाड़ि के द्वारा माँ के रक्त-प्रवाह से ऑक्सीजन प्राप्त करता है।

दूसरी तिमाही 4-6 महीने तक

दूसरी तिमाही के अंत तक बच्चा लगभग 14 इंच लंबा, लगभग अपनी माँ की मुट्ठी और बाँह के जितनी लंबाई का और लगभग 1 किलो वजन का हो जाता है।

दूसरी तिमाही की शुरुआत में या चौथे महीने से माँ भ्रूण के संचलन या हिलने-डुलने को महसूस करने लगती है और अब उसका पेट दिखने लगता है।

गर्भ अब मुस्कराता भी है और अँगूठा भी चूसता है। हाथों और पैरों की उँगलियों के सिरे पर उभार आ जाता है और यह बच्चे की उँगलियों के निशान की निराली पहचान देते हैं।

गर्भ का धड़ और पैर लंबे होने लगते हैं और सिर अब बाकी के शरीर के अनुपात में ज्यादा बड़ा नहीं दिखता। आँखों की पुतलियाँ और भौंह भी उभर आते हैं, लेकिन इस तिमाही के अंत तक आँखें बंद रहती हैं।

त्वचा के ऊपर महीन रोएँ उगने शुरू हो जाते हैं जिन्हें 'लेनूगो' कहते हैं, जो जन्म के पहले या बाद में झड़ जाते हैं। इस अवधि में बच्चे के शरीर पर एक सफेद ग्रीज की तरह का परत, जिसे 'वर्निक्स' कहते हैं आने लगता है। यह त्वचा और मृत त्वचा-कोशिका से निकलने वाले तेल से बनता है।

अब बच्चा हर रोज थोड़ा अमीनीय तरल निगलता है और इसे अमीनीय थैली में मूत्र के रूप में वापस कर देता है। अमीनीय तरल हर घंटे पुनःचक्रित होता है, जब इसका एक-तिहाई माता के रक्त-प्रवाह में सोख लिया जाता है।

इसके बाद इसे अमीनीय थैली से निकले ताजे तरल से भर दिया जाता है।

तीसरी तिमाही 7-9 महीने तक

आखिरी तिमाही में बच्चे का वजन बढ़ता है। वह धीरे-धीरे बढ़ता हुआ माता की छाती की हड्डी तक पहुँच जाता है। अब चूँकि बच्चे का आकार बड़ा हो जाता है, इसलिए गर्भाशय में जगह की कमी हो जाती है, अतः अब बच्चा ज्यादा हिल-डुल नहीं पाता, इसलिए माता बच्चे की लात मारना या कोचना-गड़ाना महसूस करने लगती है।

इस तिमाही के दौरान बच्चा उत्तकों के निर्माण के लिए प्रोटीन, हड्डियों के लिए कैल्शियम, लाल रक्त कोशिकाओं के लिए लौह और जन्म के बाद तापमान में परिवर्तन से प्रतिरोध के लिए चर्बी इकट्ठा करने लगता है।

7वें महीने के अंत तक बच्चे का मस्तिष्क साँस लेने और निगलने में समर्थ होने के लिए विकसित हो जाता है।

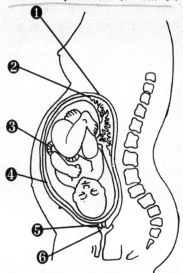

1. गर्भाशय/गर्भ—एक मांसपेशीय अंग, जिसमें बच्चा जन्म तक रहता है।

2. पुरईन/अपरा—गर्भाशय के अंदरूनी भाग में एक उत्तक का विकास। जब इसकी जरूरत और कार्य खत्म हो जाते हैं तो इसे हटा दिया जाता है, इसलिए इसका नाम 'अपरा' है। गर्भावस्था के अंत के समय पुरईन विकसित हो जाता है।

3. नाभिका/नाभि-नाड़ी—रक्त नलिका की रस्सी, जो एक सिरे पर बच्चे की नाभि से और दूसरे सिरे पर पुरईन से जुड़ी होती है। इसके द्वारा बच्चे तक पोषक-तत्त्व पहुँचते हैं।

4. अमीनीय थैली/जल की थैली—एक झिल्ली जैसी थैली, जो अमीनीय तरल नामक द्रव्य से भरी होती है, जिसमें बच्चा तैरता रहता है और जो आघात प्रतिरोधक के रूप में कार्य करके बच्चे की दुर्घटना से रक्षा करता है।

5. गर्भाशय-ग्रीवा—गर्भाशय का मुख, जो जन्मद्वार तक पहुँचता है। गर्भाशय-ग्रीवा के पेशीयद्वार से होता हुआ बच्चा जन्मद्वार तक और फिर बाहर की दुनिया में आता है।

6. कफ का ढक्कन—कफ और रक्त का एक ढक्कन, जो कार्क की तरह गर्भाशय-ग्रीवा को ढँक देता है। यह संक्रमण को गर्भ तक पहुँचने से रोकता है।

बच्चा अब ज्यादातर समय अँगूठा चूसता रहता है। अगर इस समय बच्चे का जन्म हो तो उसके बचने की संभावना 90 प्रतिशत होती है। 8वें महीने के अंत में बच्चा लगभग वैसा ही दिखता है, जैसा वह जन्म के समय दिखेगा। हालाँकि अभी फेफड़ा पूरी तरह से काम नहीं कर रहा होता है, फिर भी अगर बच्चे का जन्म इस समय हो तो उसके बचने की संभावना 95 प्रतिशत होती है।

तीसरी तिमाही के दौरान ही बच्चा आँखें खोलता है। इस मुकाम पर बच्चे की इंद्रिय का सर्वाधिक विकास होता है। सिर के बाल बढ़ने लगते हैं और पैरों एवं हाथों की उँगलियों के नाखूनों का विकास होता है। 9वें महीने में किसी समय बच्चा आमतौर पर सिर नीचे मोड़ता है। जन्म के लगभग 2 हफ्ते पहले बच्चा लगभग 2 इंच घट जाता है और माता के श्रोणीय हड्डियों में स्थित हो जाता है। इसे हल्कापन, स्थित होना या सिर का संतुलित होना कहते हैं।

बच्चे का माता के डायफ्राम या मध्यच्छद और फेफड़े पर धकेलने का दबाव घट जाता है, इसलिए वह अब हल्का महसूस करती है और ज्यादा आराम से साँसें ले सकती है। 9वें महीने में गर्भ बच्चे को नीचे की ओर सिर वाले में बदल देता है या गर्भ अपने पेशियों को प्रसव के लिए तैयार करता है, इसलिए अब पेशियों में हल्का संकुचन महसूस किया जा सकता है। कभी-कभी बच्चा पैर की तरफ से जन्म लेता है। ऐसे बच्चों को 'ब्रीच बेबीज' कहते हैं।

3

गर्भावस्था

अगर आपका मासिक किसी महीने नहीं हुआ हो तो यह जानने का सबसे आसान तरीका है कि आप गर्भवती हैं। रुके हुए मासिक के अलावा मिचलाहट, बार-बार पेशाब आना और स्तनों का मुलायम हो जाना भी गर्भवती होने के लक्षण हैं। जब आप गर्भावस्था की पुनः पुष्टि के लिए डॉक्टर के पास जाएँगी तो डॉक्टर आपके बढ़े हुए गर्भाशय, जननांगों के मुलायम होने इत्यादि की जाँच करेंगे। योनि की अंदरूनी जाँच के दौरान गर्भाशय-ग्रीवा दिखेगा, जो बैंगनी रंग का हो गया होगा—यह गर्भावस्था का लक्षण है।

खून/पेशाब की जाँच

खून या पेशाब की जाँच से गर्भ की उपस्थिति का पता लग सकता है। खून या पेशाब की जाँच HCG (Human chorionic Gona dotropin) की उपस्थिति का पता लगाने के लिए की जाती है। पुरईन के विकास से इस हार्मोन की उत्पत्ति होती है। यह हार्मोन मासिक को रोकता है और इस तरह गर्भ की रक्षा करता है। जल्द परिणाम के लिए खून की जाँच ज्यादा भरोसेमंद है।

I'M, I'M NOT!

पहले ज्यादा डोज के हार्मोन टेबलेट गर्भावस्था की जाँच के लिए दिए जाते थे। अगर गर्भ नहीं होता था तो यह हार्मोन मासिक शुरू कर देता था। अगर गर्भ होता और भ्रूण स्त्री का होता तो यह संभावना रहती कि यह टेबलेट पुरुषवत् बना सकता था। अब गर्भ की जाँच के लिए टेबलेट का प्रयोग नहीं किया जाता। इसके बजाय, अब अनिच्छित गर्भपात के लिए अलग संयोजन के हार्मोन का टेबलेट प्रयोग में लाया जाता है। अगर जाँच और डॉक्टर की सलाह से गर्भवती होने के प्रति आश्वस्त हो जाएँ तो पौष्टिक खाने, ज्यादा चाय, कॉफी और कोला से

परहेज, तंबाकू, अल्कोहल का प्रयोग बंद करके और दवाइयों एवं उपशामकों के अंधाधुंध प्रयोग बंद करके आप तुरंत अपने और बच्चे का ख्याल रखना शुरू करें।

जब आप अपने डेन्टिस्ट या फिजीशियन के पास जाएँ तो उन्हें बताएँ कि आप गर्भवती हैं। ऐसा करना इसलिए जरूरी है; क्योंकि इस दौरान हर तरह की दवाइयों से दूर रहना चाहिए, खासकर गर्भावस्था के प्रथम तीन महीनों में। सन् 1962 के 'विकृत शिशु' त्रासदी में लोगों को यह जानकर झटका लगा कि माता के द्वारा ली गई दवाई सिर्फ माता पर ही नहीं, बल्कि बच्चे पर भी प्रभाव डालती है। 'थैलीडोमाइड' एक उपशामक औषधि थी, जो प्रारंभिक गर्भावस्था में महिलाओं को दी जाती थी। पूरे विश्व में 5000 से ज्यादा बच्चे विकृत अंगों या बिना अंगों के जनमे थे। पहले 12 हफ्तों में जो दवाई गर्भ की शीघ्रता से विकास पर असर डालती है, वह है–'टेरेटोजेनिक'।

जैसा कि डॉ. गोर्डन बॉर्न अपनी किताब 'प्रेगनेन्सी' में लिखते हैं, 'टेरेटोजेनिक' दवाइयाँ गर्भावस्था के किसी भी मुकाम पर नहीं दी जानी चाहिए। इनमें थैलीडोमाइड, फेनीटोइन, थायरायड रोधी दवाइयाँ, टेट्रासाइक्लीन और कुछ संवेदनाहारी दवाइयाँ शामिल हैं। अगर किसी दवा की जरूरत पड़ती है तो केवल डॉक्टर ही उसकी सही खुराक बता सकते हैं। अगर आप मधुमेह या मिरगी के मरीज हैं तो डॉक्टर की सलाह के बिना अपनी दवाइयाँ लेनी बंद न करें। कोई भी दवा, यहाँ तक कि 'एस्परिन' भी डॉक्टर की सलाह पर ही लेनी चाहिए।

कई प्राचीन देशों की संस्कृति, जैसे–भारत, जापान और चीन की संस्कृतियों में, गर्भवती महिलाओं की मनोदशा और कार्यकलाप सकारात्मक और खुशनुमा होने पर जोर दिया जाता है। क्योंकि उनकी ऐसी मान्यता है कि जिन हालातों से माता अपनी गर्भावस्था में गुजरती है, उसका असर अंदर के बच्चे पर भी पड़ता है। हिप्पोक्रेट मान्यता है कि गर्भवती महिला अपनी कोख के बच्चे पर सीधा प्रभाव डालती है।

एक दंतकथा के अनुसार–जब कन्फ्यूशियस की माँ गर्भवती हुई तो वह एक पहाड़ पर गई और उसने प्रार्थना की कि कन्फ्यूशियस का जन्म वहीं हो। चीन में किसी गर्भवती महिला को सलाह दी जाती थी कि वह कुरूप चीजों की ओर न देखे, उद्दंड बातों को न सुने, तुच्छ चीजों के बारे में बात न करे और फालतू गप्प न सुने। शांति और विश्राम के लिए समय निकाले।

हाल ही में शोधकर्ताओं ने गर्भाशय में यह सुनने के लिए छोटा माइक्रोफोन लगाया कि बच्चा पेट में क्या सुनता है। उन्होंने पाया कि गर्भ माँ के शारीरिक संगीत से भरा है, जिसमें अँतड़ियों की सरसराहट, पेट की गड़गड़ाहट और माता के हृदय की धड़कनें होती हैं।

प्रमुख मनोवैज्ञानिक डॉ. ली साल्क ने अपने एक शोध में बच्चों का दो ग्रुप लिया। एक ग्रुप के बच्चों को 80 प्रति मिनट की गति की धड़कन की रिकॉर्डिंग सुनाई गई। दूसरे ग्रुप के बच्चों को कोई हृदयगति नहीं सुनाई गई। चार दिनों के बाद पाया गया कि जिस ग्रुप के बच्चों को हृदयगति सुनाई गई थी, उनका वजन दूसरे ग्रुप के बच्चों से ज्यादा बढ़ा था। दूसरी जाँच में हृदयगति 120 प्रति मिनट तक बढ़ा दी गई—ऐसी धड़कन वयस्कों में तभी आती है, जब वे चिंतित या डरे हुए हों। बढ़ी हुई धड़कन की आवाज नवजात शिशु के लिए इतने परेशान करनेवाले थे कि उन्हें तुरंत बंद करना पड़ा। कोई आश्चर्य की बात नहीं कि सारी दुनिया की माताएँ अपने बच्चों को शांत करने के लिए उन्हें अपनी छाती से सटा लेती हैं। ऐसा हो सकता है कि बच्चे को इस स्थिति में तुरंत आराम पहुँचता है, क्योंकि बच्चा वही जानी-पहचानी धड़कन सुनता है, जो उसने गर्भ में सुनी थी।

एक स्वस्थ बच्चे की तैयारी

आजकल जब बाजार में कई तरह के गर्भनिरोधक उपलब्ध हैं और कामकाजी महिलाओं की संख्या बढ़ी है तो अक्सर वे बच्चा अपनी योजना के अनुसार पैदा करती हैं। यों ही अकस्मात् गर्भवती होनेवाली कम ही महिलाएँ हैं। अगर आप मधुमेह की रोगी हैं तो गर्भवती होने से पहले आपकी स्थिति का आकलन जरूरी है, ताकि बाद में आनेवाली जटिलताओं से बचा जा सके।

गर्भवती होने के लिए हर तरह के गर्भनिरोधकों का इस्तेमाल बंद कर देना चाहिए। अगर आप कोई गर्भनिरोधक गोली लेती हैं तो उसे बंद करके कंडोम और वीर्यनाशक क्रीम का इस्तेमाल शुरू कर दें, ताकि 2-3 महीनों के बाद जब आप गर्भवती हों तो सारे हार्मोन आपके तंत्र से बाहर हो चुके हों। जैविक रूप से 20-30 की उम्र के बीच गर्भवती होना सबसे अच्छा है। 20 से कम और 40 वर्ष से अधिक उम्र में गर्भवती

उठाने के लिए घुटने और पैरों का प्रयोग

पहला चरण बच्चों के नजदीक खड़ा होएँ, एक पैर आगे बढ़ाकर दूसरे घुटने को जमीन पर टिका दें।

दूसरा चरण अपनी पीठ को सीधा रखते हुए अपने पैर को उठाएँ और आगे के पैर के सहारे दूसरे पैर को संतुलित रखते हुए बच्चे को उठाएँ।

होने से खतरा बढ़ जाता है और 30 से अधिक की उम्र में आंशिक रूप से खतरा होता है।

जीन-संबंधी सलाह

अगर आपके पति के परिवार में मिरगी और आँखों के टेढ़ेपन का इतिहास रहा है तो आपको सलाह के लिए जेनिटिक सलाहकार के पास जाना चाहिए। जीन-संबंधी सलाह यह पता लगाने की विधि है कि आपका बच्चा वंशानुगत गड़बड़ी के साथ जन्म लेगा या नहीं। यह सुविधा सभी बड़े अस्पतालों में उपलब्ध है। सलाहकार आपसे आपके और आपके पति के परिवार के इतिहास के बारे में पूछेंगे। ज्यादा जानकारी के लिए खून की जाँच भी की जा सकती है। अगर कोई समस्या है तो सलाहकार आपको गर्भ टालने की सलाह दे सकते हैं। आपको यह भी बताया जाएगा कि गर्भ के दौरान भ्रूण में गड़बड़ी की जाँच के उपाय भी उपलब्ध हैं।

गर्भ-पूर्व सावधानी

गर्भवती होने से कुछ महीने पहले यह जानने के लिए खून की जाँच करवाएँ कि कहीं आप अरक्तक या एनीमिया से पीड़ित तो नहीं? अगर आप अपनी एनीमिया पर काबू पा लेती हैं तो यह स्वस्थ शिशु के जन्म में काफी मदद करेगा। अतः प्रचुर मात्रा में आयरन वाला भोजन लें (देखें पृ. 64)। आपके और आपके पति दोनों के लिए बुद्धिमत्तापूर्वक भोजन का चुनाव करना आवश्यक है। पौष्टिक भोजन, कम तनाव, कम अल्कोहल और सिगरेट, गाड़ियों के धुएँ से निजात, कॉफी, चाय और कोला का कम सेवन, दवाइयों के अंधाधुंध सेवन में कमी—ये सभी कारक आपके स्वस्थ शिशु के जन्म में अपना योगदान देगा। अगर आप और आपके पति गर्भवती होने के पूर्व इन चीजों पर नियंत्रण रख सकें तो यह आपके स्वस्थ शिशु पैदा होने की मजबूत आधारशिला रखेगा। आपको गर्भवती होने से 3-6 महीने पूर्व इन चीजों पर ध्यान देना चाहिए, खासकर अगले मासिक से 15 दिनों पूर्व; क्योंकि इसी दौरान गर्भवती होने की संभावना शुरू होती है। पूरी गर्भावस्था के दौरान इन कारकों पर ध्यान दें। आदमी का खान-पान, धूम्रपान और शराब वगैरह की आदतें उसके शुक्राणु को नुकसान पहुँचा सकती हैं। यह अब साबित हो चुका है कि गर्भवती होने से

पूर्व पुरुष एवं स्त्री दोनों का स्वास्थ्य और खान-पान बहुत महत्त्वपूर्ण हैं।

जिन जोड़ों ने इन सभी बातों को ध्यान में रखा है, उन्होंने एक स्वस्थ बच्चे को जन्म देने की पूरी तैयारी कर ली है। इससे आपको अपनी जीवनशैली में आंशिक परिवर्तन करना पड़ सकता है, लेकिन इससे स्वस्थ बच्चा पैदा होगा और माता भी स्वस्थ रहेगी। बाद में यह स्वस्थ मात, बच्चे की अच्छी देखभाल कर पाएगी।

गर्भावस्था के दौरान अपनी सामान्य गतिविधियाँ जारी रखें, लेकिन बहुत ज्यादा श्रम न करें। भारी चीजों को उठाने से परहेज करें, क्योंकि इससे गर्भपात हो सकता है। नियमित अभ्यास आपको चुस्त रखेगा (देखें पृ. 81)। सामान्य गतिविधियाँ आपकी मांसपेशियों को सही स्थिति में रखने में मदद करेगा और इससे आपका प्रसव आसान होगा।

जन्म-संबंधी सलाह

जब आप गर्भधारण करें तो किसी प्रसव-विशेषज्ञ या किसी अस्पताल या क्लिनिक के प्रसव (ओ.पी.डी.) से अवश्य संपर्क करें। अक्सर डॉक्टर के पास सलाह के लिए जाने की तैयारी करते-करते महिलाएँ दो-तीन महीने बिता देती हैं। चिकित्सापूर्ण देख-रेख में आपको गर्भावस्था एवं प्रसव में कम जटिलताएँ पैदा होंगी। परहेज के उपायों के द्वारा किसी भी आनेवाली खतरनाक स्थितियों को काबू में रखा जाएगा। उदाहरणस्वरूप रिअस-निगेटिव रक्त-समूह वाली महिला को उसके पहले बच्चे के जन्म के बाद एंटी-डी इम्यूनोग्लोबिन का इंजेक्शन दे दिया जाएगा, ताकि दूसरे बच्चे के जन्म के समय कोई समस्या न हो। रिअस-निगेटिव वाली महिला को अगर पहले शिशु के जन्म के बाद या पहले प्रसव के पहले यदि कोई गर्भपात हुआ हो, उसके बाद एंटी-डी इम्यूनोग्लोबिन का इंजेक्शन नहीं दिया गया है तो हो सकता है, बच्चे का पूरा रुधिर आधान करना पड़े।

किसी महिला के अगर पैर, हाथ और चेहरे सूजे हुए रहते हैं तो उसे भी सामान्य चिकित्सकीय सलाह की आवश्यकता पड़ेगी, ताकि दूसरी जटिलताएँ न उत्पन्न हों। इस दौरान रक्तचाप एवं वजन की भी जाँच की जाएगी।

डॉक्टर आपसे आपके पहले की गर्भावस्थाओं, गर्भपातों, कब आपका आखिरी मासिक हुआ, कौन-से गर्भनिरोधक का आप प्रयोग कर रही थीं, कौन-सी बीमारियाँ आपको हुई थीं, इत्यादि के बारे में पूछेंगी।

7वें महीने तक आपको महीने में एक बार जाँच के लिए बुलाया जाएगा। 8वें से 9वें महीने तक आपको हर 15 दिन पर बुलाया जाएगा। उसके बाद प्रसव तक हर हफ्ते आपको जाना होगा। डॉक्टर कुछ जाँच भी करवाएँगी।

गर्भावस्था के दौरान खून की जाँच

खून में हेमोग्लोबीन के स्तर का पता करने के लिए खून की जाँच की जाएगी। हेमोग्लोबीन रक्त में उपस्थित लाल पदार्थ होता है, जो जीवनदायी ऑक्सीजन को माता और बच्चे के शरीर के हर भाग तक पहुँचाता है। गर्भावस्था के दौरान हेमोग्लोबीन का स्तर गिरता है और कभी-कभी यह गिरकर 9.5 ग्राम/100 मिली. तक पहुँच जाता है। (देखें पृ. 58-59)

किसी आपातकाल के दौरान अगर रक्त आधान की जरूरत पड़ती है तो उसके लिए आपके रक्त-समूह की भी जाँच की जाएगी। रिअस-पॉजिटिव या रिअस-निगेटिव को जानने के लिए भी रक्त की जाँच होगी (देखें पृ. 60)। कभी-कभी हेपेटाइटिस का पता लगाने के लिए Hbs Ag रक्त की भी जाँच की जाती है।

VDRL (Veneral Disease Research Lass) Test

सेक्स के द्वारा रोगों या रतिरोगों की जाँच के लिए VDRL रक्त-जाँच की जाती है। उदाहरण के लिए, अगर किसी महिला को 'सिफलिस' है तो संभावना है कि वह विकृत शिशु को जन्म देगी। महिला एवं पुरुष दोनों की VDRL जाँच होनी चाहिए। अगर उनमें से किसी एक को भी यह रोग है तो दोनों को एंटीबायोटिक इंजेक्शन उनके और बच्चे की सुरक्षा के लिए दिए जाएँगे। पति-पत्नी दोनों डॉक्टर के साथ सहयोग करें। यह बहुत महत्त्वपूर्ण है।

दूसरी स्थितियों में भी डॉक्टर रक्त-जाँच की सलाह दे सकती हैं। इसलिए चिकित्सकीय देख-रेख आवश्यक है।

अल्फा-फेटो-प्रोटीन (AFP) टेस्ट

अल्फा-फेटो-प्रोटीन टेस्ट खून की एक खास जाँच है, जिससे पता चल सकता है कि बच्चे में कोई खास दोष तो नहीं। अल्फा-फेटो-प्रोटीन के लिए माता के रक्त की जाँच की जाती है। यह एक प्रोटीन है, जो बच्चे के लीवर से माता के रक्त-प्रवाह तक खेड़ी के माध्यम से पहुँचती है। 16वें से 18वें हफ्ते की गर्भावस्था के दौरान इस जाँच का निष्कर्ष सबसे सटीक होता है। अगर इस जाँच से यह पता चलता है कि बच्चा सामान्य नहीं है तो फिर से जाँच की जानी चाहिए। अगर दूसरी जाँच से भी वही निष्कर्ष निकलते हैं तो अल्ट्रासाउंड और एम्नियोसेंटेसिस के द्वारा भ्रूण की भी जाँच की जानी चाहिए।

TORCH

टैक्सोप्लास्मा, सिफलिस, रूबेला या जर्मन मीजल्स जैसे संक्रमण या साइटोमेगेलो वायरस और हर्पस या हेपेटाइटिस B के लिए TORCH रक्त-जाँच की जाती है।

अगर ये संक्रमण माता के रक्त में मौजूद हुए तो जन्म के बाद बच्चे में भी यह संक्रमण आ सकते हैं। लेकिन अगर ये मौजूद हैं ही तो जन्म के समय उनका उपचार हो सकता है। अगर माता में हेपेटाइटिस **'B'** पाया गया तो जन्म के बाद के हफ्ते में उससे बचाव का टीका बच्चे को दिया जा सकता है। उसी तरह टैक्सोप्लास्मा और सिफलिस के संक्रमण का इलाज जन्म के समय शुरू किया जा सकता है। दूसरे शब्दों में, किसी भी प्रकार के संक्रमण की पूर्व जानकारी होने से उसकी समय पर पहचान की जा सकती है और बच्चे को उचित चिकित्सकीय सहायता पहुँचाई जा सकती है।

पालतू जानवर, बगीचे की देखभाल, कच्चा मांस (टैक्सोप्लास्मा)

टैक्सोप्लास्मोसिस एक परजीवी संक्रमण है, जो मिट्टी, बिल्लियों के मल और कच्चे मांस से आ सकता है।

यह संक्रमण चिड़ियों और जानवरों से आता है। यह मानवों में भी पाया जानेवाला सामान्य निष्क्रिय संक्रमण है। मानवों में इसकी उपस्थिति अलग-अलग

स्थानों पर अलग तरह की है, लेकिन यह गर्भ और आर्द्र मौसमों में अधिक पाया जाता है।

जो महिला गर्भवती होने से पहले ही इससे संक्रमित थी, वह इससे असंक्राम्य रहेगी। उसके बच्चे को इससे खतरा नहीं होगा। अगर महिला गर्भावस्था के दौरान इससे संक्रमित होती है, तभी उसके बच्चे पर इसका प्रभाव पड़ेगा। लगभग 50 प्रतिशत महिलाएँ जो इससे संक्रमित होती हैं और अगर उनका इलाज नहीं होता तो यह संक्रमण बच्चे को भी हो सकता है। हालाँकि अगर इस संक्रमण की पहचान कर उसका एंटीबॉडिज के द्वारा (जैसे स्पिरामाइसिन से) इलाज किया जाता है तो 50 प्रतिशत से 60 प्रतिशत तक जोखिम घट जाता है। इससे संक्रमण से साधारणतः दिमाग की विकृति और विकास में बाधा आती है।

उन महिलाओं में नुकसान सबसे ज्यादा होता है, जो गर्भावस्था के पहले तीन महीनों के दौरान इससे संक्रमित हो जाती हैं। मजेदार बात तो यह है कि गर्भावस्था की शुरुआत में इससे बच्चे के संक्रमित होने की सबसे कम संभावना होती है और बाद में सबसे ज्यादा।

इस संक्रमण को रोकने के लिए महिलाएँ कुछ एहतियाती कदम उठा सकती हैं। उन्हें अच्छी तरह पके हुए अंडे और मांस खाना चाहिए और सिर्फ पाश्च्यूरिकृत या उबले हुए दूध पीना चाहिए। कच्चे भी हों तो उसके बाद तुरंत हाथों को अच्छी तरह धोएँ और किचन के स्लैब और उपयोग किए गए बर्तनों को भी अच्छी तरह साफ करें। कच्चे मांस को छूने के बाद आँखों और मुँह को न छुएँ। खाने के पहले फलों और सब्जियों को धो लें। खाने को मक्खियों और कॉक्रोचों से सुरक्षित रखें। बागवानी करते समय और जानवरों के मलमूत्र को हटाते समय दस्ताने पहनें।

HIV/AIDS

ह्यूमन इम्यनो डेफिशिएन्सी वायरस का पता लगाने के लिए रक्त की जाँच करवाएँ। किसी व्यक्ति को HIV टेस्ट अगर पॉजिटिव आता है तो उसे AIDS होने की प्रबल संभावना है। इसमें व्यक्ति की रोग-प्रतिरोधक-क्षमता या संक्रमण से लड़ने की शक्ति क्षीण हो जाती है और व्यक्ति हर तरह का संक्रमण, जैसे—सर्दी, श्वास और त्वचा के संक्रमण से ग्रसित हो जाता

है। अगर किसी महिला को AIDS है तो वह संक्रमण बच्चे को भी दे सकती है।

बच्चे को यह संक्रमण गर्भ में या जन्म के समय हो सकता है। माँ के दूध से भी यह संक्रमण हो सकता है। HIV से संक्रमित माता के बच्चे की 6 से 8 महीने की उम्र तक नियमित जाँच होनी चाहिए, ताकि पता चल सके कि बच्चा भी संक्रमित हुआ है या नहीं। जिन महिलाओं को HIV संक्रमण है तो गर्भवती होने से उसके AIDS हो जाने की संभावना है।

हालाँकि हाल के अनुसंधानों से पता चलता है कि अगर कोई महिला HIV या AIDS से संक्रमित है और गर्भवती हो जाती है तो दो दवाएँ azt और 3TC के द्वारा बच्चे तक इस संक्रमण को पहुँचने से रोक सकती है। हाल के रिसर्च से यह भी पता चला है कि अगर प्रसव-प्रक्रिया की शुरुआत में ये दो दवाएँ दी जाती हैं और जन्म के एक हफ्ते बाद तक अगर इसे जारी रखा जाता है तो इस संक्रमण के होने की संभावना 11 प्रतिशत तक घटाई जा सकती है, जबकि बिना उपचार के 17 प्रतिशत बच्चे इससे संक्रमित हो सकते हैं। जब प्रसव-प्रक्रिया शुरू होती है तो ये दवाएँ माता-पिता को दी जा सकती हैं और जन्म के बाद एक हफ्ते तक माँ और बच्चे दोनों को दी जानी चाहिए। यह बच्चे को HIV संक्रमित रक्त और दूसरे स्रावों से बचाने के लिए है। लगभग एक-तिहाई बच्चों को माँ के दूध से ही संक्रमण होता है।

अगर प्रसव से 26 हफ्ते पूर्व उपचार शुरू कर दिया जाता है और एक हफ्ते बाद तक जारी रहता है तो संक्रमण के खतरे को 9 प्रतिशत और घटाया जा सकता है।

एक नई दवा नेविरापाइन भी माता से बच्चे में HIV के संक्रमण में कमी लाती है और azt के मुकाबले इसका मूल्य भी काफी कम है। नेविरापाइन HIV से संक्रमित माता को प्रसव काल में दी जाती है और दवा की दूसरी खुराक बच्चे को जन्म के 3 दिनों के अंदर दी जाती है।

मूत्र की जाँच

गर्भावस्था के दौरान मूत्र की जाँच नियमित रूप से की जाती है। मूत्र की जाँच संक्रमण और ग्लूकोज के स्तर, अगर डायबिटीज है, तो उसके लिए की जाती है। अगर आप पर्याप्त रूप से भोजन नहीं कर रही हैं या उल्टियाँ हो रही हैं तो मूत्र में 'कीटोन' की उपस्थिति हो सकती है। गर्भावस्था के उत्तरार्ध में मूत्र में अल्ब्यूमिन और प्रोटीन की उपस्थिति प्रीएक्लेंप्सिया के लक्षणों को दर्शाएगी। (देखें पृ. 57)

योनि की अंदरूनी जाँच

गर्भावस्था की शुरुआत और अंत में एवं कभी-कभी इसके दौरान भी योनि की अंदरूनी जाँच की जा सकती है।

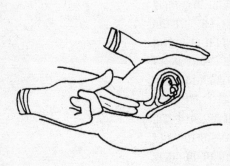

गर्भावस्था की शुरुआत में गर्भधारण की पुष्टि के लिए और गर्भाशय-ग्रीवा श्रोणि और योनि में किसी भी प्रकार की असामान्यता को खारिज करने के लिए इसकी जाँच की जाती है।

गर्भावस्था के आखिर में यह जानने के लिए जाँच की जाती है कि गर्भाशय-ग्रीवा पक गया है या तैयार हो गया है या नहीं। इससे बच्चे को कोई नुकसान नहीं होता। योनि की जाँच के दौरान अगर आप मुँह से धीमे-धीमे साँस लेती रहेंगी तो इससे जाँच में मदद मिलेगी। पेशाब करते समय जिस प्रकार आप अपनी श्रोणि-सतह को शिथिल कर लेती हैं, उसी प्रकार की स्थिति अगर आप जाँच के दौरान रखेंगी तो मदद मिलेगी।

पेट की जाँच

जब आप जाँच के लिए जाएँगी तो डॉक्टर आपको लिटाकर आपके पेट के आकार-प्रकार की जाँच करेंगी। आपके पेट के आकार, खरोंचों और भ्रूण के हिलने-डुलने की डॉक्टर जाँच करेंगी। आपके पेट को एक या दोनों

हाथों से दबाकर डॉक्टर बच्चे का आकार, बच्चा किस स्थिति में है और इसका सिर किस तरफ है, इत्यादि बातों की जानकारी प्राप्त कर सकती हैं।

बढ़ते हुए गर्भाशय की ऊँचाई भी बच्चे के विकास का अच्छा-भला आभास देते हैं। 3 महीनों के बाद पेट के निचले हिस्से में श्रोणि से ऊपर उठता हुआ गर्भाशय महसूस किया जा सकता है। 5½ महीनों के बाद गर्भाशय नाभि की ऊँचाई तक पहुँच जाता है। 7½ महीने में गर्भाशय हृदयास्थि और नाभि के बीच में या छाती के नीचे के क्षेत्र तक पहुँच जाएगा। 9वें महीने में गर्भाशय लगभग छाती के नीचे तक पहुँच जाएगा।

अल्ट्रासाउंड

पहले-पहल दूसरे विश्वयुद्ध के दौरान पनडुब्बियों का पता लगाने के लिए अल्ट्रासाउंड का प्रयोग किया गया था। किसी गर्भवती महिला में गर्भाशय के अंदर के भ्रूण की तरफ ध्वनि-तरंगों को भेजा जाता है और जब वे बच्चे के हड्डियों और उत्तकों से टकराकर लौटते हैं तो टीवी के स्क्रीन पर भ्रूण की तस्वीर उभरती है। उस तस्वीर से भले आपको ज्यादा कुछ समझ में न आए; लेकिन उस मशीन को चला रहे विशेषज्ञ उसकी भली-भाँति व्याख्या कर पाएँगे। यह वास्तव में बहुत सीधा और साधारण है। कोई अनाड़ी भी काले भागों, जो द्रव से भरा होता है और सफेद भाग, जो सालिड होता है, में अंतर बता सकता है।

जब आप अल्ट्रासाउंड स्कैन के लिए जाती हैं तो आपका ब्लाडर भरा हुआ होना चाहिए। आपको मशीन के पास लिटाकर, एक तैलीय जेली जैसी चीजें आपके पेट पर फैलाकर लगा दी जाएगी। स्कैन के दौरान एक छोटा समतल यंत्र आपके पेट पर हर तरफ चलाया जाएगा।

यह काफी नई तकनीक है, जो प्रसूति-कार्यों के लिए भारत में 1980 से ही शुरू होने लगा था। दूसरे शब्दों में, भारत में यह अभी अपने बालपन में है। यह किसी भी प्रकार से माँ या बच्चे को नुकसान पहुँचाता नहीं दिखता, लेकिन इस बात का भी कोई सबूत नहीं कि यह पूरी तरह से सुरक्षित

है। अल्ट्रासाउंड स्कैन से पहले एक्स-रे ही एकमात्र तकनीक थी, जिसके द्वारा गर्भ में बच्चे के बारे में कुछ जानकारी मिलती थी और एक्स-रे के हानिकारक प्रभावों को जानने में 40 साल लग गए।

जाँच की दृष्टि से अल्ट्रासाउंड एक अमूल्य देन है। यह गर्भावस्था के बारे में महत्त्वपूर्ण जानकारी देता है। यह छूटे गर्भपात, हाइडेटिडिफार्म मोल, बाह्योन्मुख गर्भ, जुड़वाँ बच्चों, भ्रूण और खेड़ी की स्थिति, भ्रूण की उम्र, गर्भाशय या भ्रूण की असामान्यता इत्यादि की जानकारी डॉक्टर को देता है। अगर जाँच की दृष्टि से डॉक्टर को ठीक लगता है तो स्कैन किया जा सकता है। वैसे ही कुछ जान लेने की इच्छा के लिए अल्ट्रासाउंड स्कैन नहीं करवाना चाहिए।

माये की किताब 'मिडवाइफरी' (1997) के अनुसार, 'गर्भावस्था के 16वें से 18वें हफ्ते के दौरान आमतौर पर अल्ट्रासाउंड स्कैन किया जाता है और आवश्यकतानुसार पुनः दुहराया जा सकता है। 16वें से 20वें हफ्ते के दौरान किए गए अल्ट्रासाउंड से गर्भ की उम्र का विश्वस्त पता चलता है। 24वें हफ्ते के बाद के अल्ट्रासाउंड से गर्भाशय में पल रहे बच्चे की उम्र का ठीक-ठीक पता नहीं चल सकता।

ग्लासगो की प्रसूति के प्रोफेसर डॉ. इयान डोनाल्ड, जिन्होंने प्रसूति* में अल्ट्रासाउंड की शुरुआत की, उन्होंने 40 वर्षों के बाद लिखा : 'शायद समय आ गया है कि रुक कर विचार करें कि हम किस तरफ जा रहे हैं...यह दिमाग में रखते हुए कि सोनार** चिकित्सकीय विधियों के प्रति अपना समर्पण और मरीज के महत्त्व को कभी न भूलें। सही परिप्रेक्ष्य में अगर देखें तो सोनार विविध उपयोग की वस्तु होते हुए भी सिर्फ एक उपयोग की चीज ही है। अगर यह नियंत्रण से परे हो गया तो यह पागलपन होगा...ऐसी पूँछ जो कुत्ते को हिलाएगी...सोनार कोई नई चिकित्सकीय सिद्धांत नहीं है...और अपने आपमें अंतिम देन भी नहीं। किसी भी वस्तु का अपने फायदे के लिए दोहन ठीक उसी तरह है जैसे किसी छोटे बच्चे को लकड़ी काटने के लिए आड़ी दे दी जाए और वह घर में इधर-उधर देखकर इस ताक में रहेगा कि कोई फर्नीचर मिल जाए और उसे काटकर रख दे...किसी भी प्रकार के

* गर्भावस्था और बच्चे के जन्म से संबद्ध चिकित्सा-विज्ञान की एक शाखा।
**अल्ट्रासाउंड

दुरुपयोग की संभावना को समय-समय पर परखते रहना चाहिए।' *(स्रोत : एसोसिएशन ऑफ इंप्रूवमेंट इन मेटरनिटी सर्विसेज—ए.आई.एम.एस.—यू.के., 1994)*

एम्नियोसेंटिसिस

इस विधि में तरल की एक छोटी मात्रा गर्भवती माता के पेट (एम्नियोटिक सैक) से लेकर क्रोमोसोम और दूसरी असामान्यता की जाँच की जाती है। यह नियमित जाँच नहीं है। स्थान शून्य करनेवाली एनीस्थीसिया देकर माता के पेट में एक छोटी सूई डालकर थोड़ी-सी सम्नियोटिक फ्लूइड निकाली जाती है। यह अल्ट्रासाउंड के साथ किया जाता है, ताकि भ्रूण और खेड़ी सूई से बाधित न हों। तरल में भ्रूणीय उत्तक होते हैं, जिसकी जाँच से स्नायु-तंत्र की असामान्यता, दिमागी अपाहिज होना, जिसमें मंगोलिस्म और डाउन्स सिंड्रोम, वंशानुगत गड़बड़ी इत्यादि का पता चलता है।

साफ-सफाई के साथ कुशलतापूर्वक एम्नियोसेंटिसिस करने के बावजूद 1-2 प्रतिशत तक संभावना है कि इसके साथ-साथ गर्भपात हो जाए। इसके अलावा, दंपति को पहले यह निर्णय कर लेना चाहिए कि वे जाँच के परिणाम का क्या करना चाहते हैं। अगर जाँच से यह पता चलता है कि किसी प्रकार की असामान्यता है तो क्या वे गर्भ गिराना चाहेंगे? यह कठिन होगा, क्योंकि यह जाँच 14 हफ्ते से पहले नहीं की जा सकती और गर्भ को इस समय खत्म करने का अर्थ होगा प्रसव की तैयारी कराना। अगर किसी महिला को पहले से ही एक असामान्य बच्चा है तो उसे इस जाँच की आवश्यकता हो सकती है। उसे अपने डॉक्टर से इस बारे में सलाह-मशविरा करना चाहिए।

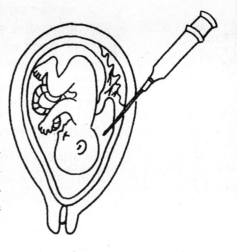

टिटनेस-रोधी सूई

हर गर्भवती महिला को टिटनेस-रोधी सूई दी जाती है। गर्भावस्था के दौरान टिटनेस-रोधी सूई लेने से जन्म के कई महीने बाद तक माँ और बच्चा, दोनों टिटनेस के संक्रमण से सुरक्षित रहते हैं। यह आमतौर पर 2 खुराकों में पहला 26वें हफ्ते में और दूसरा, उसके 6 हफ्ते बाद दी जाती है।

गर्भावस्था की चिकित्सकीय समाप्ति

एम्नियोसेंटिसिस या AFP टेस्ट से पता चल सकता है कि बच्चे की रीढ़ या दिमाग में गंभीर असामान्यता है। अगर आपको गर्भावस्था के पहले तीन महीनों में जर्मन मीजल्स या रूबेला का संक्रमण होता है तो यह बच्चे को शारीरिक और मानसिक रूप से अपाहिज बना सकता है। चिकनपाक्स (चेचक) से भी वे ही समस्याएँ हो सकती हैं। इन हालातों में डॉक्टर गर्भपात करा लेने की सलाह देंगी। किसी असामान्य बच्चे के साथ इस अनुभूति और अपराध-बोध के साथ सारी जिंदगी जीने से कि आप इस अपने और बच्चे के सारे दर्द को टाल सकती थीं, गर्भपात करा लेना ही बेहतर है। अगर डॉक्टर और आप चाहें तो किसी मनोचिकित्सक से भी इस बारे में मशविरा करें।

आजकल गर्भावस्था की चिकित्सकीय समाप्ति आसानी और सुरक्षित रूप से संभव है। यह सुविधा मेरी स्टोप्स जैसे स्वयंसेवी संगठनों एवं सरकारी और निजी चिकित्सालयों में उपलब्ध है। इसे गर्भनिरोधक के रूप में नहीं अपनाना चाहिए, क्योंकि बार-बार गर्भपात कराना महिला-स्वास्थ्य को गंभीर खतरा पहुँचा सकता है।

लड़का या लड़की?

जब महिला का अंडाणु पुरुष के शुक्राणु से निषेचित होता है, तो उसमें 46 क्रोमोसोम होते हैं, जिनमें पुरुष और महिला दोनों के 23-23 क्रोमोसोम होते हैं। सेक्स क्रोमोसोम में से एक महिला का होता है और दूसरा पुरुष का। ये वही जगजाहिर xx (लड़की) क्रोमोसोम हैं, जो महिला में होते हैं और xy (लड़का) क्रोमोसोम, जो पुरुष में मौजूद रहते हैं। माता हमेशा

x क्रोमोसोम ही दे सकती है। लड़के का लिंग पिता के सेक्स क्रोमोसोम से ही निश्चित होता है। अगर यह x है तो शिशु लड़की होगी। अगर यह y है तो लड़का जन्म लेगा।

कुछ अवैज्ञानिक कहानियाँ प्रचलित हैं, जिनके अनुसार, व्यक्ति अपनी इच्छा के अनुरूप लड़का या लड़की पैदा कर सकता है। ऐसी ही एक कहानी एक फ्रांसीसी डॉक्टर की है, जिसके अनुसार, अगर कोई महिला गर्भवती होने से 2-3 महीने पूर्व एक निश्चित आहार-पद्धति अपनाती है तो वह बच्चे के लड़का या लड़की होने का चुनाव कर सकती है। इसके बारे में एक किताब 'बॉय ऐंड गर्ल : चूजिंग योअर चाइल्ड थ्रू योअर डाइट' (रिताना बुक्स, नई दिल्ली) में विस्तृत ब्योरा है।

कनाडा और फ्रांस में कुछ डॉक्टर इस आहार-पद्धति की वकालत करते रहे हैं और उनका कहना है कि इसकी सफलता की 80 प्रतिशत संभावना है। लड़की के लिए वे माँड, दूध और दूध से बने पदार्थ और कम नमक के खाने की सलाह देते हैं। वे एक कैल्शियम की गोली रोजाना लेने की भी सलाह देते हैं। लड़के के लिए वे ज्यादा नमक वाला खाना और मांस एवं फल प्रचुर मात्रा में खाने की सलाह देते हैं। दूध और दूध से बना खाना मना है। रोजाना पोटैशियम की एक गोली लेने की भी सलाह दी जाती है।

डब्ल्यू. रोज-नील के द्वारा संपादित 'द कंप्लीट हैंडबुक ऑफ प्रेगनेन्सी' के अनुसार, अनुसंधानों से पता चला है कि जितना ज्यादा आप संभोग करेंगी, आपके बच्चे का लड़का होने की संभावना उतनी ज्यादा होगी। उदाहरण के लिए, विवाह के बाद के कुछ वर्षों में या लंबी जुदाई के बाद मिलन के तुरंत बाद और कम उम्र के माता-पिता को ज्यादातर लड़का होता है।

संभोग का समय भी बच्चे के लिंग-निर्धारण में महत्त्वपूर्ण भूमिका निभाता है। अगर अंडाणु के निकलने के 48 घंटे के अंदर महिला गर्भवती हो जाती है तो लड़के के जन्म लेने की ज्यादा संभावना है। अंडाणु के निकलने के 48 घंटे के अंदर कम-से-कम तीन बार संभोग होना चाहिए और उसके बाद अगले मासिक तक संभोग से दूर रहना चाहिए। लड़की को

जन्म देने के लिए इसका उल्टा करना पड़ेगा। यानी अंडाणु के निकलने के 48 घंटे के बाद संभोग होना चाहिए। अंडाणु के निकलने के सटीक समय को दर्शाने के लिए अल्ट्रासाउंड क्लीनिक विशेष पैकेज देते हैं। आपके मासिक के तीन दिन बाद हर रोज आपको अल्ट्रासाउंड के लिए बुलाया जाएगा। आपको सुबह-सुबह अपना ब्लाडर भर कर जाना होगा। जब तक पता चले कि आपका अंडाणु निकल गया है, आपको हर रोज जाना होगा।

अंडाणु के निकलने का सटीक समय जानने का दूसरा तरीका तापमान के द्वारा पता लगाना है। (देखें पृ. 170)

कहा जाता है कि डाउच करने से भी बच्चे का लिंग-निर्धारण किया जा सकता है। संभोग से पूर्व योनि की अल्कालाइन डाउच से कहा जाता है, लड़के का जन्म होगा। एक चम्मच बाइकार्बोनेट सोडा को 500 मिली हल्का गर्म स्वच्छ जल में घोलकर उससे योनि को अल्कालाइन डाउच किया जा सकता है। लड़की के जन्म के लिए एक चम्मच सिरके को एक चम्मच हल्के गर्म जल में घोलकर अम्लीय डाउच बनाया जा सकता है। अगर आप लड़का या लड़की में से किसी एक का चुनाव करने के प्रति बहुत उत्सुक हैं तो इन विधियों की अपनी डॉक्टर से चर्चा कर सकती हैं।

4

गर्भावस्था की सामान्य परेशानियाँ

गर्भावस्था की ज्यादातर बीमारियाँ छोटी-मोटी ही होती हैं और रहन-सहन में सामान्य परिवर्तन से आराम मिल जाता है। इस दौरान शरीर में बड़े परिवर्तन आते हैं, अतः तकलीफ, पेशियों में खिंचाव, मसूड़ों से खून आना, मरोड़ उठना इत्यादि ऐसी तकलीफें हैं, जिनका गर्भवती महिलाओं को सामान्यतः सामना करना होता है। हालाँकि कुछ भाग्यशाली महिलाओं को कभी कोई परेशानी नहीं होती है। अगर आपको अपने कुछ लक्षणों के बारे में शंका है तो डॉक्टर से परामर्श लें।

शारीरिक परिवर्तन

कालिमा का आना

गर्भावस्था में शरीर के कुछ हिस्सों का काला हो जाना स्वाभाविक है, जैसे—चुचुक और उसके आस-पास के क्षेत्र का काला पड़ना; या नाभि से लेकर रोमकूप तक एक काली पंक्ति का उभरना अथवा चेहरे पर काला धब्बा आना।

ये परिवर्तन गर्भावस्था के हार्मोन के कारण होते हैं। ये हार्मोन त्वचा की कोशिकाओं में मौजूद काले रंग को बढ़ा देते हैं, जिसके कारण कोई जन्म-चिह्न, चकत्ते, तिल या जख्म तीसरे महीने के गर्भ के बाद ज्यादा काले हो जाते हैं।

जन्म के बाद ये परिवर्तन धीरे-धीरे स्वयं ही समाप्त हो जाते हैं, लेकिन कुछ महिलाओं में ये परिवर्तन स्थायी रूप से रह जाते हैं। ये सारी चीजें गर्भावस्था की सामान्य संगति हैं, इसलिए घबराने की कोई बात नहीं।

स्तन में परिवर्तन

गर्भावस्था की शुरुआत में स्तन अक्सर नाजुक और संवेदनशील हो जाते हैं। गर्भावस्था के मध्य में यह नाजुकी खत्म हो जाती है।

चुचुक के आसपास का क्षेत्र, जिसे 'एरिओला' कहते हैं, ज्यादा काला होने लगता है। अधिकतर महिलाओं में यह परिवर्तन स्थायी ही होता है। जिन महिलाओं के वक्ष बड़े, भारी और लटके हुए होते हैं, उनके स्तनों पर फैलाव के निशान आ सकते हैं। अतः अगर आपके वक्ष के आकार में असहज परिवर्तन आने लगे तो आपको वक्ष को सहारा दे सकने वाले सही माप के ब्रा अवश्य पहनने चाहिए। (नायलॉन का ब्रा वजन के साथ लटकने लगता है) यह न सिर्फ फैलाव के निशान को रोकेगा; बल्कि वक्ष को लटकने से भी रोकेगा।

स्फीत नसें (वेरीकोज वेन)

ये काली, सूजी हुई नसें होती हैं, जो गर्भावस्था के दौरान उभर सकती हैं और कभी-कभी स्थायी रूप से रह जाती हैं।

पैर की नसें दूषित रक्त को शुद्ध करने हेतु हृदय तक ले जाने का कार्य करती हैं। गर्भावस्था के दौरान कुछ महिलाओं में ये नसें ढीली या कमजोर हो जाती हैं। इस ढीलेपन के कारण ये नसें रक्त को संकरे श्रोणीय क्षेत्र में वापस नहीं धकेल पाती और इस तरह पैरों में जगह-जगह जमा हो जाती हैं और इसके परिणामस्वरूप 'स्फीत नसें' उभर आती हैं।

उनको उभरने से रोकने के लिए, अगर घूम-फिर नहीं रही हों तो एक स्थान पर ज्यादा देर तक खड़ी रहने से बचें। जब कुर्सी पर बैठें तो पैरों को एक-दूसरे पर चढ़ाकर न बैठें, क्योंकि यह पैरों में रक्त-प्रवाह को बाधित करता है। जब कभी संभव हो, अपने पैरों को एक स्टूल पर रख लें। दिन में कम-से-कम एक बार अपने पैरों को कूल्हे से ज्यादा ऊँचाई पर रखें। कुर्सी पर बैठकर अपने पैरों को टेबल पर रखें या जमीन पर लेटकर अपने पैरों को किसी स्टूल पर रखें। जब कभी लंबे समय तक बैठें, जैसे—कामकाजी महिलाएँ अपनी कुर्सी पर हों तो हवा में पैर के अँगूठे से A,B,C लिखें।

सावधानी—अगर पैरों में मरोड़ या नसें खिंचने की समस्या आती हो तो पैर के अँगूठे से हवा में न लिखें।

दाँत और मसूड़े

गर्भावस्था के दौरान मसूड़े मुलायम हो जाते हैं और इसलिए उनसे खून निकलने की और उनके संक्रमित होने की संभावना बढ़ जाती है। मसूड़ों में संक्रमण का अर्थ है—संक्रमण का दाँतों तक भी पहुँच जाना और ऐसे में दाँतों के क्षरण की संभावना बढ़ जाती है।

Plaque बैक्टीरिया की एक परत होती है, जो मसूड़ों और दाँतों पर फलती-फूलती है। Plaque में बैक्टीरिया दाँतों के बीच फँसे अन्न के कणों पर पलती है और अपना भोजन चीनी या मीठे पदार्थों से लेती है। अगर आप मीठा ज्यादा खाती हैं तो आप अपने मुँह में Plaque की मात्रा को बढ़ाने में मदद करती हैं। अगर आप मीठा कम खाएँ तो बैक्टीरिया को पलने और टिकने के मौके भी कम मिलेंगे।

दाँतों पर प्लेक के होने से यह दाँतों के उस ऊपरी चमकदार परत को खा सकती है, जो दाँतों के ऊपर होती है। अगर यह प्रक्रिया जारी रही तो दाँतों का क्षरण शुरू हो जाएगा और आखिरकार यह दाँतों के अंदर के तंत्रिका पर असर डालेगी और इसके फलस्वरूप दाँतों में दर्द होगा।

दाँतों पर प्लेक जमने न पाए इसके लिए जरूरी है कि उसकी सफाई नियमित तौर पर की जाए और मुँह को साफ-सुथड़ा रखा जाए। खाने के बाद कई बार साफ पानी से कुल्ला करने की भारतीय आदत दाँतों के लिए अच्छी है। उसके अलावे सोने से पहले ब्रश करना न भूलें। हर खाने के बाद ब्रश करना सबसे अच्छा रहेगा।

गर्भावस्था के दौरान आपके मसूड़े और दाँत अपेक्षाकृत ज्यादा कमजोर स्थिति में होते हैं, इसलिए कड़े ब्रश के स्थान पर मुलायम ब्रश का प्रयोग अच्छा रहेगा। छोटे सिरे वाला ब्रश दाँतों के हर कोने और सतह पर आसानी से पहुँच सकता है। जब ब्रश खराब होने लगे तो उसे बदल लें।

दाँतों के बीच फँसे अन्न-कण मसूड़ों को उत्तेजित कर सकते हैं और उनसे खून निकलना शुरू हो सकता है। अगर आपके मसूड़ों से खून आता है तो डेन्टिस्ट की मदद लें। मीठा कम खाएँ और सलाद एवं फल ज्यादा खाएँ। दाँतों और मसूड़ों को स्वस्थ रखने के लिए घरेलू उपाय करें।

दादी माँ की कहानी है कि हर बच्चे पर आप एक दाँत खोती हैं। इसका सच होना जरूरी नहीं। याद रखिए, मसूड़े मुलायम हो जाते हैं, दाँत नहीं। बच्चे के दाँतों के लिए शरीर को अतिरिक्त कैल्शियम की आवश्यकता होती है और अगर माता के शरीर में इसकी पर्याप्त मात्रा नहीं होती है तो गर्भ इसे माता की हड्डियों से निकाल लेता है और परिणामतः वे कमजोर और नाजुक हो जाती हैं। अतः दाँतों पर इसका कोई असर नहीं पड़ता। इसलिए उचित साफ-सफाई के द्वारा इनकी रक्षा की जानी चाहिए।

पैरों में खिंचाव

गर्भावस्था के दौरान अचानक ही पैरों में खिंचाव की समस्या उत्पन्न हो सकती है और यह काफी दर्दभरा भी हो सकता है। ये खिंचाव अक्सर गर्भावस्था के आखिरी महीने में आते हैं। सुस्त रक्त-प्रवाह, कैल्शियम, विटामिन बी और ई की कमी इन खिंचावों का कारण बनती है।

जब खिंचाव आए तो उस स्थान की मालिश से आराम मिलता है। पैरों के अँगूठे को चेहरे की तरफ अंदर और बाहर की तरफ मोड़ें, जब खिंचाव का अनुभव हो। कोई दूसरा व्यक्ति दर्द वाले स्थान पर पैर को एक हाथ से पकड़ेगा और दूसरे हाथ से पैरों के अँगूठे को अंदर और बाहर की तरफ मोड़ेगा।

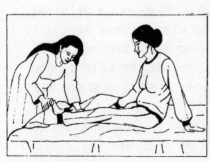

जाड़े में गर्म पानी की बोतल से अपने बिस्तर को गरम रख सकती हैं। सोने के लिए जाने से पहले गर्म पानी की बोतल बिस्तर में रख दें, ताकि वह पहले से गर्म रहे।

दूध और दूध से बने पदार्थ का सेवन बढ़ा दीजिए, ताकि शरीर के अतिरिक्त कैल्शियम की आवश्यकता की पूर्ति हो सके।

घरेलू चीज, दूध, दही, मक्खन, चीज, मूलीपत्ता, शलजम, फूलगोभी, मेथी, धनिया, पुदीना और सभी प्रकार के केरी उपयोगी हैं।

साबुत और छिलके वाली दालें विटामिन बी से भरपूर होती हैं। साबुत मूँग, मसूर, उड़द इसके उदाहरण हैं।

पैरों में रक्त के सुचारु प्रवाह के लिए व्यायाम मददगार होता है। जब आपको लंबे समय तक बैठना पड़े तो अपने पैर के अँगूठे से हवा में अक्षर (जैसे A,B,C) बनाएँ। सोने से पहले लगभग 6 फुट लंबी जगह में पहले अपने पंजों पर, फिर एड़ी पर और आखिर में अपने तलवों के आखिरी हिस्सों पर टहलें। प्रतिदिन रात में सोने से पहले इसे करने से कई महिलाओं को आराम मिला है। जब आप बिना नमक का खाना खाने की आदत डालने का प्रयास कर रही हैं और पैरों में मरोड़ आने लगता है तो अतिरिक्त नमक लेना शुरू करें, खासकर रात के खाने में।

साँस फूलना

जैसे-जैसे गर्भावस्था बढ़ती है, गर्भाशय का फेफड़े पर दबाव बढ़ने लगता है। इसके परिणामस्वरूप कुछ ही कदम चलने पर भी साँस फूलने लगती है और महिला हाँफने लगती है। अगर आपका कद काफी छोटा है या गर्भ में जुड़वाँ बच्चे हैं तो गर्भाशय काफी बड़ा और भारी महसूस होता है और ऐसी स्थितियों में साँसें ज्यादा फूलती हैं। परेशानी तब बढ़ जाएगी, जब आप किसी नीची वस्तु पर बैठती हैं, कंधे झुकाए हुए हों या जब आप लेटी हुई हों। अगर आप सीधी तनकर बैठेंगी तो यह परेशानी से आराम पहुँचाएगा।

इसके बारे में घबराने की कोई बात नहीं, बच्चे के जन्म के साथ ही यह तकलीफ गायब हो जाएगी।

धड़कन

आपको महसूस होगा, जैसे आपका हृदय असामान्य रूप से तेज धड़कने लगा है। इसे धड़कन कहते हैं। कभी-कभी आपको महसूस होगा, जैसे हृदय कभी-कभी धड़कना छोड़ देता है। इसे आप शारीरिक मेहनत, जैसे—टहलने, सीढ़ियाँ इत्यादि चढ़ते समय ज्यादा महसूस करेंगी। यह बिलकुल सामान्य है।

ऐसा इसलिए होता है क्योंकि जब आप गर्भवती होती हैं तो आपका हृदय काफी अतिरिक्त कार्य करता है। आपके और आपके बच्चों को पर्याप्त ऑक्सीजन और पोषक-तत्त्वों को शरीर के अनेक भागों तक पहुँचाने के लिए इसे काफी रक्त की आपूर्ति करनी पड़ती है। बढ़ी हुई जरूरतों को पूरा करने के लिए आपकी रक्त-आपूर्ति की मात्रा भी लगभग 40 प्रतिशत तक बढ़ जाती है। वास्तव में, बढ़ी हुई रक्त-मात्रा के साथ तालमेल बिठाने के लिए आपके हृदय का आकार बढ़ जाता है, ताकि यह ज्यादा शक्तिशाली हो सके। हृदय का बढ़ा हुआ आकार बिना हृदयगति बढ़ाए अतिरिक्त रक्त को भेजने में मदद करता है।

कभी-कभार अगर आपकी धड़कन असामान्य हो जाती हो, तो इसमें कुछ भी अनोखा नहीं है और असामान्य धड़कन घबराने की कोई बात नहीं।

बेहोशी या चक्कर आना

रक्तचाप कम हो जाने के कारण पर्याप्त ऑक्सीजन मस्तिष्क तक नहीं पहुँच पाता। कभी-कभार इसके कारण बेहोशी या चक्कर आता है। शरीर में रक्त की कमी से भी चक्कर आ सकता है।

गर्भावस्था के प्रथम तीन महीनों में रक्तचाप सामान्य से कम होता है। इसके कारण ही कुछ महिलाएँ गर्भावस्था के अपने प्रारंभिक दिनों के दौरान चक्कर आने की शिकायत करती हैं। उनमें से कुछ तो कुछ क्षणों के लिए बेहोश तक हो जाती हैं। यह माँ या बच्चे को कोई नुकसान नहीं पहुँचाता, बशर्ते कि बेहोशी में महिला जमीन पर गिरकर स्वयं को जख्मी न कर ले।

अगर आपको चक्कर या बेहोशी के दौरे आते हैं तो आप भीड़-भाड़ और धुएँ वाली जगहों और लंबी यात्रा पर जाने से बचें। अगर बैठी या लेटी हुई हों तो अचानक उठकर तेजी से चल देने से भी परहेज करें।

खुजलाहट

कुछ महिलाओं की त्वचा खुजली वाली हो जाती है। ऐसे में पेट और छाती पर लाल दाने निकल आते हैं। ऐसा मुख्य रूप से त्वचा के फैलने के कारण होता है और तनाव एवं पसीना आने के कारण यह बढ़ सकता है। त्वरित आराम

के लिए उन स्थानों की तेल मालिश करें। जिन औरतों के वक्ष भारी होते हैं, उन्हें अक्सर वक्ष के नीचे खुजली होती है। कैलामाइन लोशन के लेप से उन्हें आराम मिल सकता है।

जब आपका पेट न दिखे

कुछ गर्भवती महिलाएँ, जो एथलीट या नर्तकी रह चुकी हैं अथवा जो लंबी हैं और नियमित रूप से शारीरिक अभ्यास करती रही हैं, उनका पेट ज्यादा नहीं दिखता। गर्भावस्था के उसी महीने में दूसरी महिलाओं की तरह उनका पेट ज्यादा नहीं निकलता। इसका कारण यह है कि उनके शरीर में स्वस्थ मांसपेशियों का एक मजबूत ढाँचा होता है। ध्यान रहे, इसका यह अर्थ कतई नहीं है कि बच्चे के साथ कुछ गड़बड़ है।

खिंचाव के निशान

त्वचा प्रत्यास्थ (elastic) और अप्रत्यास्थ (non-elastic) रेशे से मिलकर बनी हुई है। जब सीमा से ज्यादा फैलाव होता है, जैसा कि गर्भावस्था के दौरान होता है तो त्वचा के अप्रत्यास्थ रेशे टूटने लगते हैं, जिसके परिणामस्वरूप खिंचाव के निशान पड़ जाते हैं। शुरू में ये निशान धारी के रूप में दिख सकते हैं। जन्म के बाद ये निशान बैंगनी या भूरे रंग के रूप में बदल जाते हैं और अंततः सफेद धारी के रूप में बदल जाते हैं। जल के अत्यधिक अवधारण (जो ज्यादा पानी पीने के परिणामस्वरूप नहीं होता) से या वजन बढ़ने से भी खिंचाव के निशान पड़ सकते हैं।

ये निशान पेट, छाती, नितंब या फिर जाँघों पर उभर सकते हैं।

त्वचा के अत्यधिक खिंचाव को एक हद तक वजन को नियमित रखकर रोका जा सकता है, लेकिन पेट पर इन निशानों को नहीं रोका जा सकता, क्योंकि यह गर्भाशय के फैलाव के परिणामस्वरूप होता है। इसके अलावा हार्मोन में होनेवाले परिवर्तन, जिसके कारण जल-अवधारण होता है, यह आपके नितंबों और जाँघों पर द्रव-अवधारण को बढ़ा सकता है, जिसके परिणामस्वरूप वजन के संतुलन के प्रति जागरूक महिलाओं में भी खिंचाव के निशान आ सकते हैं।

कुछ महिलाओं की त्वचा पर खिंचाव के निशान क्यों ज्यादा उभरे होते हैं, इसका सीधा और सामान्य कारण यह है कि हर व्यक्ति की त्वचा की प्रत्यास्थता (elasticity) अलग होती है।

—

जिन औरतों के शरीर पर खिंचाव के निशान कम होते हैं, उनकी त्वचा ज्यादा प्रत्यास्थ (elastic) होती है। खिंचाव के निशान कम करने के लिए त्वचा की प्रत्यास्थता (elasticity) बढ़ाने का कोई उपाय नहीं है।

कई महिलाओं को लगता है कि त्वचा पर तेल लगाने से, खासकर विटामिन 'ई' युक्त तेल लगाने से फर्क पड़ेगा। इस बात को साबित करने का कोई आधार नहीं है। हालाँकि फैले हुए पेट के ऊपर तेल की हल्की मालिश से कोई हानि नहीं। यह बहुत आराम देता है। और अगर आप ज्यादा भाग्यशाली हैं तो हो सकता है कि खिंचाव के निशान बिलकुल ही न आएँ।

जूते या चप्पल

आप जो अतिरिक्त वजन ढो रही हैं, उसके कारण हो सकता है कि आपके पैर और ज्यादा फूल जाएँ या समतल हो जाएँ। सामान्यतः आप जिस साइज के जूते पहनती हैं उससे एक साइज बड़े जूतों की आपको आवश्यकता पड़ सकती है। ऊँची एड़ी वाली सैंडिल न पहनें; क्योंकि यह आपके संतुलन, तालमेल और मुद्रा को बिगाड़ सकती है।

आपके सैंडल या जूते समतल होने चाहिए। दिन में ऊँची एड़ी वाले सैंडल से परहेज करें और शाम को घर पर खाली पैर टहलें। सभी जूतों, चाहे वे टहलने वाले हों या घर पर पहनने वाले, पूरी गर्भावस्था के दौरान उनकी ऊँचाई बराबर होनी चाहिए।

नाक का अवरुद्ध होना

प्रसव की तैयारी के लिए कुछ हार्मोन सक्रिय हो जाते हैं, जो योनि और गर्भ के मुख को मुलायम बना देते हैं। गर्भावस्था के दौरान नाक के अंदर की श्लेष्मा झिल्ली और साइनस अक्सर बढ़ जाते हैं। गर्भावस्था के उत्तरार्ध में कई महिलाएँ हमेशा सर्दी से ग्रसित रहती हैं। हालाँकि यह प्रसव के समय आपकी श्वास-अभ्यास में कोई रुकावट नहीं डालेगी।

पीठ का दर्द

बच्चे के वजन को रीढ़ की हड्डी से सहारा मिलता है। यह पीठ और पेट की मांसपेशियों के सहयोग से कार्य करता है। जब ये मांसपेशियाँ कमजोर होती हैं तो रीढ़ की हड्डी पर दबाव बढ़ जाता है, जिसके फलस्वरूप पीठ की तकलीफ शुरू होती है। अगर ये मांसपेशियाँ मजबूत और सुडौल होती हैं

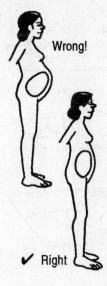

Wrong!

✔ Right

तो रीड की हड्डी पर बच्चे के वजन का दबाव कम पड़ता है और कोई पीठ का दर्द नहीं होता।

गलत मुद्राओं से भी पीठ का दर्द होता है। अच्छी मुद्रा का अर्थ है—शरीर के विभिन्न अंगों का अच्छा संतुलन। जब आप खड़ी होती हैं तो धरती की गुरुत्वाकर्षण-शक्ति लगातार आपको सतह की ओर खींचती है, लेकिन आप गुरुत्व-बल के खिलाफ अपनी मांसपेशियों के प्रयोग के द्वारा सीधी खड़ी रह पाती हैं। अगर आप अपनी कुछ मांसपेशियों को ढीला छोड़ देती हैं तो इसकी भरपाई दूसरी मांसपेशियाँ सुदृढ़ होकर करती हैं और परिणामस्वरूप आपकी पीठ और शरीर के दूसरे अंगों पर जोर पड़ता है।

गर्भावस्था के दौरान महिलाएँ सामान्यतया अपने नितंबों को बाहर की तरफ निकालकर खड़ी होती हैं और पीठ का जो अंदर की तरफ धँसा हुआ हिस्सा है, वह ज्यादा अंदर हो जाता है। इसके बजाय आपको सीधा खड़ा होना सीखना चाहिए। अपने नितंबों को अंदर की तरफ करके अतिरिक्त वजन को सम्हालने के लिए अपने पेट की मांसपेशियों का प्रयोग करें। उन्हें ज्यादा तानने की बजाय बस उन्हें व्यवस्थित हो जाने दें।

आपको इससे फायदा मिलेगा और आप अच्छा दिखेंगी एवं अच्छा महसूस करेंगी और पीठ के दर्द और थकान से भी कम पीड़ित होंगी। प्रसव के बाद आपका पेट भी जल्द समतल हो जाएगा। आपके पेट की मांसपेशियों को कड़ा करने से आपके बच्चे को किसी भी प्रकार का नुकसान नहीं पहुँचेगा। बच्चा गर्भाशय में अमीनीय तरल में अच्छी तरह से आराम से है। यह अपने ऑक्सीजन की खुराक नाभि-नाड़ी से लेता है और आँतों, ब्लाडर, लीवर और दूसरे अंगों को खिसकाकर अपने लिए जगह बना लेता है।

पीठ के दर्द से आराम के लिए अपने पेट को अंदर करें, अपने नितंबों को अंदर करें और दीवार के सहारे अपनी रीढ़ की हड्डी को सीधा करें।

विश्राम करने से भी आपको पीठ के दर्द से आराम मिल सकता है। अपने आपको ज्यादा न थकाएँ। अक्सर लेटकर आराम करें।

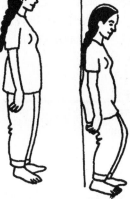

गर्भावस्था की सामान्य परेशानियाँ ● 41

जब आप पीठ के बल लेटी हों तो पैरों को सीधा रखें एवं एक तकिया या तौलिए को मोड़कर पीठ के अंदर की तरफ धँसे भाग के नीचे रखें। या फिर पीठ के बल लेटकर तलवों को जमीन पर समतल रखते हुए पैरों को घुटने से मोड़ लें। जब आप इस प्रकार लेटी हों तो अपनी पीठ के अंदर की ओर धँसे भाग को जमीन पर समतल करने का प्रयास करें।

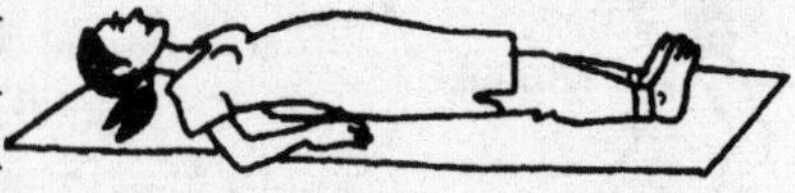

अगर आप करवट में लेटना पसंद करती हों तो तकिए को अपने कूल्हे की ऊँचाई के बराबर रखें। पैरों को घुटने से मोड़कर घुटना ऊपर करते हुए तकियों के ऊपर टिका दें। अपनी रीढ़ की हड्डी पर पीछे की तरफ अंदर की ओर अपनी बाँह रखें।

कभी-कभी बच्चे की स्थिति या कैल्शियम की कमी के कारण भी गहरा पीठ का दर्द हो सकता है। अगर यह कैल्शियम के कारण है तो डॉक्टर आपको अतिरिक्त कैल्शियम लेने की सलाह देंगी।

गलत मुद्रा या फिर भारी वक्ष के कारण पीठ के ऊपरी हिस्से में दर्द हो सकता है। अपनी मुद्रा को ठीक करें और सही नाप का ब्रा पहनें, जो पट्टी के पास ठीक हों और वक्ष का वजन सँभाल सके।

वक्ष के नीचे का दर्द

जैसे-जैसे गर्भावस्था आगे बढ़ती है तो छठे महीने के बाद वक्ष के नीचे या फिर पसली के नीचे दर्द होना सामान्य है। इसका कारण यह है कि जैसे-जैसे बच्चा बढ़ता है तो यह छाती की ओर बढ़ता है और आपकी छाती की खाली जगह की ओर आगे बढ़ता है और लीवर, पेट जैसे अंगों को धकेलता है। आप पाएँगी कि हाथों को सिर की तरफ बिलकुल सीधा फैलाने से आराम मिलता है; क्योंकि यह बढ़ते हुए गर्भाशय के ऊपर से पसलियों की दीवार को उठाने का कार्य करता है। और आगे की ओर झुककर बैठने की बजाय सीधा तनकर बैठना ज्यादा आरामदेह होगा।

उरूमूल या पेट के किनारे दर्द होना

गर्भावस्था के उत्तरार्ध में श्रोणीय प्रदेश में दर्द का होना आम है, क्योंकि श्रोणीय मेखला या घेरे जन्म की तैयारी के लिए मुलायम हो जाते हैं। लंबे समय तक खड़े रहने से परहेज करें। जो गोल अंग गर्भाशय की यथास्थिति बनाए रखता है, उसके तनाव से भी दर्द उभर सकता है।

झुनझुनी या सुन्न होना

प्रातःकाल हाथों में झुनझुनी हो सकती है या सुन्न होने का अनुभव हो सकता है। हाथों और कलाइयों की तंत्रिकाओं एवं नसों में द्रव के जमा हो जाने से ऐसा होता है। सुबह में ऐसा इसलिए महसूस होता है क्योंकि रात में आपकी कलाइयों में द्रव जमा हो जाता है। तकलीफ को दूर करने के लिए हाथों को छत की तरफ सिर से ऊपर सीधा उठाएँ और मुट्ठी को कुछ मिनटों तक बारी-बारी से खोलें और बंद करें। अपने शरीर के सूजन को खाने में नमक की मात्रा कम करके आप घटा सकती हैं।

हाथों और पैरों की सूजन

गर्भावस्था अपने साथ हाथों, पैरों, टखनों और चेहरे की सूजन भी लाती है। इसे 'ओडीमा' (Oedema) कहते हैं, इस दौरान शरीर में काफी पानी जमा हो जाता है, इसलिए थोड़ी-बहुत सूजन का होना सामान्य है। गर्म मौसम, गलत नाप के जूतों या थोड़ी-बहुत मेहनत से भी सूजन हो सकती है। लेकिन इस तरह का सूजन रात के आराम और ठंडक से दूर हो जाती है। हाथों और पैरों की ज्यादा सूजन, जो रात को भी दूर नहीं होती, टोक्सेमिया (Toxaemia) की शुरुआत के लक्षण हैं और इसके बारे में डॉक्टर से सलाह लेनी चाहिए।

अपनी प्रोटीन की खुराक को बढ़ाएँ और खाने में नमक की मात्रा घटाएँ। शरीर में जल-जमाव को नमक से बढ़ावा मिलता है।

> **प्राकृतिक निवारण** : आंध्रप्रदेश के पस्तापुर के लोकप्रिय निवारक राइकाडू बालम्मा के अनुसार, 'ओडीमा' का इलाज प्राकृतिक रूप से हो सकता है। एक मुट्ठी मेथी के पत्ते और 10 ग्राम अदरक लें और उन्हें अलग-अलग पीस लें। इससे तीन टेबलेट बनाकर सूजन की तकलीफ वाली महिला को तीन दिन तक हर सुबह इसे पानी के साथ लेना चाहिए। इस विधि से कई महिलाओं का उपचार हुआ है।
>
> **स्रोत** : *टच मी, टच-मी-नॉट (वीमेन, प्लांटस ऐंड हीलिंग) 'कलि फॉर वीमेन' के द्वारा 1997 में प्रकाशित।*

अधिक नमकीन खाने, जैसे—अचार, नमकीन मछली, चीज और पापड़ से परहेज करें। (देखें पृ. 67)

बिना आराम के लंबे समय तक खड़े रहने से बचें। जब कभी संभव हो, बैठ जाएँ और अगर संभव हो तो अपने पैर एक स्टूल के ऊपर रखकर बैठें।

व्यावहारिक बदलाव

असामान्य के प्रति झुकाव

कोयला और मिट्टी जैसी असामान्य चीजों को खाने की इच्छा को 'पीका' कहते हैं। सामान्यतः यह हमारे शरीर में लोहा और कैल्शियम जैसे खनिजों की कमी से होता है। पहले के समय में यह ज्यादा प्रचलित था। 'पीका' की तरफ किसी भी प्रकार के झुकाव को लोहा या विटामिन की कमी के रूप में लेना चाहिए और उसी प्रकार उसका इलाज भी होना चाहिए। आपकी डॉक्टर आपके शरीर की उस कमी और उसके उपचार के बारे में बताएँगे।

इसे गर्भावस्था के दौरान किसी खास प्रकार की चीजों, जैसे—चॉकलेट खाने की इच्छा के साथ जोड़कर न देखें। किन्हीं खास चीजों को खाने की इच्छा को मीठी और मोटापा बढ़ाने वाली चीजों को खाने का बहाना न बनाएँ। गरिष्ठ भोजन से अक्सर वजन बढ़ जाता है और इसके कारण आगे कई जटिलताओं का सामना करना पड़ सकता है।

थकावट

थकावट आने का अर्थ है कि अब आपको स्थिर हो जाना चाहिए और कार्य को आराम से करना चाहिए। प्रतिदिन कम-से-कम 10 घंटे की नींद लें। अगर आप रात में इतना नहीं सो पातीं तो कुछ घंटे दोपहर में सो लें। रात को भी बिस्तर पर जल्द चली जाने का प्रयास करें।

कुछ महिलाओं में रक्त की कमी के कारण भी थकावट के लक्षण आ सकते हैं।

मूड में बदलाव

गर्भावस्था में हार्मोन के बदलाव के कारण मूड में बदलाव भी सामान्य है। साधारणतः स्थिर महिलाएँ भी स्वयं को अवसाद के क्षणों में पाती हैं, जैसे—आँसू छलकने ही वाले हों। या कोई महिला कभी काफी खुश हो जाए और अगले

ही क्षण अवसादग्रस्त हो जाए। अपने सगे-संबंधियों को इस बारे में आगाह कर दें, ताकि किसी प्रकार का कोई मनोमालिन्य न उत्पन्न हो।

नींद न आना

तनाव और घबराहट के कारण नींद नहीं आती है। अगर आप गर्भावस्था या आनेवाले प्रसव के बारे में घबराई हुई हों तो अपने पति या डॉक्टर से इसकी चर्चा करें। संभव है कि आपने एक बार उनसे अपने दिल की बात कह दी तो घबराहट अपने आप ही गायब हो जाएगी।

कभी-कभी ऐसा भी होगा कि रात को बिस्तर में जाते ही नींद आ जाए; लेकिन कुछ ही घंटों में पेशाब के लिए जाने की इच्छा या बच्चे के लात मारने के कारण नींद टूट जाए। उसके बाद फिर से नींद आने में कठिनाई आ सकती है।

देर शाम को या फिर रात को पानी या तरल चीजें ज्यादा न लें। अगर दुबारा नींद नहीं आ रही हो तो इसके बारे में घबराए नहीं। मन-ही-मन कोई भजन, कोई कविता या अपना कोई प्रिय गीत गुनगुनाएँ। शाम में कॉफी से परहेज करें, क्योंकि यह धीमा उत्तेजक है और आपको रात में जगाए रख सकता है।

बिस्तर में जाने से ठीक पहले एक कप गर्म दूध आपको शिथिल होने में मदद करेगा। गर्म पानी में थोड़ा नमक डालकर स्नान करने से भी नींद आने में मदद मिलेगी। गहरी साँस के अभ्यास और सही मुद्रा में 'शवासन' से भी लाभ मिलेगा।

दवाइयाँ

खुद का डॉक्टर बनकर दवा लेने से परहेज करें। डॉक्टर को अपनी गर्भवती होने की सूचना देकर उनकी सलाह पर ही आपको किसी भी प्रकार की दवा लेनी चाहिए। कुछ दवाओं के अंधाधुंध प्रयोग से आपके बच्चा को नुकसान पहुँच सकता है। कम-से-कम दवा का प्रयोग इस स्थिति में उत्तम रहेगा।

यात्रा

अगर गर्भावस्था सामान्य और स्थिर है तो सफर से घबराने की कोई बात नहीं। कार या बस की अपेक्षा ट्रेन से लंबी दूरी की यात्रा अच्छी रहेगी। लंबे समय तक बैठे रहने से बचें; क्योंकि इससे पैरों और श्रोणीय प्रदेश में जमाव आ सकता है। ट्रेन में इधर-उधर घूमना संभव होता है, इसलिए तकलीफ कम होती है। गर्भव्रती महिला को पेशाब के लिए बार-बार जाने की इच्छा होती है, इसलिए ट्रेन के सफर में आराम रहेगा।

अगर आप ऑटो-रिक्शा में चलने की आदी हैं तो वह भी सुरक्षित रहेगा। लेकिन खराब सड़कों पर ऑटो-रिक्शा से लंबी दूरी तक न जाएँ। किसी खराब, टूटे-फूटे सड़क पर ज्यादातर यात्रा बस से करें और थोड़ी-बहुत ऑटो-रिक्शा से। ड्राईवर से धीरे चलाने का आग्रह करें।

अगर आपको उच्च रक्तचाप है या कभी गर्भपात हो चुका है या गर्भावस्था की शुरुआत में रक्तस्राव हुआ हो तो गर्भावस्था के बाद के महीनों में भी हवाई-यात्रा न करें; क्योंकि ऊँचाई में अंतर-प्रसव-प्रक्रिया को समय से पहले शुरू करा सकता है।

पूरी तरह से सामान्य और ठीक-ठाक गर्भावस्था में भी अंत के छह हफ्ते हवाई-जहाज से लंबी यात्रा से परहेज करें। अलग समय क्षेत्र में विदेश जाने और लंबी दूरी की यात्रा से भी बचें। अंतिम चार हफ्तों में आपको अपने घर और अस्पताल के आसपास ही रहना चाहिए।

पहले तीन महीनों में दाब-रहित हवाई-जहाज में यात्रा से बच्चे को ऑक्सीजन की कमी की गंभीर समस्या हो सकती है। हालाँकि सभी आधुनिक यात्री-जहाज समुचित दाबयुक्त होते हैं।

धूम्रपान

अनुसंधानों से पता चलता है कि धूम्रपान से बच्चे पर एक खास नकारात्मक प्रभाव पड़ता है। चौथे महीने के बाद धूम्रपान बच्चे के बाद के बचपन में शारीरिक और मानसिक मंदता लाती है। बच्चे का पढ़ने में कमजोर होना या उसके ढाँचागत विकास का मंद होना धूम्रपान का प्रभाव होता है।

धूम्रपान करनेवालों में विटामिन बी$_{12}$ की कमी हो जाती है। यह विटामिन लीवर के द्वारा धूम्रपान के असर को घटाने में काम आती है।

धूम्रपान बच्चे तक ऑक्सीजन-आपूर्ति में कमी लाकर खेड़ी की नलिका में संकुचन लाती है और उससे भ्रूण में अंतर-गर्भाशयी मंदन उत्पन्न होता है। आंशिक धूम्रपान, जैसे—धुएँ से भरे कमरे में बैठने से, पति के द्वारा पत्नी की उपस्थिति में धूम्रपान करने से भी ये समस्याएँ उत्पन्न होती हैं।

जो महिलाएँ धूम्रपान करती हैं, उनमें से अधिकतर को गर्भावस्था की शुरुआत में सिगरेट के स्वाद से अरुचि होने लगती है। जब किसी महिला को यह पता चले कि वह गर्भवती है तो जितनी जल्दी सिगरेट छोड़ दे, उतना अच्छा। अनुसंधानों से पता चला है कि पहले तीन महीने ज्यादा महत्त्वपूर्ण होते हैं और इस दौरान महिलाओं को धूम्रपान नहीं करना चाहिए।

किडनी की बीमारी, उच्च रक्तचाप, प्री-इक्लेम्पिसिया, गर्भावस्था के किसी भी चरण में रक्तस्राव इत्यादि से पीड़ित महिलाओं को धूम्रपान पूरी तरह छोड़ देनी चाहिए। वैसी महिलाएँ, जिनका प्रथम दो हफ्तों में गर्भपात हो चुका है और वैसी महिलाएँ भी, जिन्होंने मृत शिशु को जन्म दिया है, उन्हें भी सिगरेट पूरी तरह छोड़ देनी चाहिए। धूम्रपान खेड़ी के विकास और उसके कार्यकलाप में बाधा उत्पन्न करता है, जिसके फलस्वरूप पर्याप्त पोषक-तत्त्व और ऑक्सीजन भ्रूण तक नहीं पहुँच पाते।

सिगरेट के धुएँ में दो नुकसानदेह तत्त्व होते हैं—निकोटिन और कार्बन मोनोऑक्साइड, जो काफी नुकसान पहुँचाते हैं। निकोटिन बच्चे के रक्त-प्रवाह को बाधित करता है और कार्बन मोनोऑक्साइड, जो जहर की तरह होता है, बच्चे के प्रवाह-तंत्र में घुस जाता है, क्योंकि इसका इस जहर के प्रति वंश सादृश्य होता है।

अल्कोहल

गर्भावस्था के दौरान अल्कोहल के सेवन से अवश्य बचना चाहिए। सन् 1960 से '70 के दौरान रिसर्च से यह पता चल गया कि अल्कोहल में विरूपक मौजूद है और यह भ्रूण को विकृत कर सकता है।

वैसी महिलाएँ, जो कम पीती हैं, वे भी 'फेटल अल्कोहल सिन्ड्रोम' के साथ बच्चे को जन्म दे सकती हैं। यानी बच्चे में झटके, खुजली, सुस्ती और दूध पी सकने में असमर्थता आ सकती है।

वैसे माँ-बाप जो शराब का सेवन करते हैं, उनके बच्चे कम वजन के, मानसिक रूप से विकृत—विकृत चेहरे, जिसमें सपाटता और कटे हुए तालु शामिल हैं—वाले हो सकते हैं।

भ्रूण उस समय विकास के किस चरण में है, उसपर निर्भर करते हुए एक बार भी ज्यादा पी लेना बच्चे के किसी खास अंग के विकास को बाधित कर सकता है।

समाज में पी लेना आजकल सामान्य हो गया है, इसलिए अल्कोहल ज्यादा खतरनाक नहीं दिखता, लेकिन याद रखें कि यह गोली के रूप में लिए गए किसी दवा या ड्रग की तरह ही प्रभावी है। अगर आप गर्भवती होना चाहती हैं या अभी आपको पता चला है कि आप गर्भवती हैं तो अल्कोहल के सेवन में कमी लाएँ।

गर्भावस्था के दौरान कितनी मात्रा में अल्कोहल का सेवन सुरक्षित है, इसके बारे में अभी अनुसंधान चल रहा है। पूर्ण रूप से स्वस्थ माता के लिए कभी-कभार शराब या बीयर के एक पैग से हो सकता है कि नुकसान न हो। हाल के रिसर्च से पता चला है कि 25 प्रतिशत ऐसी महिलाएँ, जो हफ्ते में एक बार शराब का दो ओंस ही लेती हैं, उनका कई बार गर्भपात हुआ, उन महिलाओं के मुकाबले जो बिलकुल शराब नहीं पीतीं।

अल्कोहल लीवर को भी खराब करती है और शरीर के विटामिन बी$_{12}$ को पी जाती है। अतः इससे परहेज करना सबसे अच्छा है।

पान खाना

कई महिलाएँ पान के साथ या वैसे भी तंबाकू का सेवन करती हैं। तंबाकू रक्त-नलिकाओं में संकुचन पैदा करता है, जिससे गर्भाशय और खेड़ी में रक्त-प्रवाह में बाधा पहुँचती है।

गर्भावस्था के दौरान तंबाकू के सेवन से न सिर्फ बच्चे का वजन और लंबाई घट सकती है, बल्कि मृत-शिशु के जन्म का खतरा भी बढ़ा देती है। पुरुष भ्रूण के बढ़ते नुकसान और खेड़ी के बढ़ते वजन से भी इसका संबंध है। यह भी पता चला है कि माता के दूध, लार और मूत्र से निकोटिन (तंबाकू में मौजूद एक तत्त्व) निकलता है।

गाड़ी चलाना

अगर आपको पता है कि धीरे और सावधानीपूर्वक गाड़ी चलाना चाहिए तो इसमें कोई नुकसान नहीं। अचानक ब्रेक न लगाएँ एवं गैर-जिम्मेदाराना ढंग से गाड़ी न चलाएँ, क्योंकि आप गाड़ी के स्टीयरिंग व्हील से अपने पेट को चोट पहुँचाना तो नहीं चाहेंगी न!

पाचन-संबंधी समस्याएँ

उल्टी और मितली

गर्भावस्था में आँत में काफी उथल-पुथल होता है एवं गैस भी पेट में घूमने लगती है। यह पाचन-तंत्र के द्वारा खाने के आगे जाने की गति को धीमा कर देती है और पोषक-तत्त्वों के आत्मसात् हो जाने की संभावना बढ़ा देती है। दूसरी तरफ यह भी कि गर्भावस्था की शुरुआत में उल्टी और बाद में कब्ज का कारण हो सकता है।

गर्भावस्था की शुरुआत में हार्मोनों की अचानक बढ़ोतरी भी उल्टियों का कारण हो सकती हैं। गेनाडोट्रोफिन नामक हार्मोन का स्तर तीसरे और चौथे महीने में काफी घट जाता है और इसी दौरान महिलाएँ कम उल्टियाँ महसूस करती हैं।

दिन या रात किसी भी समय कोई महिला मितली जैसा महसूस कर सकती है। अक्सर ऐसा तब होता है, जब पेट काफी खाली हो या बहुत भरा हुआ हो। अतः दिन और रात में भारी खाने से अच्छा है कि दिन में चार बार कम-कम खाएँ। सुबह का नाश्ता, दिन का खाना, चाय के समय का नाश्ता और रात का खाना में अच्छी तरह खाएँ; लेकिन उसके बाद ऐसा न लगे कि ठूँसकर खा लिया है। या फिर दिन में छह-सात बार कम-कम खाएँ।

घरेलू उपचार

नींबू और पेपरमिंट वाला मीठा सौंफ, अदरक का स्वाद, बर्फ वाला ठंडा पानी, जड़ी-बूटी वाली चाय यानी तुलसी या पुदीना डली हुई, बिना दूध और चीनी की चाय से मितली से निजात पाने में मदद मिलेगी।

पहले से सैंडविच बनाकर रख लें या फिर आसपास बिस्किट, अँकुरे हुए दाल और फल रखें, ताकि जब थोड़ी भूख लगे, तब खा लें।

सुबह बिस्तर से उठने से पहले बिस्किट या टोस्ट काटकर खाने से भी फायदा मिलेगा। और उठने से पहले 10 मिनट तक बिस्तर पर यों ही पड़े रहने से भी आराम मिलेगा। उठने के 1 घंटे बाद नाश्ता करें।

चाय, कॉफी, फलों के रस, तले हुए और मसालेदार खाने और शराब से परहेज करें। दो खानों के बीच एक केला खाएँ।

अगर कुछ चीजें अलग से खा सकती हैं तो बहुत ज्यादा खाने की इच्छा पर काबू पाएँ। यह पता लगाने के बजाय कि किन चीजों को आप अलग से खा सकती हैं, वैसी चीजें खाएँ-पिएँ जो आप सामान्यतया नहीं खाती-पीती हैं।

तीव्र गंध से बचें। खाना अगर कोई और बनाए तो ज्यादा अच्छा। कार्बोहाइड्रेट ज्यादा आसानी से पचता है, ये हैं—रोटी, बिस्किट, चावल, ब्रेड, आलू इत्यादि। बढ़ते हुए वजन की ज्यादा चिंता न करें। तंग और कसे हुए कपड़े पहनना छोड़ दें। छाती और पेट के पास आपके कपड़े आरामदेह होने चाहिए।

तीव्र उल्टियाँ, जो गर्भावस्था के पहले, तीसरे या चौथे महीने के बाद भी जारी रहती हैं, उन्हें 'हाइपरमेसिस' कहते हैं। जिन महिलाओं को 'हाइपरमेसिस' होता है, वे वास्तव में बीमार हैं; क्योंकि वे अपने अंदर का सारा खाना उल्टी से निकाल देती हैं और उनके शरीर में कुछ भी बच नहीं पाता। कुछ मनोचिकित्सक और प्रसूति-चिकित्सक ऐसा महसूस करते हैं कि यह असहज संबंधों की देन है और जो व्यक्ति उस महिला को तनावग्रस्त कर रहा है, उससे दूर रहने पर उल्टियाँ ठीक हो जाएँगी।

जिन महिलाओं को सारे दिन उल्टियाँ होती रहती हैं, उनके लिए अपने लोगों से दूर जाकर वैसे लोगों के पास रहना अच्छा रहेगा, जिन्हें वे कम जानती हैं। किसी दूसरे शहर में किसी रिश्तेदार के पास जाने का यह समय है। यह परिवर्तन उनके लिए अच्छा रहेगा और वे एक नई ऊर्जा के साथ मुकाबले के लिए तैयार रहेंगी।

घरेलू उपचार

बीच रात के खाने को साथ रखना आसान है। कोई बिस्किट या नमकीन पास रखें ताकि रात में कभी खा सकें।

हालाँकि उल्टियों से बच्चे या गर्भ को कोई नुकसान नहीं पहुँचता, लेकिन कुछ स्थितियों में डॉक्टर हॉस्पीटल में उपचार की सलाह दे सकते हैं। दाखिले के बाद उन महिलाओं को चीनी या ग्लूकोज वाली तरल चीजें दी जाती हैं। अगर महिला का वजन काफी कम हो गया है और जो चीजें उसे खाने को दी जाती हैं, उन्हें वह उल्टी कर देती है तो उसे नसों के द्वारा ग्लूकोज दिया जा सकता है। शरीर की दैनिक आवश्यकताओं के लिए चीनी की आवश्यकता होती है। पर्याप्त चीनी के अभाव में शरीर में 'कीटोन' नाम के अम्ल का बनना शुरू हो जाता है। जब इसकी मात्रा मूत्र में पाई जाती है, तो इसका अर्थ है कि उल्टियाँ खतरनाक हो गई हैं और अस्पताल में भर्ती करना आवश्यक है।

सीने में जलन

गर्भावस्था के मध्य से इसका होना सामान्य है। पेट के वाल्व की शिथिलता और बढ़ते हुए बच्चे का पेट पर बढ़ते दबाव के कारण खाने की छोटी मात्रा खाने की नली में बार-बार घुसती है और निकलती रहती है। अगर ऐसा दिन में कई बार होता है तो खाने की नली में जलन का अनुभव होता है। इसे रोकने के लिए पूरी तरह पेट भरा या खाली नहीं होना चाहिए। खाली पेट में अम्ल के बनने से ऐसी जलन होने लगती है। ठंडे पानी की घूँट से इस जलन को ठंडक मिलती है।

पूरे भरे पेट के साथ सोने से भी तकलीफ होगी। अगर रात में जलन ज्यादा बढ़ जाए तो थोड़ा उठकर सोने से आराम मिलेगा। सिर के नीचे अतिरिक्त तकिए से थोड़ा उठकर सोने में काफी आराम मिलेगा। और 7.30 से 8.00 के बीच रात का खाना खा लेना ज्यादा अच्छा रहेगा।

ऐसे में मसालेदार या सिरके वाला खाना, ज्यादा सलाद, हरे पत्ते वाली सब्जी और अल्कोहल खाने में न लें। दिनभर में दो बार भरपूर खाने की बजाय चार बार हल्का भोजन करें।

गैस

पाद या हवा निकलना हानिकारक नहीं; लेकिन झेंपने का कारण हो सकता है। जब आप हवा छोड़ रही हों, तब लोगों के पास न रहें।

वीन्स, मटर, तली-मसालेदार चीजें और ज्यादा मात्रा में हरी सब्जियों जैसे गैस बनाने वाले खाने से बचें।

कब्ज एवं बवासीर

गर्भावस्था के दौरान मांसपेशियों को आराम देनेवाला हार्मोन, जिसे 'रिलेक्सिन' कहते हैं, शरीर छोड़ता है, जो दूसरी चीजों के साथ पाचन-तंत्र को आराम पहुँचाता है। पाचन-तंत्र की शिथिलता इसे मंद कर देती है। अतः आहारीय नलिका में इसकी गति के लिए भोजन की बड़ी मात्रा की आवश्यकता पड़ती है। अतः गर्भावस्था के दौरान कब्ज का हो जाना सामान्य है।

अगर आप पाती हैं कि आपको अक्सर कब्ज रहता है तो ब्रेड, चावल और मैदा कम खाएँ। चोकर (छिलके) वाले आटे से बनी रोटियाँ खाएँ। सलाद, सब्जियों और फलों की मात्रा बढ़ा दें।

भिंडी खाई जा सकती है। सूखे हुए अंजीर भी अच्छे रहेंगे और यह मेवे की दुकान पर आसानी से उपलब्ध है। तरल चीजों के ज्यादा उपभोग से भी मदद मिलेगी, अतः पानी ज्यादा पिएँ। सुबह उठने के बाद दो गिलास पानी पिएँ।

'इसबगोल' नियमित रूप से लिया जा सकता है। दवाइयों की दुकान पर यह पैकेट में उपलब्ध है। पैकेट पर लिखे निर्देशों का पालन करें। एलोपैथ के मृदुविरेचक के प्रयोग से बचें।

अगर कब्ज ज्यादा समय तक रह जाए और इसका उपचार नहीं हो तो यह मलद्वार के आसपास की नसों को उभार सकता है। कब्ज के साथ इन नसों के उभार से बवासीर हो सकता है और मलद्वार के आसपास की नसें हमेशा के लिए उठी हुई रह सकती हैं।

अगर बवासीर हो जाए तो कब्ज पर नियंत्रण रखें एवं मसालेदार व्यंजन खाना छोड़ दें।

दस्त

कभी-कभी गर्भावस्था के दौरान दस्त लग जाते हैं। अगर ऐसा दो-तीन दिनों से ज्यादा रहे तो डॉक्टर को इसकी सूचना देनी चाहिए। किसी-किसी महिलाओं में ऐसा

>

आयरन टेबलेट की वजह से होता है। इन स्थितियों में टेबलेट का ब्रांड बदलकर आसानी से इलाज किया जा सकता है।

जो महिलाएँ अपने खाने में फल एवं सब्जियाँ ज्यादा लेती हैं, वे पाती हैं कि उनका मल आसानी से निकलता है या वे दो बार पाखाना जाती हैं। इसका दस्त के रूप में भ्रम नहीं होना चाहिए।

मूत्र-प्रदेश का संक्रमण

बहुमूत्र

गर्भावस्था के दौरान गर्भाशय का ब्लाडर के ऊपर दबाव बढ़ जाता है और यह मूत्र के इकट्ठा होने के लिए तय स्थान को घटा देता है, जिसके कारण पेशाब के लिए बार-बार जाना पड़ता है। यह समस्या बच्चे के जन्म तक बनी रहेगी। ज्यादा-से-ज्यादा आप इतना कर सकती हैं कि शाम के वक्त तरल चीजें कम लें, ताकि रात में बार-बार उठकर पेशाब के लिए न जाना पड़े।

मूत्र-प्रदेश का संक्रमण

मूत्र-प्रदेश के संक्रमण से ब्लाडर और यूथ्रा (नली–जिससे होकर पेशाब पास करता है) में जलन उत्पन्न होता है। इसे 'सिस्टिटिस' कहते हैं। गर्भावस्था में सिस्टिटिस की शिकायत आम है।

इसका पहला लक्षण है कि लगातार पेशाब के लिए जाने की इच्छा का होना, कभी-कभी तो पेशाब से आने के कुछ ही मिनटों बाद दुबारा जाना। ज्यादातर समय आप ज्यादा पेशाब नहीं कर पाएँगी, शायद कुछ बूँदें या वह भी नहीं। इसके साथ आपको जलन और छनछनाहट भी हो सकती है। जब आप पेशाब की कुछ बूँदें कर पाएँगी तो वह भी गहरे पीले रंग का होगा और कुछ स्थितियों में खून मिला हुआ।

यह संक्रमण महिलाओं में उनकी शारीरिक रचना के कारण आसानी से उत्पन्न हो जाता है;

क्योंकि यूथ्रा, योनि और मलद्वार सभी के मुख काफी पास-पास होते हैं। मल से निकले रोगाणु काफी आसानी से यूथ्रा और योनि को संक्रमित कर देते हैं।

सिस्टिटिस

अगर आप पर सिस्टिटिस का हमला हुआ है तो जितना जल्द हो सके अपने चिकित्सक से परामर्श करें; क्योंकि यदि इसका उपचार नहीं किया गया तो यह गुर्दे तक पहुँचकर काफी तकलीफदेह और नुकसानदेह हो सकता है। अगर सही समय पर इसकी पहचान हो जाए तो सिस्टिटिस का बहुत आसानी से इलाज हो सकता है। एंटीबायोटिक की कुछ खुराकें आसानी से सिस्टिटिस पर काबू पा सकती हैं।

सिस्टिटिस के लक्षण मिलते ही, तुरंत आराम के लिए हर आधे घंटे बाद एक गिलास पानी पिएँ। इससे मूत्र की ताकत घट जाती है; क्योंकि अपनी जड़ जमाने से पहले मूत्र की अधिक मात्रा इस संक्रमण को तेज धार से बाहर निकाल देती है। किसी भी प्रकार का तरल, जैसे—नींबू या जौ का पेय, चाय, लस्सी इत्यादि चीजों से मदद मिलेगी। इससे मूत्र को कम अम्लीय (अल्कालाइन मूत्र, रोगाणुओं के लिए मददगार नहीं है) होने में मदद मिलती है और इसलिए मूत्र निकलते समय कम तकलीफ होती है।

अगर आप पर सिस्टिटिस का हमला पहले भी हो चुका है और आपको लगता है कि आपको यह संक्रमण दुबारा हो सकता है तो इसके हमले को रोकने के लिए आप दो उपाय कर सकती हैं। पहला, तरल काफी मात्रा में पिएँ। अगर आप सुबह उठते ही दो गिलास पानी पीने की आदत डाल लें तो यह अच्छी बात होगी। यह कब्ज से भी छुटकारा दिलाएगा। दूसरा, साफ-सफाई का ज्यादा ध्यान रखें। जब कभी भी शौच के लिए जाएँ, अपने मलद्वार के आसपास के क्षेत्र को सिर्फ पानी से नहीं बल्कि साबुन मिले पानी से साफ करें और ऐसा करते समय अपने हाथ यूथ्रा की ओर आगे न लाएँ। सबसे अच्छी बात यह होगी कि हाथों को पीछे ले जाकर धोएँ। नहाते समय साबुन और पानी से योनि और उसके आसपास की सफाई करें। इसी तरह अपने मलद्वार को अच्छी तरह धोएँ।

योनिस्राव

गर्भावस्था के दौरान अधिक मात्रा में योनिस्राव होना सामान्य है; क्योंकि गर्भ के मुख की ग्रंथि अपनी निकासी बढ़ा देती है।

यह स्राव दरअसल योनि को साफ रखने के लिए और संक्रमण से दूर रखने के लिए होता है। यह योनि के उत्तकों को चिकनाई-युक्त भी करती है; क्योंकि वे जन्म की तैयारी के लिए ज्यादा पतली, मुलायम और ज्यादा लचीला हो जाती हैं। बाद की दूसरी गर्भावस्था के समय स्राव कम होगा। इस दौरान सूती जाँघिया पहनें, ताकि आपकी त्वचा को आराम मिल सके।

अगर आप पाती हैं कि स्राव का रंग सफेद न होकर पीला या हरा हो गया है, या इसके कारण खुजली होने लगी है, या यह गाढ़ा और बदबूदार हो गया है तो संभवतः आप संक्रमित हो गई हैं। यह एक साधारण गैर-नुकसानदेह संक्रमण है, जिसे थ्रस, कैंडिडा या मोनिलिया कहते हैं।

डॉक्टर की देख-रेख में मलहम या पेसरी के द्वारा आसानी से इसका इलाज हो सकता है। कभी-कभी एंटीबायोटिक के साथ पेसरी का प्रयोग किया जाता है। भविष्य में ज्यादा जटिलताएँ उत्पन्न न हों, इसके लिए इसका समय पर इलाज आवश्यक है।

गर्भावस्था के अंतिम चरण में यानी जब बच्चे के जन्म में एक महीना ही बचा है और आपको ऐसा स्राव होता है मानो कि मासिक स्राव शुरू होनेवाला हो यानी गाढ़ा, कफयुक्त स्राव, जिसमें खून (गुलाबी या भूरा) मिला हुआ हो तो इसका अर्थ यह हुआ कि आपका शरीर अब प्रसव के लिए तैयार होने लगा है। इसे लक्षण ही मानें। यह लक्षण ही है, इसमें आपातकाल जैसी कोई बात नहीं।

खास ख्याल रखने की आवश्यकता स्थितियों

योनिमार्ग से रक्तस्राव

जब आपकी गर्भावस्था वाली हार्मोन पर्याप्त रूप से होगी, इतना नहीं कि आपके मासिक को रोक सके तो गर्भावस्था की शुरुआत में ही योनिमार्ग में रक्तस्राव हो सकता है। महीने के जिस समय आपका मासिक हुआ करता था, उसी दौरान अब भी छिटपुट रूप से आपको रक्तस्राव हो सकता है। यह गर्भपात वाला रक्तस्राव नहीं है। डॉक्टर आपको प्रोजेस्ट्रॉन हार्मोन का इंजेक्शन या आराम करने की सलाह दे सकती हैं।

कभी-कभी सहवास के बाद या डॉक्टर की जाँच करने के बाद खून की कुछ बूँदें निकल आ सकती हैं।

गर्भावस्था के बाद के चरण में लाल रक्तस्राव, जैसा कि मासिक के अधिक स्राव वाले दिनों में हुआ करता था, वैसा ही रक्तस्राव हो तो यह काफी खतरनाक है, लेकिन यह गिनी-चुनी महिलाओं को ही होता है। यह खेड़ी, जो बच्चे तक पोषक-तत्त्व पहुँचाती है, उसके गर्भाशय की दीवारों से अलग हो जाने के कारण हो सकता है। इस स्थिति की गंभीरता इस बात पर निर्भर करेगी कि खेड़ी का कितना बड़ा हिस्सा गर्भाशय से अलग हुआ है। इसके बारे में तुरंत चिकित्सक को बताएँ।

आपको आराम के लिए अस्पताल जाने की सलाह दी जा सकती है। लेटने से गर्भाशय की तरफ रक्त का प्रवाह तेज हो जाता है और अगर खेड़ी पूर्ण रूप से जमी हुई नहीं है तो लेटकर आराम करने से इसे गर्भाशय की दीवारों से अच्छी तरह जड़ें जमाने का मौका मिलता है। अगर रक्तस्राव रुक जाता है और बच्चा पूरी तरह ठीक है तो कुछ दिनों में आप घर वापस जा सकती हैं। इस स्थिति में सहवास और कामानंद से बच्चे के जन्म तक बचना चाहिए।

कभी-कभी खेड़ी का बच्चे के सिर और गर्भाशय के मुख के बीच यानी काफी नीचे स्थित हो जाने के कारण भी रक्तस्राव होता है, इसे 'प्लेसेन्टा पर्विया' कहते हैं। ऐसी सिथति में बच्चे का जन्म ऑपरेशन से होता है। इसके कारण बच्चे के जन्म तक अस्पताल या घर पर पूर्ण आराम करना पड़ सकता है।

दौड़ने या कूदने जैसी किसी भी शारीरिक हरकतों से रक्तचाप बढ़ सकता है; लेकिन कुछ देर के आराम के बाद यह फिर से सामान्य हो जाता है।

वजन में अत्यधिक वृद्धि से भी रक्तचाप बढ़ सकता है। तनावपूर्ण जीवनचर्या से या आसानी से उद्वेलित हो जानेवाला व्यक्ति भी रक्तचाप के प्रति झुकाव रखता है।

इसलिए जब कभी आप तनाव या थकान महसूस करें तो आपके लिए आराम करना जरूरी है। देर रात की भूतहा या डरावनी फिल्मों को देखने जैसे गैर-जरूरी बातों से परहेज करें।

बढ़ता हुआ रक्तचाप आपकी चिकित्सक के लिए चिंता का विषय हो सकता है। जब आप चिकित्सक के पास जाती हैं तो हर बार आपके रक्तचाप की जाँच की जाती है। इसका कारण यह है कि बढ़ता हुआ रक्तचाप गर्भावस्था की कुछ जटिलताओं की शुरुआत हो सकता है। जैसे—रक्त-विषाक्तता, जिसमें खास ध्यान दिए जाने की आवश्यकता है।

अगर डिस्टोलिक ब्लडप्रेशर (माप की निचली संख्या जैसे 120/70) 20 भी बढ़ जाता है तो आपको उच्च रक्तचाप या अतिनाव की शिकायत है। इस स्थिति में आपको पूर्ण आराम की सलाह दी जाएगी, क्योंकि आराम करने से खेड़ी ज्यादा क्षमता के साथ कार्य कर पाएँगी। गर्भावस्था के अंतिम चरण में अगर आपके रक्तचाप का डिस्टोलिक पठन 90 या उससे अधिक हो जाता है तो प्रसव-चिकित्सक आपके प्रसव पहले करा लेने के लिए प्रेरित करेंगी।

अगर आपको उच्च रक्तचाप है तो रात में सोने से पहले गर्म पानी से स्नान करें। यह आपको शिथिल होने एवं अच्छी नींद लाने में मदद करेगा।

रक्त-विषाक्तता और प्री-एक्लेंप्सिया

रक्त-विषाक्तता : जब उँगलियों में अँगूठी ना आए।

रक्त-विषाक्तता आमतौर पर गर्भावस्था के अंतिम कुछ हफ्तों में ही होती है और तीन प्रमुख लक्षणों से इसकी पहचान होती है। इनमें से कोई लक्षण अगर अपने आप ही उभर आए तो इसका यह अर्थ नहीं कि आपको रक्त-विषाक्तता है। जब ये तीनों लक्षण एक साथ उभर आएँ, तब ही रक्त-विषाक्तता हो सकती है। पहला लक्षण है बढ़ा हुआ रक्तचाप, दूसरा लक्षण है हाथों, पैरों और चेहरे की सूजन और तीसरा लक्षण है मूत्र में प्रोटीन की उपस्थिति।

ये चेतावनी के चिह्न हैं। अगर इनपर ध्यान न दिया तो ऐंठन आ सकती है। तब रक्त-विषाक्तता ज्यादा गंभीर बन जाती है, जिसे 'एक्लेंप्सिया' कहते हैं।

जन्म के पूर्व जागरूकता के साथ देखभाल से इसे रोका जा सकता है या इसकी गंभीरता घटाई जा सकती है। अगर किसी महिला के मूत्र से अधिक मात्रा में प्रोटीन का उत्सर्जन हो रहा है तो गर्भ दो हफ्ते से ज्यादा नहीं टिक सकता।

अच्छी तरह संतुलित एक आहार, जिसमें प्रोटीन अधिक और कार्बोहाइड्रेट एवं नमक ज्यादा हो, टोक्सेमिया के होने की संभावना को घटाता है। आराम से भी मदद मिलेगी।

अगर इसके लक्षण जारी रहते हैं तो आमतौर पर महिला को आगे के उपचार के लिए अस्पताल में रखा जाता है और अगर आवश्यक हुआ तो बच्चे का जन्म पहले करा दिया जाता है। हालाँकि अगर एक बार लक्षणों की पहचान हो जाती है तो अस्पताल के संपूर्ण आराम के साथ-साथ सावधानीपूर्ण अवलोकन से इस स्थिति को बदतर होने से रोका जा सकता है।

अजनमे बच्चे को टोक्सेमिया से नुकसान पहुँच सकता है। अगर इसका बढ़ना अबाधित रहा तो इसके कारण खेड़ी गिर सकती है और जब बच्चा बचने की स्थिति में भी नहीं है, तब ही समय पूर्व प्रसव हो सकता है। एक्लेंप्सिया के लक्षण हैं : सिरदर्द, अँधेरा छाना, उल्टी, मितली और पेटदर्द।

टोक्सेमिया और एक्लेंप्सिया को हल्के ढंग से नहीं लेना चाहिए। साधारण तकलीफ से शुरू होकर ये खतरनाक रोग का रूप ले सकते हैं।

एनीमिया

गर्भावस्था में हेमोग्लोबीन के स्तर का पता लगाने के लिए खून की जाँच की जाती है। लाल रक्त कोशिकाओं में हेमोग्लोबीन मौजूद होता है। इसके द्वारा ही फेफड़े से लेकर शरीर की कोशिकाओं में और गर्भ में मौजूद बच्चे तक ऑक्सीजन पहुँचाया जाता है। अगर माता के रक्त में पर्याप्त हेमोग्लोबीन नहीं है तो हो सकता है कि बच्चे के संपूर्ण विकास के लिए पर्याप्त ऑक्सीजन उस तक नहीं पहुँच रहा हो।

घरेलू उपचार

हेमोग्लोबीन का स्तर बढ़ाने के लिए, रात को पानी में एक किशमिश डाल दें। सुबह इसे एक प्याली दूध में उबाल लें। फिर दूध पी लें और किशमिश खा जाएँ। दूसरे दिन रात को पानी में 2 किशमिश डालें। सुबह एक प्याली दूध में उबालकर दूध पी जाएँ और किशमिश खा जाएँ, इसी प्रकार तीसरे दिन 3, फिर 4, 5, 6, 7, 8 और आखिर में 9वें दिन 9 किशमिश डालें। उसके बाद फिर घटते हुए, अगले दिन 8, फिर 7, 6, 5, 4, 3, 2 और फिर एक किशमिश डालें।

18 दिन पूरे होने पर आपके हेमोग्लोबीन के स्तर के बढ़ जाने की पूरी संभावना है।

स्रोत : *आनंद पी. वर्मा,*
एक्यूप्रेशर-विशेषज्ञ

गर्भावस्था के दौरान हेमोग्लोबीन का स्तर गिर सकता है; क्योंकि माता के रक्त में द्रव की मात्रा बढ़ जाती है, ताकि बच्चे तक द्रव के द्वारा अधिक मात्रा में पोषक-तत्त्व पहुँच सके। हालाँकि अगर हेमोग्लोबीन का स्तर 9 ग्राम/100ml से नीचे पहुँच जाए तो समझा जाता है कि महिला एनीमिया से पीड़ित है।

एनीमिया से पीड़ित महिला थकावट, खीज, सुस्ती, कमजोरी और कम काम करने के बावजूद काफी काम करने जैसी थकान महसूस करती है। उसे हाँफना और चक्कर आने जैसी समस्या भी हो सकती है।

अगर किसी महिला को एनीमिया है तो उसे तब तक प्रतिदिन आयरन लेनी चाहिए जब तक कि हेमोग्लोबीन का अपेक्षित स्तर न प्राप्त हो जाए। इसे आयरन की गोली की खुराक और खाने में वैसा खाना जिसमें आयरन प्रचुर मात्रा में हो, उसके द्वारा प्राप्त किया जा सकता है।

प्रचुर मात्रा में आयरन वाली चीजें हैं—बंदगोभी के पत्ते, फूलगोभी के पत्ते, सरसों के पत्ते, पत्तेवाली सब्जियाँ, गंध गोल, पुदिना, धनिया के पत्ते, अंडे इत्यादि। हालाँकि पालक में भी आयरन मौजूद होता है, लेकिन इसमें मौजूद अन्य तत्त्वों के कारण रक्त द्वारा आयरन के ग्रहण में कठिनाई होती है। अगर कोई महिला गर्भावस्था के दौरान वजन के बढ़ने पर नियंत्रण रखती है तो उसके शरीर के कामकाज के लिए कम हेमोग्लोबीन की आवश्यकता होगी। अनावश्यक वजन बढ़ने से अतिरिक्त रक्त, हेमोग्लोबीन, ऑक्सीजन और पोषक-तत्त्व की आवश्यकता पड़ती है, और इस प्रकार शरीर की सारी यांत्रिकी को जरूरत से ज्यादा काम करते रहना पड़ता है। अतः अत्यधिक वजन बढ़ना हमेशा आप ही का नुकसान करता है।

रिअस-निगेटिव

सभी रक्त या तो रिअस-नेगेटिव या रिअस-पॉजिटिव होते हैं।

आपको खतरा तभी है, जब आपका रक्त रिअस-निगेटिव और आपके पति का रिअस-पॉजिटिव हो। गर्भावस्था की शुरुआत में हुए खून की जाँच से पता चल जाएगा कि आपका रक्त-समूह रिअस-निगेटिव या पॉजिटिव है। रिअस के इस असंतुलन का कोई लक्षण नहीं है, जिससे कि आप इसे पहचान सकें।

अगर आप एक रिअस-निगेटिव माता हैं और आपके बच्चे का रिअस-पॉजिटिव है तो बच्चे की कुछ लाल कोशिकाएँ आपके रक्त-प्रवाह में मिल जा सकती हैं। ऐसा होने की सबसे ज्यादा संभावना गर्भावस्था के आखिर या बच्चे के जन्म के समय होती है। आपका शरीर बच्चे के रक्त के प्रति वैसा ही व्यवहार करता है, जैसे यह किसी भी आक्रमणकारी के प्रति करेगा। आपकी प्राकृतिक रक्षा-यांत्रिकी इसके लिए प्रतिरक्षी पैदा करेगी। अगर ये प्रतिरक्षी (एंटीबॉडी) वापस बच्चे के रक्त में मिल जाते हैं तो बड़ी मात्रा में बच्चे की रक्त-कोशिकाओं का नाश कर देंगे। इसके कारण नए जनमे बच्चे को एनीमिया और जॉन्डिस हो सकता है।

पहले बच्चे के जन्म में इसके होने की संभावना कम होती है; क्योंकि यह लीक अक्सर प्रसव के समय होता है। लेकिन माता का प्रतिरक्षी, रिअस-पॉजिटिव बच्चे की रक्त-कोशिकाओं को काफी क्षतिग्रस्त कर सकता है। प्रतिरक्षी बच्चे के रक्त पर काफी जोर से हमला कर सकता है, जिससे बच्चे को एनीमिया, जॉन्डिस या ब्रेन-डैमेज हो सकता है और संभव है कि बच्चा न बचे।

इसके होने से बचने के लिए रिअस-निगेटिव माता की गर्भावस्था के दौरान या रिअस-पॉजिटिव बच्चे के जन्म के तुरंत बाद इंटी-डी इम्यूनोग्लोबुलिन की सूई दी जा सकती है। यह सूई एक सेरम है, जो बच्चे के जन्म के 48 घंटे बाद दी जाएगी। यह माता की जैविक रक्षा-यांत्रिकी को अनजाने रिअस-तत्त्वों के खिलाफ कार्य करने से रोकेगी। हर गर्भपात और प्रसव के बाद पुनः एक सूई दी जाती है। गर्भपात हुए भ्रूण के रक्त का माता के रक्त-प्रवाह में मिल जाना संभव है।

जर्मन मीजल्स, रूबेला

यह कमजोर लेकिन काफी संक्रामक रोग है, जो कुछ दिनों तक रहता है। यह वायरस के द्वारा होता है और इसके कारण चकत्ते या बुखार हो सकते हैं। कभी-कभी इसके कारण जोड़ों में दर्द और ग्लैंडर में सूजन हो सकती है। इसके उलट कभी-कभी इसका पता भी नहीं चलता। चकत्ते इसके मुख्य लक्षण हैं और ये सिर्फ 12-24 घंटे तक रहते हैं। जब ये चकत्ते उभरते हैं, उस समय अगर आप डॉक्टर के पास न आ सकें तो इस समय के संक्रमण के कारण दो हफ्ते के बाद के खून की जाँच में प्रतिरक्षी उच्च मात्रा में होंगे और जाँच को सही ठहराएँगे।

गर्भ के बच्चे पर रूबेला का तीक्ष्ण असर पड़ता है। अगर यह गर्भावस्था के पहले तीन महीने में होता है तो यह बच्चे में बहरापन, अंधापन और जन्मजात हृदयरोग या किसी भी प्रकार की विकलांगता ला सकता है। बाद के समय में जोखिम कम होता है और सिर्फ बहरेपन की समस्या हो सकती है। इस वायरस के कारण गर्भपात, वजन का कम होना या मृत शिशु का जन्म भी हो सकता है। अगर गर्भावस्था के पहले तीन महीनों में आपको रूबेला का आक्रमण होता है तो डॉक्टर आपको गर्भ खत्म करने की सलाह देंगी।

अगर आप ऐसे व्यक्ति के संपर्क में रही हैं, जिसे मीजल्स है या हाल ही में मीजल्स हुआ था या जिसे आपसे मिलने के दो-तीन दिन के अंदर ही मीजल्स हो गया है तो आपको डॉक्टर से मिलने की आवश्यकता है। दो अलग हफ्तों में किए गए खून की जाँच से डॉक्टर को यह तय करने में मदद मिलेगी कि गर्भावस्था को जारी रखा जाए या खत्म किया जाए।

अगर रिश्तेदारों या दोस्तों में से किसी को मीजल्स हुआ हो तो उनसे न मिलें। उनसे कहें कि डॉक्टर ने ऐसी सलाह दी है। अगर आपके

दफ्तर में किसी को मीजल्स हुआ हो तो दफ्तर न जाएँ।

रूबेला से बचने के लिए माताएँ अपनी बेटियों को, जब वे 10-14 वर्ष की उम्र की हों, उसके टीके लगवाएँ।

अगर आप विश्वस्त नहीं हैं कि आपको रूबेला हुआ था तो रूबेला के प्रतिरक्षी की खून द्वारा जाँच से पता चल जाएगा। अगर खून की जाँच से यह पता चल जाता है कि आपको रूबेला हुआ था तो भविष्य में घबराहट से बचने के लिए बच्चे के जन्म के बाद आप टीका लगवा सकती हैं। गर्भावस्था में टीके नहीं लगवाने चाहिए। अगर आपने इसका टीका लगवाया है तो अगले तीन महीने तक गर्भधारण को टालना चाहिए।

5

गर्भावस्था और उसके बाद का आहार

दो के लिए भोजन

यह आम धारणा है कि एक गर्भवती महिला को दो व्यक्ति के बराबर भोजन करना चाहिए। ऐसा जरूरी नहीं; लेकिन यह आवश्यक है कि सही भोजन खाया जाए। इस दौरान पोषक भोजन लेना चाहिए। जो कुछ भी आप खाएँ, उसका पोषण-महत्त्व होना चाहिए। आपको दो के लिए खाना चाहिए; लेकिन दुगुना नहीं।

> *किताबों के बिना रह तो लें*
> *क्या है ज्ञान, शोक के सिवा?*
> *आशा के बगैर रह तो लें*
> *क्या है आशा, छलावे के सिवा?*
> *भावों के बिना जी तो लें*
> *क्या है भाव, घुलते रहने के सिवा?*
> *लेकिन कहाँ है वो व्यक्ति*
> *जो जी ले, भोजन के बिना?*
> —ओवेन मेरेडिथ

एक परजीवी

बच्चा एक परजीवी की तरह होता है, यानी इसे जो पोषक-तत्त्व चाहिए, यह ले लेगा। भले ही आपके शरीर में वह पर्याप्त मात्रा में हो या नहीं। उदाहरण के लिए, बच्चा अपने जीवन के पहले तीन महीनों के लिए आवश्यक लोहा अपने लीवर में इकट्ठा कर लेगा। इसे अपने शरीर में रक्त बनाने के लिए लोहे की आवश्यकता होती है।

फिर बच्चा अपने शरीर की हड्डियों के निर्माण और दाँतों की नींव रखने के लिए आपके शरीर से कैल्शियम लेता है। अगर आप पर्याप्त मात्रा में कैल्शियम नहीं लेती हैं तो यह इसे आपकी हड्डियों से ले लेगा। आप ऐसा नहीं होने देना चाहेंगी, क्योंकि बच्चे के जन्म के बाद उसकी देखभाल के लिए आपको समुचित स्वास्थ्य और शक्ति की आवश्यकता होगी। इसलिए आप इस बात का ध्यान रखें कि अच्छा खाएँ।

खाना, जो चाहिए...

जो खाना आपको खाना चाहिए, उसमें लोहा, कैल्शियम और प्रोटीन पर्याप्त मात्रा में होने चाहिए।

लोहा

हरी पत्तियों वाली सब्जियों में लोहा मौजूद होता है। पुदीने और धनिया की चटनी बनाकर रख लेना अच्छा रहेगा। इसे कम मात्रा में बनाकर ढक्कन वाले बर्तन में रखकर फ्रिज में रख लें। इसे हर तीसरे या चौथे दिन बनाएँ। चटनी का दो चम्मच प्रतिदिन खाने से लोहे की आपकी दैनिक आवश्यकता पूरी हो जाएगी। सैंडविच बनाते समय मक्खन की बजाय आप ब्रेड पर चटनी रखकर खा सकती हैं (देखें पृ. 58)। किशमिश में भी लोहा मौजूद होता है। यह गुड़ और भूरी चीनी, जो सफेद चीनी से अलग है, में भी मौजूद होता है। किसी भी लोहे के बर्तन में बनाए गए खाने में भी यह मौजूद होता है। हालाँकि अगर बर्तन में तेल की हल्की परत नहीं है और खाना बनाने से पहले वह गर्म नहीं हुआ है तो लोहे के बर्तन में बनाया खाना काला पड़ जाता है। सूखी मछली में लोहा और कैल्शियम खासतौर पर प्रचुर मात्रा में होता है। खमीर की गोली, मूली के पत्तों, बंदगोभी के पत्तों, केराई या हरी पत्तियाँ, फूलगोभी के पत्तों में भी यह प्रचुर मात्रा में होता है।

पालक में मौजूद लोहा आसानी से नहीं पचता है। विटामिन सी लेने से लोहा पचने में मदद मिलती है।

सोयाबीन, काबुली चना, काला चना, राजमा, साबुत मूँग में भी लोहा और कैल्शियम दोनों प्रचुर मात्रा में होता है।

और अगर आप आटा गूँथने से पहले आटे को चलनी से नहीं छानें तो इससे आपको लोहा और विटामिन बी मिलेगा। इसके लिए गेहूँ को चुनकर धो लें और फिर उसे सुखाकर मिल पर पीसने के लिए भेजें। अगर समय की कमी के कारण यह सब नहीं कर सकतीं तो महँगे, लेकिन ज्यादा साफ गेहूँ खरीदें।

कैल्शियम

दूध और दूध से बनी चीजों में कैल्शियम मौजूद होता है। आपको प्रतिदिन लगभग तीन गिलास दूध पीना चाहिए। जिस रूप में भी इच्छा हो, दूध ले सकती हैं। दही, चीज, पनीर, कस्टर्ड, लस्सी या फिर दही से बनी करी भी खा सकती हैं।

हरी पत्तियों वाली सब्जियों में भी कैल्शियम मौजूद होता है। लेकिन अगर आपको गैस बनता है, कलेजे में जलन होती है या खट्टी डकारें आती हैं तो आपको हरी पत्तियों वाली सब्जियाँ ज्यादा नहीं खानी चाहिए। एक बार में एक चम्मच काफी है।

अंडे और नींबू कैल्शियम के अच्छे स्रोत हैं। अगर आपमें लंबे समय तक कैल्शियम की कमी रही तो इससे आप कमजोर हो जा सकती हैं। इससे गहरा पीठ का दर्द या मरोड़ें आ सकती हैं। इससे खुजली भी आती है; क्योंकि इसकी कमी से स्नायु ऐंठ जाती है। सोने से पहले एक कप गर्म दूध पी लेना अच्छा रहेगा।

प्रोटीन

प्रोटीन शरीर की रचना का तत्त्व है। आपको न सिर्फ बच्चे के शरीर के निर्माण के लिए प्रोटीन की आवश्यकता होगी; बल्कि आपके अपने शरीर के रख-रखाव के लिए भी इसकी आवश्यकता होगी।

अगर आप प्रतिदिन एक अंडा और दाल भोजन के साथ लें तो आपको पर्याप्त प्रोटीन मिल जाएगा।

हालाँकि अगर आप पूर्ण शाकाहारी हैं और अंडे बिलकुल ही नहीं खातीं तो इस बात का ख्याल रखें कि आपके आहार में पर्याप्त प्रोटीन शामिल हो। दालें प्रोटीन की अच्छी स्रोत हैं, लेकिन सबसे अच्छी नहीं।

दाल और गेहूँ का मिश्रण प्रोटीन का सबसे अच्छा स्रोत है। दाल और गेहूँ का मिश्रण पूरक आहार हैं; क्योंकि साथ मिलकर ये सभी प्रकार की जरूरी एमीनो एसिड और प्रोटीन प्रदान करते हैं। दाल और चावल का मिश्रण भी प्रोटीन के अच्छे स्रोत हैं।

गैर-शाकाहारी लोग, जो हफ्ते में कम-से-कम तीन बार मांस खाते हैं, उन्हें पर्याप्त प्रोटीन मिल जाता है। लेकिन अगर आप किसी पार्टी में जाने पर या बाहर खाने के लिए जाने पर ही मांस खाती हैं तो आपको स्वयं को शाकाहारी ही समझना चाहिए।

प्रोटीन के दूसरे अच्छे स्रोत हैं—दूध और उनसे बने पदार्थ, जैसे—पनीर, दही इत्यादि। मूँगफली, बादाम, काजू इत्यादि भी प्रोटीन के अच्छे स्रोत हैं। बादाम को सभी

काष्ठ फलों मे श्रेष्ठ समझा जाता है; लेकिन पोषक-तत्त्व की उपलब्धता की दृष्टि से इसका कोई खास महत्त्व नहीं है। बादामों में पर्याप्त मात्रा में चर्बी भी होती है।

चना भी प्रोटीन का अच्छा स्रोत है, भले ही यह चना दाल, बेसन या चनेवाले का भुना हुआ चना हो। दो खानों के बीच में खाने के चना अच्छी चीज है, इसलिए इसे आसपास ही रखें। तली हुई नमकीन और बिस्कुट की जगह इसे खा सकती हैं। यह आपके पोषण और बाह्याकृति दोनों के लिए बेहतर रहेगा। जब भूख लगे, तब खाने के लिए चना को गुड़ के छोटे टुकड़े के साथ मिलाकर किसी बर्तन में रख लें। चने से आपको प्रोटीन मिलेगा और गुड़ से लोहा।

सोयाबीन और उससे बने पदार्थ भी प्रोटीन के अच्छे स्रोत हैं। आपको बाजार में सोयाबीन से बनी चीजें आसानी से मिल जाएँगी। आपको बस इतना करना है कि हल्के गर्म पानी में सोयाबीन के टुकड़े भिंगो दे। फिर प्याज, शिमला मिर्च, टमाटर से अपनी पसंद का मसाला बनाएँ। उसके बाद सोयाबीन के टुकड़ों को अच्छी तरह निचोड़ कर उसमें मसाला मिला लें। अब आपका पोषक-तत्त्वों से भरपूर व्यंजन तैयार है। किसी भी सब्जी को बनाते समय आप उसमें सोयाबीन के टुकड़े मिलाकर इसकी मात्रा और पोषण को बढ़ा सकती हैं।

या फिर बाजार से 1 किलो का सोयाबीन पैकेट खरीदकर उसे राजमा की तरह ही पका लें।

या फिर बाजार से 5 किलोग्राम सोयाबीन खरीदकर इसे चक्की पर पिसवा लें और घर पर अलग से किसी बर्तन में रख लें। जब रोटी बनाने के लिए आटा गूँथें तो उसमें एक मुट्ठी सोयाबीन का आटा मिला लें। स्वाद में तो कोई खास परिवर्तन नहीं आएगा, पर पूरे परिवार को ज्यादा पोषक-तत्त्व मिलेगा।

संपूर्ण आहार

अनाज, दाल और सब्जियों से मिलकर संपूर्ण आहार बनता है। उदाहरण के लिए, सांभर और नारियल की चटनी के साथ डोसा या इडली संपूर्ण आहार है।

पराठा के साथ भी दूसरी चीजों को मिलाकर ऐसे ही संपूर्ण आहार बनाया जा सकता है। आधा आटा और आधा बेसन लेकर इसे गूँथकर और इसमें मूली के पत्ते या बंदगोभी के पत्ते मिलाकर पराठा बनाकर भी इसे परिपूर्ण बना सकती हैं। गेहूँ के आटे में काला चना या ज्वार मिलाकर, इसमें मूली या बंदगोभी के कटे हुए पत्ते डालकर बना पराठा भी बहुत अच्छा रहेगा। ये पराठे अपने आपमें पूर्ण आहार हैं और इन्हें जलपान और भोजन में दही के साथ लिया जा सकता है।

अगर आपके हाथ-पैर सूज रहे हैं तो अचार से परहेज करें; क्योंकि इनमें काफी मात्रा में नमक होता है। अगर आपका वजन ज्यादा है तो मक्खन से परहेज करें।

अंकुरे साबूत चना और मूँग पोषण से भरपूर होते हैं। इसे अगर कच्चा खाएँ तो ज्यादा अच्छा रहेगा। पकाने से इसका पोषण-परिमाण कम होगा।

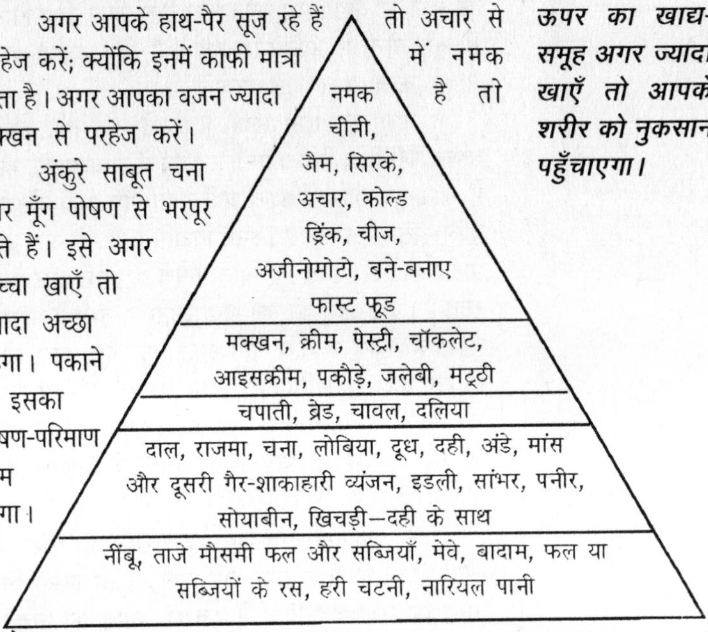

पिरामिड के सबसे नीचे का खाद्य-समूह आपके शरीर का भरपूर पोषण करता है।

पिरामिड के सबसे ऊपर का खाद्य-समूह अगर ज्यादा खाएँ तो आपके शरीर को नुकसान पहुँचाएगा।

नमक, चीनी, जैम, सिरके, अचार, कोल्ड ड्रिंक, चीज, अजीनोमोटो, बने-बनाए फास्ट फूड

मक्खन, क्रीम, पेस्ट्री, चॉकलेट, आइसक्रीम, पकौड़े, जलेबी, मट्ठी

चपाती, ब्रेड, चावल, दलिया

दाल, राजमा, चना, लोबिया, दूध, दही, अंडे, मांस और दूसरी गैर-शाकाहारी व्यंजन, इडली, सांभर, पनीर, सोयाबीन, खिचड़ी—दही के साथ

नींबू, ताजे मौसमी फल और सब्जियाँ, मेवे, बादाम, फल या सब्जियों के रस, हरी चटनी, नारियल पानी

अंकुरण फार्म

स्प्राउट फार्म का एक्रीलिक ट्रे बाजार में उपलब्ध है। पानी से निकालकर मसूर के दानों को ट्रे में रख दें और पहले ट्रे में एक गिलास पानी डालें। पानी नीचे के ट्रे में बहकर चला जाएगा और ऊपर मसूर में अंकुरण आ जाएगा।

इसमें प्रोटीन, विटामिन बी और सी होता है। दाल को साफ कर के धो लें और गर्मियों में 4-5 घंटे और जाड़े में 8-10 घंटे भिंगो लें। आप इसे रात में भिंगोने के लिए डाल सकती हैं। फिर उसमें से पानी निकालकर बड़े बर्तन में रख लें। बर्तन में फिर पानी डालें और फिर पानी निकाल दें। दिन में ऐसा दो बार और करें। एक या दो दिनों में इसमें से अंकुर निकल आएगा। इसे कटे हुए सलाद, खीरे या मूली में मिलाया जा सकता है। इसे सब्जियों के ऊपर डालकर या सैंडविच में भरकर भी खा सकती हैं। नींबू का रस, कटे हुए प्याज, धनिया के पत्ते, हरी मिर्च और नमक डालकर इसे स्वादिष्ट बनाया जा सकता है। इसी प्रकार आप किसी भी सूखे वीन्स में अंकुरन ला सकती हैं, जैसे—काला चना, साबूत काले मसूर दाल इत्यादि में।

आलू एक ऐसी सब्जी है, जिसे अब तक ज्यादा महत्त्व नहीं दिया गया। हालाँकि आलू में कार्बोहाइड्रेट होते हैं, लेकिन ये 99.9 प्रतिशत चर्बी-रहित और 100 प्रतिशत कॉलेस्ट्रॉल-रहित होते हैं। इनमें विटामिन बी, सी और कुछ प्रोटीन होते हैं। उबले हुए आलू पोषण के अच्छे और सस्ते स्रोत हैं। जब आलू को तल दिया जाता है, तभी वे मोटापा बढ़ाते हैं। चाय के साथ आप नमक, कटे हुए प्याज, नींबू के रस, कटी हुई धनिया या पुदीना के पत्ते डले हुए आलू खा सकती हैं। अनाजों के मुकाबले आलू में अधिक नमी या पानी होता है, इसलिए उनमें अनाजों के मुकाबले कम कैलोरी होती है।

जब आपको तुरत-फुरत कुछ खाने की इच्छा हो और पकाने के लिए समय की कमी हो तो इसके लिए आलू को उबालकर फ्रिज में रख लें। आलू को उबालने से पहले उन्हें काटें नहीं और न ही उनके छिलके उतारें, क्योंकि ऐसा करने से उसमें मौजूद पोषक-तत्त्वों में कमी आ जाती है। उन्हें छिलके के साथ ही उबालें। उबालते समय भी उनके छिलके नहीं फटने चाहिए।

फिर उसके बाद मौसमी फलों और सब्जियों की

बारी है, जिन्हें खाने की सलाह दी जाती है। इनमें अमरूद, नारंगी, तरबूज और केले अच्छे होते हैं।

चाय, कॉफी, ठंडे पेय एवं चॉकलेट

चाय, कॉफी, गोभी और गाजर कच्चा खाने से आपको विटामिन और खनिज मिलते हैं। शीतल पेय एवं चॉकलेट अधिक मात्रा में खाने से परहेज करना चाहिए। उसमें कैफीन और दूसरे ऐसे ही पदार्थ, जैसे—हैनिक एसिड होते हैं, जो हाजमा खराब करते हैं।

कैफीन की अधिक मात्रा बहुमूत्र बढ़ाती है और आपको बार-बार पेशाब के लिए जाना पड़ता है। यह जरूरी नमक और पानी में घुलने वाले विटामिन को भी बहा देती है। और यह लोहा एवं कैल्शियम के अवशोषण को भी घटाती है। यह नींद में खलल, चिंता और छाती में जलन भी पैदा कर सकती है।

चाय और कॉफी में मौजूद कॉफी की मात्रा इसकी गुणवत्ता और इस बात पर निर्भर करती है कि इसे कितनी देर तक उबाला गया है। यह जितना कड़वा होगा, कैफीन की उतनी अधिक मात्रा इसमें मौजूद होगी।

ख्याल रखें कि वजन ज्यादा न बढ़े

जब आप तनाव में हों तो सिर्फ इसलिए न खाएँ कि अब खाने का समय हो गया है तो खा लेना चाहिए। इसके बजाय गुनगुने पानी में एक चम्मच नमक डालकर नहा लें। यह बहुत आराम देनेवाला होता है। या फिर कुछ दूसरा काम करें, जैसे—अपनी आलमीरा ठीक कर लें, केक बनाएँ, कपड़े पर कसीदे काढ़ें या फिर अचार बनाएँ।

खाना बनाने के तरीके

भाप से खाना बनाना सबसे अच्छा तरीका है; क्योंकि इसमें पोषक-तत्त्वों का क्षय काफी कम होता है। और उबालना तभी अच्छा है, जब उबलने के बाद पानी न बचे। तलना, जरूरत से ज्यादा पकाना और खाने को फिर से गर्म करने से पोषक-तत्त्व नष्ट होते हैं। ऐसा नहीं करें तो अच्छा।

चीनी आसानी से और तेजी से पच जाती है और शरीर के द्वारा आसानी से अवशोषित होकर ऊर्जा के स्तर में त्वरित वृद्धि लाती है। जब तक शरीर में चीनी का अवशोषण होता है, तब तक यह ऊर्जा महसूस होती है। जैसे ही इसका असर खत्म हो जाता है, व्यक्ति पुनः ह्रास महसूस करने लगता है और इससे उबरने के लिए फिर से मीठा खाने की इच्छा होती है। इस प्रकार आपमें मीठा खाने की चाह उत्पन्न हो जाती है। आपको अपने शरीर की क्षमता को बढ़ाना है, ताकि दूसरे सभी आहार से भी वांछित ऊर्जा का स्तर प्राप्त हो सके। ऐसा नहीं होने पर शरीर तो ऊर्जा चीनी से प्राप्त कर लेता है, पर दूसरी ऊर्जाएँ चर्बी में बदल जाती हैं। ऐसा उन महिलाओं के साथ भी होता है, जो दिनभर में कई कप चाय और कई गिलास कोल्ड-ड्रिंक पी जाती हैं।

अगर आपमें मीठा खाने की चाह उत्पन्न हो गई है तो पहला काम आप यह करें कि प्राकृतिक रूप से मीठी चीज खाना शुरू करें, जैसे—गुड़, किशमिश, आम, चीकू, शहद, खजूर इत्यादि। ये मीठी चीजें आपको मीठा के साथ पोषण भी प्रदान करेंगी। चॉकलेट, मिठाई, लॉली पाप, आइसक्रीम, केक, पेस्ट्री इत्यादि से परहेज करें। उसके बाद धीरे-धीरे कुछ मीठी चीजों को चना, सेब, गाजर, खीरा, अंकुरे मूँग दाल के साथ बदलने की कोशिश करें।

धीरे-धीरे मीठा खाने की लत से अपने आपको दूर करें। इसे धीरे-धीरे लेकिन निश्चित रूप से करें। स्वयं के साथ अधिक कड़ाई से पेश न आएँ; लेकिन दृढ़ निश्चयी रहें और आप पाएँगी कि आपकी स्वाद-ग्रंथियाँ फिर से सक्रिय हो गई हैं और अंततः मीठा खाने की आपकी इच्छा भी मद्धम पड़ जाएगी।

स्वीटेक्स या चीनी की दूसरी स्थानापन्न चीजों का प्रयोग न करें। याद रखें कि आप एक नए स्वाद का विकास करने का प्रयास कर रही हैं। अगर आप कृत्रिम मिठाई लेती रहेंगी तो मीठा के प्रति आपके लगाव को कम करने का प्रयास कठिन प्रतीत होगा।

खाना बनाने में अधिक तेल के प्रयोग से परहेज करें। ज्यादा तली हुई चीजों का अपने आहार में कम प्रयोग करें, जैसे—चिप्स, पकौड़े, पूरी, तली हुई नमकीन और तले हुए पापड़। अगर आप सब्जी पका रही हैं तो परोसने के बर्तन में खाना खा चुकने के बाद कोई तेल नहीं बचना चाहिए। अगर तेल बच

जाता है तो इससे पता चलता है कि अत्यधिक तेल का प्रयोग किया गया था। करी बनाते समय भी उसके सतह पर कोई तेल तैरता नहीं दिखना चाहिए।

राजमा, काबुली चना, काला चना, सभी प्रकार के दाल को नमक, हल्दी, गरम मसाला, प्याज, अदरक और एक चम्मच तेल के साथ पकाकर सब्जियों और एक चपाती के साथ खाया जा सकता है। इसमें भुने हुए मसाले न डालें। गाढ़े मसालों वाली करी चर्बी बढ़ाते हैं। सफेद सॉस, गाढ़े सूप, मायोनीज और क्रीम वाली सॉस डले हुए भोजन भी चर्बी बढ़ाते हैं। ज्यादा रिफाईन किए हुए खानों से भी परहेज करें; क्योंकि उनमें मौजूद पोषक-तत्त्व और उनके गुण निकल चुके होते हैं। मैदा और चीनी-प्रयुक्त खाने इसी श्रेणी में आते हैं। समोसे, केक, नूडल्स, सफेद ब्रेड, जलेबी, जैम, चावल, कचौड़ी, मठरी इत्यादि भी इसी श्रेणी में आते हैं।

मजेदार बात है कि खोया, बेसन और पनीर वाले भारतीय मिठाइयों में चीनी की अधिक मात्रा होने के अलावे उनमें प्रोटीन भी होते हैं। बंगाली मिठाई, लड्डू, रसगुल्ले, छेना मुर्खी, बर्फी, पतीसा इसके कुछ उदाहरण हैं।

अगर आप खाते वक्त ज्यादा खा लिया करती हैं तो अपना पेट लस्सी, कच्ची सब्जियों और फल से भरने की कोशिश करें। चपाती और दाल में घी का प्रयोग न करें।

शारीरिक वजन

गर्भावस्था के दौरान किसी महिला का वजन कितना बढ़ना चाहिए, यह उत्सुकता और विवाद का विषय है। पहले-पहल 9 से 10 कि.ग्रा. तक वजन-वृद्धि की इजाजत थी। फिर यह 12. 5 कि.ग्रा. हुआ और अब यह स्वीकार कर लिया गया है कि 12.5 कि.ग्रा. से थोड़ा ज्यादा वजन बढ़ना सामान्य है।

गर्भावस्था के दौरान अनुमानित वजन-वृद्धि

भ्रूण एवं खेड़ी	5.0 कि.ग्रा.
पानी	1-1.5 कि.ग्रा.
गर्भाशय	0.5-1 कि.ग्रा.
स्तन	1-1.5 कि.ग्रा.
उत्तकों में चर्बी का भंडारण	4-4.5 कि.ग्रा.
कुल अनुमानित वजन-वृद्धि	

स्रोत : *आब्स्टेट्रिक्स इलस्ट्रेटेड, चर्चिल लिविंगस्टन, 1980*

अगर गर्भावस्था की शुरुआत में आपका वजन आवश्यकता से कम है

तो आप उस महिला के मुकाबले अपना वजन थोड़ा ज्यादा बढ़ा लेने के फायदे में हैं, जिसका वजन शुरुआत में ज्यादा था। अगर आपके शरीर का ज्यादा वजन बढ़ने के प्रति रूझान है और आपका वजन ज्यादा तेजी से बढ़ता है तो वजन-वृद्धि को लेकर आपको सचेत रहने की आवश्यकता है।

गर्भावस्था में वजन-वृद्धि (प्रतिशत में)

औसतन एक गर्भवती महिला अपने गर्भवती होने से पूर्व के वजन में 25 प्रतिशत तक की वृद्धि करती है।

एक बात की तो गाँठ बाँध लें कि गर्भावस्था के समय डायटिंग करने की और दुबले-पतले रहने का प्रयास करने की कोई जरूरत नहीं। अगर आप ऐसा करेंगी तो बच्चे को ही नुकसान पहुँचाएँगी।

जितना आपका वजन बढ़ता है, वह आपके शरीर में नहीं जुड़ जाता, बल्कि बच्चे के पोषण के लिए इसकी आवश्यकता पड़ती है। जन्म के बाद, उत्तकों में जमी चर्बी बच्चे को दूध पिलाने में प्रयुक्त हो जाती है। जो महिलाएँ बच्चे को अपना दूध नहीं पिलातीं उनकी उत्तकों यानी कूल्हों, पीठ, जाँघों में जमी चर्बी को हटाने में कठिनाई होती है, जिससे वजन कम नहीं होता।

गर्भावस्था के प्रथम तीन महीनों में हो सकता है कि वजन में वृद्धि न हो। वास्तव में मितली, उल्टियों और भूख में कमी के कारण हो सकता है कि वजन में कमी आए। आमतौर पर तीसरे महीने से वजन-वृद्धि शुरू होती है। 5वें महीने तक वजन बहुत ज्यादा नहीं बढ़ता। गर्भावस्था के दौरान कुल वजन-वृद्धि का लगभग 25 प्रतिशत वजन इस दौरान बढ़ सकता है। पाँचवें, छठे और सातवें महीनों में वजन सबसे ज्यादा बढ़ता है। हालाँकि किसी एक हफ्ते में 1 कि.ग्रा. से अधिक वजन नहीं बढ़ना चाहिए। अगर डॉक्टर को लगता है कि आपका वजन ज्यादा बढ़ रहा है तो वे आपको इसके प्रति सचेत रहने की सलाह दे सकती हैं; क्योंकि इस दौरान वजन ज्यादा बढ़ना टॉक्सेमिया के लक्षण हैं। 7½ महीने के बाद वजन-वृद्धि की रफ्तार धीमी पड़ जाती है और 9वें महीने के बाद और आखिर के चार हफ्तों में अक्सर कोई वजन-वृद्धि नहीं होती।

अमेरिका के प्रसूति-विशेषज्ञ डॉ. टॉम ब्रेवर के अनुसार पोषक-तत्त्व आवश्यक है। उनके सिद्धांत जन्म के समय उचित

वजन-वृद्धि की अनुमानित दर	
1-3 महीनों में	कोई वजन-वृद्धि नहीं
3-5 महीनों में	25 प्रतिशत तक वजन-वृद्धि
5-7½ महीनों में	50 प्रतिशत तक वजन-वृद्धि
7½-9 महीनों में	25 प्रतिशत तक वजन-वृद्धि
9वें महीने में	कोई वजन-वृद्धि नहीं

देख-रेख में किए गए प्रयोगों पर आधारित हैं। वे बने-बनाए अंधविश्वास और इस बात को नहीं मानते कि दरअसल बच्चा एक परजीवी है और बिना माता की परवाह किए जो कुछ इसे चाहिए, ले लेता है। उनका मानना है कि पोषण के स्तर में, खासतौर पर गर्भावस्था के आखिरी कुछ हफ्तों में, हल्की कमी भी बच्चे के सामान्य विकास और उसके मस्तिष्क के विकास में हस्तक्षेप कर सकती है। वे और उनकी पत्नी, अपनी किताब 'ह्वाट एवरी प्रेगनेंट वूमन शुड नो', न्यूयॉर्क, 1972 में इसकी चर्चा करते हैं। कई डॉक्टर अब ऐसा मानते हैं कि 16 किलो (35 पाउंड) तक की वजन-वृद्धि कुछ महिलाओं में उचित है। जुड़वाँ बच्चे होने की स्थिति में 18 किलो या उससे ज्यादा (40-50 पाउंड) तक की वजन-वृद्धि भी बहुत अधिक नहीं है।

कुपोषित महिला के बच्चे और उसकी खेड़ी का ज्यादा विकास नहीं हो पाता। जन्म के समय बच्चे का औसत वजन 5½ पाउंड होता है, ऐसी महिला से उत्पन्न बच्चे का वजन इससे कम होगा। प्रसव के दौरान संकुचन भी कमजोर होंगे। हो सकता है कि कृत्रिम तरीके से प्रसव को शुरू कराया जाएगा और अक्सर ऑपरेशन की जरूरत पड़ जाती है।

प्रसवकाल का आहार

यह एक जानी-मानी धारणा है कि अगर अस्पताल जाने से पूर्व एक गिलास बादाम का दूध या दूध में घी डालकर पी लें तो इससे मदद मिलती है। हालाँकि जब प्रसवकाल की शुरुआत हो जाती है (यानी पूरे एक मिनट का संकुचन होता है) तो आपकी पाचन-शक्ति काफी घट जाती है और आपका शरीर बच्चे को जन्म देने की ओर उन्मुख हो जाता है।

इस समय अगर आपने कोई भारी

खाना खा लिया है तो यह आपके पेट में जाकर ठहर जाता है और उल्टियाँ करने जैसा महसूस होने लगता है। दूसरी तरफ प्रसव-प्रक्रिया शुरू होने के दौरान अगर आपने कुछ हल्का खाया है तो यह पच जाएगा और शरीर को ऊर्जा प्रदान करेगा।

अतः अगर प्रसव-प्रक्रिया शुरू हो गई है और भूख लग रही है तो कुछ हल्का ही खाएँ, जैसे—ग्लूकोज बिस्किट, साबूदाना, चूरा या फिर जैम लगा टोस्ट। दूसरे शब्दों में, कार्बोहाइड्रेट-युक्त चीजें खाएँ और चर्बी एवं प्रोटीन से परहेज करें।

और सबसे अलग कि अपने शरीर का सुनें; अगर कुछ खाने की इच्छा हो रही है तो हल्का ही खाएँ। अगर इच्छा नहीं हो रही तो न खाएँ। अगर आपको कुछ ऊर्जा की आवश्यकता महसूस होती है तो चीनी, ग्लूकोज या शहद मिला पानी पिएँ। इन चीजों के पचने में समय नहीं लगता और ये तुरंत आपके शरीर के द्वारा अवशोषित होकर तत्क्षण ऊर्जा प्रदान करती हैं। मिस्री, टॉफी, मिठाइयाँ, लॉली पाप भी खाई जा सकती है। चाय, कॉफी या नींबूपानी से परहेज करें; क्योंकि इन चीजों से काफी अधिक अम्लता बनती है।

अगर आपकी प्रसव-प्रक्रिया शुरू हो चुकी है, उस समय आपका सबसे प्रिय आहार भी आपके सामने रख दिया जाए तो आपको कुछ खाने की इच्छा नहीं होगी।

दूध पिलाने के दौरान क्या खाएँ

याद रखें, अगर आप गर्भवती हैं या बच्चे को दूध पिला रही हैं तो डायटिंग करने का यह सही समय नहीं है, क्योंकि इस दौरान आपको पोषक-तत्त्वों की आवश्यकता बहुत अधिक होती है। जो महिला बच्चे को अपना दूध पिला रही है, उसे गर्भवती महिला के मुकाबले अधिक कैलोरी की आवश्यकता होती है। गर्भावस्था के दौरान किसी सामान्य दिनों की अपेक्षा 300 कैलोरी अधिक चाहिए, जबकि दूध पिला रही महिला को 550 कैलोरी अधिक चाहिए।

अधिकतर महिलाओं को, जो बच्चे को अपना दूध पिलाती हैं, उन्हें काफी भूख लगती है। यह एक तथ्य है, जिससे पता चलता है कि आपको अपने शरीर की सुननी चाहिए और उसमें विश्वास रखना चाहिए। किसी नवजात बच्चे को अपने वजन के हिसाब से 1 किलो पर 120 कैलोरी चाहिए और उसका वजन

लगभग 3 किलो होता है। अर्थात् बच्चे को दूध से ही 360 कैलोरी की आवश्यकता होगी। इसकी पूर्ति करने के लिए माता को 400 कैलोरी अतिरिक्त लेनी होती है।

सच्चाई तो यह है कि गर्भावस्था के दौरान जो वजन आपने बढ़ाया है, वह ज्यादातर चर्बी-संग्रहण होता है और प्रकृति के द्वारा बच्चे को जन्म के बाद दूध पिलाने में प्रयुक्त होने की व्यवस्था है। अगर आप बुद्धिमानीपूर्वक आहार का चुनाव करती हैं तो आप अपना काफी वजन घटा सकती हैं।

दूध पिला रही महिला को ज्यादा मसाले वाले खाने से परहेज करना चाहिए; क्योंकि इससे दूध में एक खास महक आ सकती है, जो हो सकता है कि बच्चे को पसंद न आए। शरीर के द्वारा दूध बनने में जिस तरल का प्रयोग होता है, उसकी भरपाई के लिए उन्हें तरल चीजें, जैसे–दूध, नींबूपानी, लस्सी काफी मात्रा में पीनी चाहिए। उन्हें दूध बनाने के लिए बहुत ज्यादा दूध पीने की जरूरत नहीं। आराम से रह रही किसी माता के शरीर से आसानी से दूध निकलता है। कम पानी पीने से दूध बनने की मात्रा में कोई कमी नहीं आती, लेकिन इससे उनका मूत्र गाढ़ा हो जाता है, जो उनके लिए अस्वास्थ्यकर है।

दूध पिला रही महिला बिना मसाले का कोई भी सामान्य खाना खा सकती है, जिसमें दालें, हरी सब्जियाँ और दूध प्रचुर मात्रा में हों।

शराब और सिगरेट से परहेज करें। लेकिन बीयर या वाईन का एक गिलास लिया जा सकता है; क्योंकि इनमें काफी कम मात्रा में अल्कोहल होता है और इससे शिथिल होने में मदद मिलती है। बीयर में जौ होता है, जो दुग्ध-आपूर्ति को बढ़ाता है।

हमारे परंपरागत व्यंजन

अब कुछ बातें हमारे परंपरागत व्यंजनों के बारे में, जैसे–लड्डू, पंजीरी, मेवा, गुड़ या जो कुछ भी आप किसी महिला के लिए बना सकती हैं, जिसने अभी-अभी बच्चे को जन्म दिया है। परंपरागत रूप से ऐसा समझा जाता है कि इनमें ऐसे तत्त्व

भोजन से सर्वाधिक अच्छी चीजें कैसे पाएँ?

- सब्जियों का साफ सूप बहुत पोषक होता है। सभी विटामिन, खनिज, प्रोटीन इत्यादि सूप में चले जाते हैं। गाढ़े सूप फायदेमंद नहीं होते, क्योंकि इन्हें आटा और मक्खन डालकर गाढ़ा किया जाता है।

- हरी चीजें, जैसे—केराई, पालक, मेथी, सरसों, चोलाई, बथुआ के साग इत्यादि को काटने से पहले धो लें। अगर आप उन्हें पहले काटकर फिर धोती हैं तो जल-घुलनशील कई विटामिन नष्ट हो जाएँगे।

- सब्जियों को प्रकाश और गर्मी से दूर रखें। सूरज की धूप और गर्मी से कुछ विटामिन नष्ट हो जाते हैं। कुछ विटामिन पकाने के दौरान भी नष्ट होते हैं और इस प्रकार जब तक आप उन्हें खाएँगी, कई विटामिन नष्ट हो चुके होंगे। आलू को बिना छिलके उतारे ही उबालें।

- मूली, सेब, नाशपाती जैसे फलों और सब्जियों के छिलके न उतारें या अगर उतारें तो हल्के।

- सब्जियों और फलों के छिलके उतारने से पहले उन्हें धो लें। छिलके उतारने के बाद न धोएँ।

- सब्जियों को ज्यादा न पकाएँ। उन्हें कुरकुरा रहने दें। फिर से गर्म न करना पड़े इसके लिए खाने से थोड़ी देर पहले ही पकाएँ। पके हुए खाने को 24 घंटे से ज्यादा फ्रिज में न रखें। जब आप खाना को फिर से गर्म करती हैं तो इसे लगभग 1/2 घंटा के लिए बाहर छोड़ दें, ताकि तापमान में अचानक बहुत ज्यादा परिवर्तन नहीं आए। सब्जियों को इतनी देर न पकाएँ कि उनका कचूमर ही निकल जाए। प्रेशर कुकर में पकाने से विटामिन सुरक्षित रहते हैं।

- खाना बनाने के लिए स्टेनलेस स्टील के बर्तन सबसे अच्छे होते हैं; क्योंकि दूसरी धातुओं की तरह इनकी भोजन पर कोई प्रतिक्रिया नहीं होती। अगर आपके पास ये बर्तन नहीं हैं तो फिर आप ऐसा करें कि खाना पकाने के बाद तुरंत उन्हें स्टेनलेस स्टील या शीशे के बर्तनों में निकाल लें।

होते हैं, जो सद्यःप्रसूता के लिए फायदेमंद हैं।

महत्त्वपूर्ण है कि हम परंपरागत भोजनों में कुछ बदलाव लाकर उन्हें खाएँ। अपने सुबह की चाय के साथ 3 से 4 चम्मच पंजीरी या फिर ½ या 1 लड्डू खाएँ। ऐसा किसी काम को करने से पहले या उसके बाद करें। इसे खाने के बाद की मिठाई के रूप में लेकर सोने न चली जाएँ। वजन बढ़ने की इससे बेहतर बात फिर और कोई नहीं होगी।

वैसे भी आइसक्रीम, चॉकलेट, मिठाई या पेस्ट्री ज्यादा खाने से वजन बढ़ता है, इसीलिए सिर्फ पंजीरी को ही दोष क्यों दें!

हमारे परंपरागत उपायों की एक बात याद आ रही है। दक्षिण भारत के कुछ हिस्सों में सद्यःप्रसूता महिला की लोहा की

आवश्यकता की पूर्ति के लिए पानी में लोहे की एक छड़ डालकर गर्म की जाती है। ऐसा करने से यह लोहा से भरपूर पेय बन जाता है। मासिक के समय और बच्चे को सम्हालने में आमतौर पर महिलाओं में लोहे की कमी हो जाती है और डॉक्टर अक्सर उन्हें आयरन टेबलेट्स लेने की सलाह देते हैं। उबला हुआ पानी पीना भी सुरक्षित है; क्योंकि उबालने से उसमें मौजूद कीटाणु और संक्रमण नष्ट हो जाते हैं।

घी

अगर आप नियमित रूप से घी खाती हैं, लेकिन घर का ज्यादा काम नहीं करतीं और नियमित रूप से टहलने भी नहीं जातीं तो इससे आपका वजन बढ़ सकता है और जोड़ों में अकड़न भी आ सकती है, जिससे प्रसव में काफी कठिनाइयाँ उत्पन्न होंगी। हालाँकि अगर आप सक्रिय रहती हैं और वजन भी ज्यादा नहीं है एवं कॉलेस्ट्रॉल की कोई समस्या नहीं है, तो आप घी खा सकती हैं।

प्रायः महिलाओं का कहना है कि गर्भावस्था के आखिरी महीने में मक्खन, रोगन, बादाम और घी खाने से उन्हें प्रसव में आसानी हुई। इस बात की चिकित्सीय सत्यापन की आवश्यकता है।

क्योंकि खाने में इस तरह की चर्बीदार चीजें होने से ऐसे विटामिन जो चर्बी में घुल जाते हैं, जैसे—ए, डी, ई और के के अवशोषण में मदद मिलती है।

इन सभी कारकों का बच्चे के जन्म के साथ महत्त्वपूर्ण संबंध हो सकता है। जैसे, संक्रमण से बचे रहना फायदेमंद

एक पकवान

आपको चाहिए

घी	—	1 चम्मच
सूजी	—	1 चम्मच
छोटी इलायची	—	1
बादाम	—	2-3
दूध	—	1 गिलास
चीनी	—	1 स्वादानुसार

विधि : घी को गर्म कर उसमें सूजी डालकर तब तक चलाएँ, जब तक वह हल्के भूरे रंग का न हो जाए। फिर इसमें दूध डालकर उबलने दें। 5 मिनट तक धीमी आँच पर पकाते रहें, ताकि घी दूध में अच्छी तरह मिल जाए। फिर इसमें चीनी, बादाम और कुचली हुई इलायची डाल दें। 9वें महीने से बच्चे के जन्म तक हर सुबह उठते ही इसे गरमागरम पिएँ।

स्रोत : सोनिया बजाज

चर्बी में घुलनशील विटामिन

विटामिन	फायदे
ए	संक्रमण से बचाव
डी	मजबूत हड्डियाँ
ई	स्वस्थ त्वचा
के	रक्त के थक्के बनने में मदद

होगा, साथ ही मजबूत हड्डियाँ, अच्छी त्वचा और रक्त का थक्का बनना—सभी बड़े मददगार साबित होंगे।

1 ग्राम घी में 9 कैलोरी होते हैं। 1 चम्मच घी 15 ग्राम होता है और इस प्रकार इसमें 135 कैलोरी होते हैं। नेशनल इन्स्टीट्यूशन ऑफ न्यूट्रीशन : हैदराबाद, 1998 द्वारा प्रकाशित 'डायट्री गाइडलाइन्स फॉर इन्डियन्स' के अनुसार गर्भावस्था और स्तनपान के दौरान चर्बी का अंतर्ग्रहण बढ़ा देना चाहिए। इसे गर्भावस्था के दौरान 30 ग्राम और स्तनपान के दौरान 45 ग्राम होना चाहिए।

इसलिए 15 ग्राम चर्बी का अंतर्ग्रहण दायरे के अंदर ही है। हालाँकि आजकल की जागरूक, वजन के प्रति सचेत महिलाएँ, जो अपना वजन ज्यादा नहीं बढ़ाना चाहतीं, उनके लिए कुछ सुझाव हैं।

गर्भावस्था के 9वें महीने में जब आप अपने आहार में एक चम्मच घी जोड़ देती हैं तो कैलोरी बढ़ाने वाली दूसरी चीजें लेने से परहेज करें, जैसे—पुडिंग, चॉकलेट, कोल्ड-ड्रिंक, गाढ़े मसाले वाले व्यंजन, तली हुई चीजें इत्यादि। या फिर कैलोरी को खर्च करने के लिए लंबी दूरी तक टहला करें। इससे आसान प्रसव के लिए आपके शरीर की तैयारी में भी मदद मिलेगी।

आप गर्भावस्था के 9वें महीने में घर का बना एक चम्मच शुद्ध मक्खन या शुद्ध घी ले सकती हैं। लेकिन इसे चपाती-पराठा या दाल के साथ ही खाएँ। एक कप गर्म दूध में एक चम्मच घी और अपने स्वाद के अनुसार चीनी डालकर पी सकती हैं।

वजन को नियंत्रित रखने के कुछ सुझाव

- किसी पार्टी के लिए जाने से पहले सामान्य होना सीखें। जब आप निश्चिंत रहेंगी तो तुरत-फुरत खाने की ज्यादा चाह नहीं होगी। जब आप उद्वेलित रहेंगी तो ज्यादा खाने की इच्छा होगी। नींद और आराम में कमी, कॉफी में मौजूद कैफीन और कोला आपको उद्वेलित कर सकते हैं। उद्वेलन के अलावा चिंता भी अधिक खाने को प्रेरित कर सकती है। जब आप किसी समस्या के प्रति चिंतित रहती हैं तो आपको ऐसा लगता है कि खाने से आराम मिलता है। इसलिए खाने के समय पर खाना और उसके बीच न खाने की आदत डालना अच्छा रहेगा। जब-जब आप चिंता में होंगी, अगर तब-तब खाने लगेंगी तो यह आपके वजन की समस्या को बढ़ाएगा और खुद अपने बढ़ते वजन को देखकर आपको और भी चिंता सताने लगेगी। यह आपके मन में अपनी छवि और आत्मविश्वास को धूमिल करेगा। तब आप और अधिक खाकर खुद को सांत्वना देने लगेंगी।

- अगर ऐसा आपके साथ होता है तो आपको अपने शरीर और इसकी आवश्यकताओं की जिम्मेदारी लेनी सीखनी होगी। आपको अपने खाने पर नियंत्रण रखना चाहिए, न कि खाना आपको नियंत्रित करने लगे। इसका अर्थ यह नहीं कि लंबे समय तक भूखी रहें और फिर भोजन पर टूट पड़ें। अगर आप खुद को भूखी रहती हैं तो ज्यादा संभावना है कि बाद में आप ज्यादा खा लें। क्योंकि जब आप खुद को भूखी रखती हैं और आपने कुछ भी नहीं खाया है तो आपके ब्लड शुगर का स्तर गिर जाता है। इसलिए आश्चर्य नहीं होना चाहिए, जब आप नियंत्रण खो दें। खाने के किसी भी समय पर बिना खाए न रहें। समय पर खाने की आदत आपको अचानक लगने वाली भूख से बचाएगी और आप भूख

के चक्कर में गलत खाना खाने से बच जाएँगी। और सबसे बढ़कर, समय पर खाने से आपका शरीर ज्यादा सकारात्मक रूप से कार्य करेगा।

- उन जगहों पर न जाएँ, जहाँ के खाने का याद करके भी आपके मुँह में पानी आता है। शादियों और पार्टियों में उस टेबल के पास खड़ी न रहें जिसमें ज्यादा चर्बी वाले व्यंजन हों। घर पर भी अपनी थाली लगाकर खा लें। ऐसा न करें कि सारे व्यंजनों को थोड़ा-थोड़ा चखती रहें, या चलो अब ये साथ देने के लिए ये चावल और चपाती खत्म ही कर दूँ, या अब गया है तो खा लूँ, अब इतना पैसा लग गया है तो बर्बाद तो नहीं होने दूँगी, या बच्चे ने छोड़ दिया है, खा लेती हूँ···सूची अंतहीन है।

- आहिस्ता-आहिस्ता खाएँ। कम-से-कम 20 मिनट में अपना भोजन समाप्त करें। पेट को

दिमाग को यह बताने में कि अब भूख नहीं है, 20 मिनट लगता है। धीरे-धीरे चबाएँ, लगभग 20 बार और खाने का स्वाद लें। इससे आपको अपने खाने से ज्यादा संतुष्टि मिलेगी।

- एक ही तराजू पर अपना वजन बराबर करवाती रहें। इस बात पर स्वयं को बेवकूफ न बनाएँ कि 1 किलो इधर-उधर से कोई खास फर्क नहीं पड़ता। जो चीजें आप बाजार से खरीदती हैं, उनके बारे में सोचें। 5 किलो काफी वजन होता है।

- अपने खाने की आदतों में आप परिवर्तन ला रही हैं, इसकी चर्चा औरों से न करें; क्योंकि लोग आपको पथ से डिगाने का प्रयास करेंगे। अगर आपको हमेशा कुछ-न-कुछ खाते रहने की आदत है तो अपने आसपास सही खाने की चीजें रखें। जैसे—अंकुरे हुए मूँग, उबले हुए आलू, गाजर, खीरा, चना और मौसमी फल।

- चाय, कॉफी, शर्बत, कोला की बजाय साफ और स्वच्छ जल पीने की आदत डालें। लक्ष्य तय करें कि आप अपना वजन कितना रखना चाहती हैं। फिर धीरे-धीरे इस दिशा में प्रयास करें। लोग आपको लजीज खाने से बिगाड़े, ऐसा न होने दें।

- ज्योफ्री कैनन के द्वारा लिखी हुई एक दिलचस्प किताब है—'डायटिंग मेक्स यू फैट' (लंदन, 1984) लेखक ने अलग तरह की खास आदतों का निरीक्षण करते अपने जीवन के कई साल गुजारे हैं। उनके अनुसार, लगातार भूखे रहना शरीर को भुखमरी के लक्षण देता है और जब फिर से खाना उपलब्ध होता है तो जरूरत से ज्यादा खाना इकट्ठा कर लेता है, क्योंकि यह जरूरत से ज्यादा खाने और कम खाने की कोशिश के समय और गंभीर खाने से परहेज में कोई फर्क नहीं कर पाता। उनका कहना है कि भूखे रहने के दौरान खाने के पचने की गति में काफी अंतर आ जाता है; क्योंकि खाने की कमी की स्थिति से निबटने के लिए यह शरीर की सुरक्षा-प्रक्रिया है। उपापचय का मद्धम पड़ना शरीर के वजन घटाने की प्रक्रिया को कठिन बना देता है।

- खाने की शालीन आदतें, जिसमें कभी-कभी यानी सप्ताहांत में कुछ खास खा लिया जाए—इसपर चलना सबसे अच्छा है। आपके स्वाद और जरूरत के हिसाब से किसी आहार-विशेषज्ञ से सलाह लेकर एक तय आहार-पद्धति पर चलना अच्छा रहेगा। कॉलेजों के गृहविज्ञान-विभाग, हॉस्पीटल, नर्सिंग होम और वजन घटाने वाले क्लीनिकों में आप आहार-विशेषज्ञ से मिल सकती हैं। वे आहार तय करते समय आपकी जीवनशैली का भी ध्यान रखते हैं। क्या आप स्वयं खाना बनाती हैं और घर के दूसरे कार्य करती हैं या आप शारीरिक रूप से सक्रिय हैं? वे इस बात का भी ध्यान रखेंगे कि क्या आप गर्भवती हैं; या बच्चे को दूध पिला रही हैं या सिर्फ एक गृहिणी हैं। आप शाकाहारी हैं या गैर-शाकाहारी हैं? इन सभी बातों का ध्यान रखते हुए आपके लिए खास तौर पर एक आहार-चार्ट बनाया जाएगा।

- और अंततः अगर आप बहुत ज्यादा नहीं खा रही हैं, फिर भी आपका वजन बहुत ज्यादा बढ़ रहा है तो डॉक्टर से संपर्क करें; ताकि आपकी किसी शारीरिक समस्या या थायराइड ग्लैंड की गड़बड़ी का पता चल सके।

6

कुछ आसान व्यायाम

गर्भवती महिलाओं को शरीर की सीमाएँ और जरूरतों को समझकर, इस दौरान कुछ खास व्यायाम करने चाहिए। नीचे कुछ ऐसे व्यायाम बताए जा रहे हैं।

पहला चरण

किसी ठोस सतह पर दरी या कंबल बिछाकर उसके ऊपर दोनों पैरों को क्रॉस करके बैठ जाएँ। जब आप ऐसे बैठी हों तो अपने शरीर के उन हिस्सों को महसूस करें, जो जमीन को छू रहे हैं।

दूसरा चरण

अब ऐसा सोचें कि आप एक पौधा हैं, और आपका जो हिस्सा जमीन को छू रहा है, उनमें से धरती की ओर जड़ें निकल रही हैं।

आपकी रीढ़ की हड्डी वह तना है, जो धरती से सीधी और मजबूती से ऊपर उठता है।

सबसे ऊपर आपका सिर तने के ऊपर खिले हुए फूल जैसा है और यह सूरज की तरफ बढ़ रहा है। बिना अपनी ठुड्ढी उठाए ऐसा महसूस करें कि आपका सिर ऊपर उठ रहा है।

तीसरा चरण

अपनी जड़ों से सिर की ओर धीरे-धीरे और गहरा पोषण लेने जैसी साँस लें और फिर धीरे-धीरे छोड़ें। ऐसा सोचें कि आप साँसों के द्वारा अपने सारे तनावों को बाहर निकाल रही हैं।

इसे 2 मिनट तक करें।

नींव

यह मुद्रा आपको व्यायाम करने के लिए सही स्थिति में बैठने में मदद करेगा। आपको अपने दूसरे व्यायामों को शुरू करने से पूर्व इससे आपके मस्तिष्क को शांत होने में भी मदद मिलेगी।

गर्दन का व्यायाम

गर्दन एवं कंधे की मांसपेशियों को सुचारु एवं सुदृढ़ बनाने में निम्न व्यायाम मददगार होंगे। इससे गर्दन और कंधे में आए खिंचाव से भी निजात मिलेगी।

पहला चरण : पीठ को सीधी रखते हुए पैरों को क्रॉस करके बैठ जाएँ। सिर और गर्दन को सीधी रेखा में रखें।

दूसरा चरण : सिर को धीरे-धीरे नीचे इस प्रकार झुकाएँ कि ठुड्डी छाती को छूने लगे।

तीसरा चरण : उसके बाद पुनः अपने सिर को सीधी कर लें और अपने मुँह को खोलकर छत की ओर देखते हुए सिर को पीछे की ओर ले जाएँ। मुँह को बंद करते हुए गर्दन में आगे की ओर खिंचाव महसूस करें। छह तक गिनते हुए इसी स्थिति में रहें।

चौथा चरण : सिर को पहले वाली स्थिति में ले आएँ।

इसे तीन बार दुहराएँ।

कंधे को घुमाना

यह व्यायाम पीठ के ऊपरी हिस्से के लिए अच्छा है। पीठ के ऊपरी और गर्दन के पिछले हिस्से में आराम पाने में इस व्यायाम से मदद मिलेगा।

पहला चरण : पीठ को सीधी रखते हुए पैरों को क्रॉस करके बैठ जाएँ। सिर और गर्दन को सीधी रेखा में रखें।

दूसरा चरण : कंधों को आगे की ओर लाएँ।

तीसरा चरण : कंधों को अपने कान तक ऊपर उठाएँ।

चौथा चरण : कंधों को पीछे की तरफ झुकाएँ, जिससे कि छाती बाहर की ओर निकल आए।

पाँचवाँ चरण : कंधों को पहले वाली स्थिति में ले आएँ।

छठा चरण : कंधों से वृत्त बनाते हुए इन चरणों को एक ही गति में पूरा करें।

सातवाँ चरण : अब उल्टी दिशा में अपने कंधों

से वृत्त बनाएँ।

प्रत्येक दिशा में पाँच वृत्त बनाएँ।

गहरा श्वास

यह कोई साधारण व्यायाम नहीं है। इससे आपके संपूर्ण शरीर का व्यायाम होता है। इससे आपको और आपके बच्चे को काफी मात्रा में ऑक्सीजन मिलता है। इसके अलावे, जब आप साँस लेती हैं तो आपके पेट के अंगों पर डायफ्राम का दबाव पड़ता है, जिससे उनकी मालिश हो जाती है और वे संचारित हो जाते हैं।

मुद्रा

पीठ को सीधी रखते हुए पैरों को क्रॉस करके बैठ जाएँ। अपने सिर और गर्दन को एक सीधी रेखा में रखें।

पहला चरण : एक छोटी साँस लें, फिर होंठों को जितना हो सके सिकोड़कर धीरे-धीरे साँस छोड़ें।

दूसरा चरण : जब साँस छोड़ने की प्रक्रिया पूरी हो तो अपने फेफड़ों को प्राकृतिक रूप से हवा से भर जाने दें।

तीसरा चरण : तीन बार सामान्य ढंग से साँस लें।

चौथा चरण : पहले तीनों चरणों को दुहराएँ। इसे तीन बार करें।

किसी पौधे या पेड़ के पास (क्योंकि सूरज की धूप से पेड़-पौधे ऑक्सीजन बनाते हैं) करना सबसे अच्छा रहेगा। और सुबह की धूप में जाने से शरीर को विटामिन डी मिलेगा, जिससे कैल्शियम के पचने में मदद मिलेगी। उस समय वातावरण में गाड़ियों का प्रदूषण और धूल कम होती है।

छाती का व्यायाम

इससे छाती की बड़ी मांसपेशियों का व्यायाम होता है और स्तनों को सुडौल बनाने में मदद मिलती है।

पहला चरण : अपने पैरों को क्रॉस करके बैठ जाएँ, अपने सिर और गर्दन को एक सीधी रेखा में रखें।

दूसरा चरण : नमस्ते की शक्ल में अपने दोनों हाथों को जोड़कर अपनी हथेली के गुदगुदे भाग को वक्ष

से सटाकर उँगलियों को नीचे की तरफ झुकाएँ।

तीसरा चरण : दोनों हथेलियों को दबाव के साथ सटाकर, 10 गिनने तक वैसे ही रखें।

चौथा चरण : दोनों हथेलियों से दबाव हटाएँ।

पाँचवाँ चरण : इसे तीन बार दुहराएँ।

छठा चरण : नमस्ते की शक्ल में अपने दोनों हाथों को जोड़कर, हथेलियों के गुदगुदे भाग को वक्ष से इस प्रकार सटाएँ कि उँगलियों की दिशा सामने की तरफ हो।

सातवाँ चरण : दोनों हथेलियों को दबाव के साथ सटाकर, 10 की गिनती तक वैसे ही रखें।

आठवाँ चरण : दोनों हथेलियों से दबाव हटाएँ।

नौवाँ चरण : इसे तीन बार दुहराएँ।

दसवाँ चरण : नमस्ते की शक्ल में अपने दोनों हाथों को जोड़कर हथेलियों के गुदगुदे भाग को वक्ष से इस प्रकार सटाएँ कि उँगलियों की दिशा ठुड्ढी की तरफ हो ले, फिर भी ठुड्ढी को स्पर्श नहीं कर रही हो।

ग्यारहवाँ चरण : दोनों हथेलियों को दबाव के साथ सटाकर, 10 गिनने तक वैसे ही रखें।

बारहवाँ चरण : दोनों हथेलियों से दबाव हटाएँ।

तेरहवाँ चरण : इसे तीन बार दुहराएँ।

श्रोणीय सतह के व्यायाम

श्रोणीय सतह की मांसपेशियाँ गर्भ को सहारा देती हैं। गर्भावस्था के दौरान गर्भाशय के बढ़ते हुए वजन को सँभालने में ये मदद करती हैं। व्यायाम से इन मांसपेशियों को मजबूती मिलती है और उनका आकार नियमित रहता है।

मुद्रा : पैरों को क्रॉस करके बैठ जाएँ। खड़े होकर या लेटकर भी इसे किया जा सकता है। व्यायाम-क के साथ शुरुआत करें। तीन दिनों के बाद व्यायाम-ख शुरू करें। इसके तीन दिनों के बाद व्यायाम-ग की तरफ बढ़ें।

व्यायाम-क

पहला चरण : साँस छोड़ें। जिस प्रकार पेशाब करने के समय आप अपने श्रोणीय सतह को पूर्ण रूप से शिथिल कर लेती हैं, उसी स्थिति में आएँ।

दूसरा चरण : अब वैसे महसूस करें कि आपने कुछ

क्षणों के लिए अपना पेशाब, मांसपेशियों में थोड़ा संकुचन लाकर, रोक दिया है।

तीसरा चरण : ऊपर के दोनों चरणों को तीन बार दुहराएँ।

सभी महिलाओं के करने योग्य व्यायाम

महिलाओं को हमेशा इस व्यायाम को करने की आवश्यकता है—गर्भावस्था की शुरुआत से लेकर जीवन-पर्यंत। व्यायाम-ख को प्रसव के बाद आराम से करने पर महिला जल्द स्वस्थ होगी। स्वस्थ होने के बाद व्यायाम-ग करें। गर्भावस्था-पूर्व की मांसपेशियों की स्थिति वापस पाने में मदद मिलेगी।

बीच की उम्र यानी 40 वर्ष के आसपास अगर महिलाएँ श्रोणीय प्रदेश के व्यायाम करती रहती हैं तो उनकी मांसपेशियाँ मजबूत बनी रहती हैं और गर्भाशय को सहारा देती हैं। अगर वे मांसपेशियाँ झूलने लगे हैं, गर्भाशय को सहारा देने का कार्य नहीं कर पातीं तो भ्रंशित गर्भाशय के लिए ऑपरेशन किया जा सकता है।

व्यायाम-ख

इस व्यायाम में श्रोणीय सतह की मांसपेशियों का इस्तेमाल होता है।

पहला चरण : साँस छोड़ें। श्रोणीय सतह को शिथिल करें।

दूसरा चरण : ऐसा ख्याल करें कि आपको जोरों से पेशाब लगी है, लेकिन आप सार्वजनिक शौचालय पर हैं और आपको कतार में प्रतीक्षा करनी पड़ रही है। और जब आप इंतजार कर रही हैं तो आपको अपनी मांसपेशियों के तीव्र संकुचन के द्वारा पेशाब रोकना पड़ रहा है।

तीसरा चरण : इस संकुचन को 6 की गिनती तक रोके रखें और फिर छोड़ दें।

साँस छोड़ें और इस संकुचन को दुहराएँ।

आपके मलद्वार में भी हल्का संकुचन आ सकता है, लेकिन इससे घबराने की कोई बात नहीं; क्योंकि आपका मलद्वार, योनि और मूत्रमार्ग मांसपेशियों की एक ही पट्टी में होते हैं। आपको योनि के ऊपर के रोमप्रदेश के भी हल्के सख्त होने जैसा महसूस हो सकता है। लेकिन आपको पेट की नाभि के आसपास सख्त महसूस नहीं होना चाहिए। अगर ऐसा होता है तो आपको इस संकुचन को पीछे, मलद्वार की तरफ ले जाना चाहिए। अब आप व्यायाम के आखिरी चरण के लिए तैयार हैं।

व्यायाम-ग

सावधानी

इस व्यायाम को शुरू करने के पहले साँस जरूर छोड़ें।

पहला चरण : साँस छोड़ें।

दूसरा चरण : अपने श्रोणीय सतह को थोड़ा संकुचित करें। 6 तक की गिनती करें।

तीसरा चरण : अब अपने श्रोणीय सतह को थोड़ा और संकुचित करें। 6 तक गिनें।

चौथा चरण : अपने श्रोणीय सतह की मांसपेशियों में जितना संकुचन ला सकती हैं, लाएँ। 6 की गिनती तक रोके रखें।

पाँचवाँ चरण : धीरे-धीरे साँस छोड़ें एवं ऐसा करते समय आराम से अपने श्रोणीय सतह की मांसपेशियों को शिथिल होने दें।

छठा चरण : 3-4 बार सामान्य ढंग से श्वास लें। दुहराएँ। इस व्यायाम को पाँच बार करें।

अगर आपको मांसपेशियों में दर्द का अनुभव होता है तो इसका कारण यह है कि ये मांसपेशियाँ संकुचन की आदी नहीं हैं। यह दर्द वैसे ही है, जैसा कि बहुत दिनों के बाद बैडमिंटन खेलने पर आपकी बाँह में दर्द होता है। अतः व्यायाम करना न छोड़ें, बल्कि एक लगातार संकुचन में 6 तक गिनते हुए इसे करें।

कम-से-कम पाँच बार दुहराएँ।

टखनों का संचालन

योग में इस व्यायाम का आधार है। टखने शरीर का वैसा भाग है, जिसकी आमतौर पर फिक्र नहीं की जाती। टखने का व्यायाम करने से अच्छा लगेगा; क्योंकि गर्भावस्था का अतिरिक्त भार शरीर के इस हिस्से के द्वारा ही वहन किया जाता है।

पहला चरण : एक पैर को फैलाकर, दूसरे पैर को घुटने के पास से मोड़ लें। मोड़े हुए पैर को फैलाकर रखे हुए पैर की जाँघ पर रख दें। अगर अच्छा लगे तो पीठ को दीवार से टिका लें।

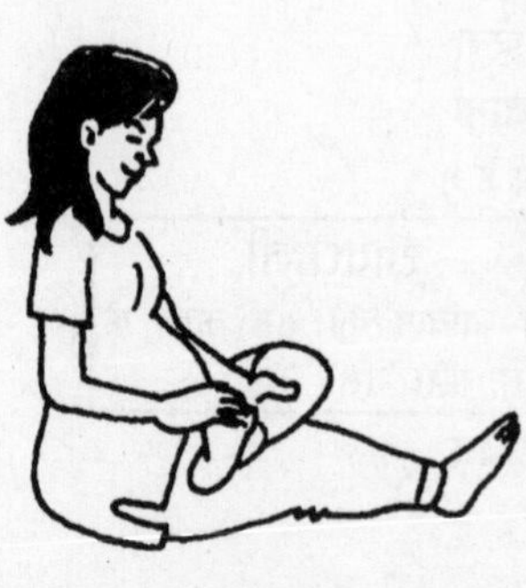

दूसरा चरण : एक हाथ से मुड़े हुए पैर को टखने से जरा ऊपर पकड़ लें और दूसरे हाथ से टखने के आगे पैर पकड़कर धीरे-धीरे घुमाएँ।

तीसरा चरण : 5 बार पैर को एक दिशा में घुमाएँ एवं 5 बार दूसरी दिशा में घुमाएँ।

इसे दूसरे पैर के साथ दुहराएँ।

आगे–पीछे होने की क्रिया (व्यायाम)

लाभः– यह क्रिया स्त्रियों के प्रजनन सम्बेधों के लिए औैर मासिक धर्म की गड़बड़ियों में सुधार के लिए लाभप्रद होंती है और सम गर्भविस्था में अर्थात् जब स्त्री गर्भवत्ती हो तब भी क्रिया पीठ के आम दर्द में और साइटिका नर्सों के दर्द में भी आराम देती है

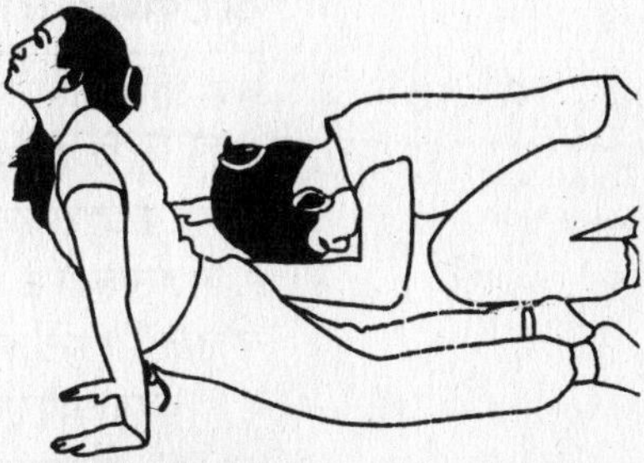

घुटनों को मोड़कर अपनी एड़ियाँ के बल बैठ जाइये। अपने घुटनों के अलग–अलग कर लीजिए। अपने मस्तक (माथे) को फर्श पर टिका दीजिए। अपने घुटनों के बल उठिए। छत पर नज़र डालने के लिए गर्दन को कुछ आगे ले जाकर ऊँचा उठाईए और अपने श्रोणि प्रदेश को फर्श की ओर कीजिए। छह या दस तक गिनिए और फिर प्रारंभिक स्थिति में लौट आइए।

श्रोणि को उठाना

पीठ की मांसपेशियों को सुदृढ़ करता है। पीठ के निचले हिस्से के दर्द और उरूमूल में रुकावट महसूस होने पर उससे आराम मिलता है।

पहला चरण : पीठ के बल सीधी लेट जाएँ। दोनों टाँगों को घुटने से मोड़कर पैरों को जमीन पर टिका दें।

दूसरा चरण : अब अपने पैरों पर वजन डालते हुए कूल्हों को जमीन से ऊपर उठाएँ।

तीसरा चरण : दस की गिनती तक कूल्हों को वैसे ही उठाए रखें।

चौथा चरण : उसके बाद आहिस्ता-आहिस्ता कूल्हों को वापस जमीन पर ले आएँ।

इसे एक या दो बार करें।

अगर आप स्वयं ही अपने कूल्हों को नहीं उठा पातीं तो किसी और की मदद ले सकती हैं। किसी को अपने बिलकुल पास खड़ा होने को कहें और वह आपकी कमर के दोनों तरफ हाथों से सहारा देकर जमीन से उठने में मदद देगा।

घुटना-छाती मुद्रा

जब आप सारे दिन सीधी रहती हैं तो पसलियों से अंग वैसे ही झूलते हैं, जिस प्रकार खंभे से झंडा। जब आप निम्नलिखित चारों चरणों के द्वारा इस व्यायाम के लिए स्वयं को इस मुद्रा में लाती हैं, तो पसलियों से अंग उसी प्रकार लटकते हैं, जैसे कपड़े अलगनी से लटकते हैं। इस प्रकार इस व्यायाम से पीठ को आराम मिलता है।

जब आप इस व्यायाम को करती हैं, तो गर्भावस्था के गर्भाशय का भार श्रोणीय सतह और पसलियों से अलग चला जाता है। इस प्रकार यह पीठ के दर्द और कूल्हों एवं पैरों के फैलते हुए दर्द में आराम दिलाता है।

अगर आपको गैस की समस्या है और आराम के लिए गैस निकालना चाहती हैं, तब भी इस व्यायाम से सहायता मिलेगी।

पहला चरण : घुटनों को थोड़ा अलग करते हुए, जमीन पर घुटनों के बल झुक जाएँ। अपनी हथेलियों को अपने कंधों की जोड़ों के बिलकुल नीचे जमीन पर टिकाकर चारों के सहारे आगे जाएँ। अपना सिर नीचा और पीठ सीधी रखें। हर स्थिति में अपना सिर नीचा रखें। सिर ऊपर करने से पीठ के बीच की जगह खाली हो जाएगी। अगर पीठ में गड्ढा बनने दिया तो पीठ का दर्द बढ़ेगा। कुछ क्षणों के लिए इसी स्थिति में रहें।

दूसरा चरण : अब अपनी कुहनियों को हथेलियों की जगह रखकर नीचे जाएँ और हथेलियों को कुहनियों की उल्टी दिशा की ओर मोड़ें।

तीसरा चरण : अपनी बाँहों पर अपना सिर टिका लें। अगर आपके पेट का जाँघों पर दबाव पड़ता है तो घुटनों को थोड़ा और अलग कर लें; ताकि जाँघों के बीच की खाली जगह में पेट पूरी तरह फिट हो जाए। दूसरे, पीठ में गड्ढा न बनने दें। अगर ऐसा होता है तो आराम से धीरे-धीरे पेट

को अंदर की तरफ खींचें।

चौथा चरण : इस स्थिति में तब तक रहें, जितनी देर आप आराम से रह सकती हैं। सामान्य ढंग से श्वास लें। इस स्थिति में आप अपने चेहरे की ओर रक्त का प्रवाह बढ़ता देखेंगीं, जिससे आपका चेहरा गर्म हो जाएगा। फिक्र की कोई बात नहीं।

इस व्यायाम को एक बार करना चाहिए। जितनी देर तक इस मुद्रा को बनाए रखा जाएगा, उतना ही ज्यादा इससे फायदा मिलेगा।

सावधानी

अगर आपको उच्च रक्तचाप है तो चारों स्थिति में रहें, लेकिन सिर नीचा करने से परहेज करें।

पैरों को उठाना

गर्भावस्था में पैरों की वेरिकोज वेन्स की समस्या हो जाती है। वेरीकोज वेन्स काली दिखने वाली नसें हैं, जो उनमें अशुद्ध रक्त के जमाव के कारण घुटने से ऊपर या नीचे हो जाता है। उरूमूल में जमाव के कारण अशुद्ध रक्त आसानी से हृदय तक वापस शुद्धता के लिए नहीं जा पाता।

इस व्यायाम से वेरिकोज वेन्स को रोकने के लिए रक्त को उरूप्रदेश को पार कर वापस हृदय तक जाने में सहायता मिलती है। इससे टाँगों को आराम मिलता है।

सावधानी

अगर आप पैरों में मरोड़ से पीड़ित रहती हैं तो पैरों को उठाते वक्त अँगूठे को न खींचें। इससे मरोड़ आ सकती है।

पहला चरण : करवट के बल लेट जाएँ। एक हाथ को कुहनी से मोड़कर अपने सिर के नीचे रख लें। दूसरे हाथ की हथेली को अपने सामने टिका लें। अपने पेट और जमीन के बीच एक तकिया रख लें।

दूसरा चरण : ऊपर की टाँग को कूल्हे से ऊँचा उठाएँ।

तीसरा चरण : 6 गिनने तक टाँग को उसी तरह रखें।

चौथा चरण : धीरे-धीरे पहले वाली स्थिति में आ जाएँ।

दोनों पैरों से बारी-बारी से 3-4 बार दुहराएँ।

मुड़ते पत्ते

उठते वक्त पीठ में होनेवाले खिंचाव से छुटकारा मिलता है और पीठ में दर्द की संभावना में कमी आती है।

पहला चरण : पीठ के बल सीधी लेट जाएँ। बाएँ पैर को मोड़कर सीधे फैले दाएँ पैर के घुटने के पास रखें। अपने दाएँ हाथ को मोड़कर सिर के नीचे रख लें।

दूसरा चरण : मुड़े हुए बाएँ पैर के ऊपर अपने शरीर का भार डालें।

तीसरा चरण : अपने शरीर को उल्टी दिशा मे यानी दाईं ओर मोड़ें।

चौथा चरण : जब आप दाईं ओर मुड़ रही हों तो साथ-ही-साथ अपनी बाईं हथेली को सामने लाते हुए अपने पेट के सामने जमीन पर टिका दें।

पाँचवाँ चरण : अब अपने बाएँ पैर को सीधी करें और अपने दोनों हथेलियों से शरीर के वजन को सहारा देते हुए उठ जाएँ।

इसे दूसरे पैर के साथ भी दुहराएँ। निपुणता प्राप्त करने के लिए 4 बार दुहराएँ। उसके बाद इसका प्रयोग साधारण ढंग से उठने के लिए करें।

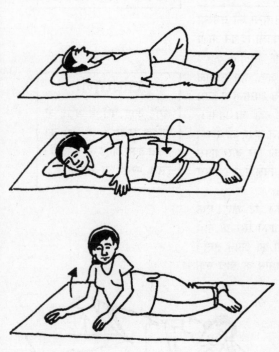

पैर झुलाना

श्रोणि में तीन जोड़ होते हैं, जो प्रसव के समय थोड़े फैल जाते हैं।

आजकल लोगों की जो जीवन-शैली है, उसमें सारा समय कुर्सी पर बैठे-बैठे बीतता है। ऐसे में ये जोड़ दृढ़ बन जाते हैं। यह व्यायाम उनमें कुछ गति लाकर लचीला बनाने के लिए है।

मुद्रा : पैरों को सामान्य ढंग से रखकर अपने कूल्हों पर हाथ रखकर खड़ी हो जाएँ।

व्यायाम-क

पहला चरण : बाईं तरफ हल्के झुककर, दाईं टाँग को 4 बार आगे-पीछे झुलाएँ।

दूसरा चरण : दूसरे पैर के साथ दुहराएँ।

आगे और पीछे टाँग को ज्यादा बढ़ा-चढ़ाकर न झुलाएँ। एक फुट आगे और एक फुट पीछे झुलाना ठीक रहेगा। ज्यादा बढ़-चढ़कर करने से सैक्रो-इलियॉक जोड़ों में दर्द पैदा हो सकता है, जो जन्म की तैयारी में पहले ही हार्मोन के द्वारा मुलायम हो चुके होते हैं।

अगर संतुलन खोने लगें तो शुरुआत वाली मुद्रा में, यानी आगे और पीछे झूलने के बीच की जो स्थिति है, उसमें थोड़ा ठहर जाएँ।

व्यायाम-ख

पहला चरण : हाथों को कूल्हों पर रखकर खड़ी हो जाएँ।
दूसरा चरण : एक पैर को कमर की तरफ बाहर की ओर झुलाकर वापस पहले वाली स्थिति में आ जाएँ। उबार दुहराएँ।
तीसरा चरण : दूसरे पैर के साथ इसे दुहराएँ।

श्रोणि को झुकाना

यह व्यायाम पीठ के निचले हिस्से में दर्द से आराम दिलाता है और पेट की सुडौलता वापस लाने में भी मदद करता है, जिससे कि बच्चे के जन्म के बाद पेट ज्यादा तेजी और आसानी से सुडौल बन सके।

हड्डीनुमा श्रोणीय गड्ढा आपके प्रजनन-अंगों, जैसे—अंडाशय और गर्भाशय, का घर है। जब गर्भावस्था के

दौरान गर्भाशय फूल कर बड़ा हो जाता है, तो यह श्रोणीय गड्ढे से बाहर निकलकर पेट पर दबाव बढ़ा देता है। बच्चा पेट की दीवारों पर उसी प्रकार रहता है, जैसे किसी झूले में हो। पेट की दीवारों पर बढ़ता यह भार पीठ के निचले हिस्से की मांसपेशियों पर दबाव बढ़ा देता है, जिससे उसमें दर्द शुरू हो जाता है। इसके कारण पेट की दीवारें भी अपनी अधिकतम सीमा तक फैल जाती हैं और अपना लचीलापन खो देती हैं, जिसके परिणामस्वरूप पेट पर खिंचाव के निशान बढ़ जाते हैं।

इस व्यायाम से श्रोणि में इस प्रकार झुकाव आ जाता है कि श्रोणि के अंश, जो पेट की दीवारों पर दबाव बढ़ाते, उन्हें अंदर की ओर धकेल दिया जाता है। इस प्रकार व्यायाम के दौरान श्रोणि के द्वारा भार वहन किया जाता है।

व्यायाम-क

पहला चरण : सामान्य ढंग से खड़ी हों।

दूसरा चरण : साँस छोड़ें।

तीसरा चरण : पैरों को घुटने के पास से थोड़ा मोड़ें।

चौथा चरण : अपने चूतड़ को इस प्रकार संकुचित कर सख्त करें, जैसे कि आपने चूतड़ से 100 का नोट पकड़ रखा हो। जैसे ही आप अपने चूतड़ को सख्त करेंगी और वहाँ की मांसपेशियों को सख्त करेंगी, अपने रोम प्रदेश को आप आगे और ऊपर नाभि की ओर जाते पाएँगी। आपका पेट पीछे आपकी रीढ़ की हड्डी की तरफ झुक जाएगा। उसी समय आपकी पीठ के बीच का हिस्सा सीधा हो जाएगा।

पाँचवाँ चरण : इस स्थिति को 5 की गिनती तक यथावत् रखें।

छठा चरण : धीरे-धीरे पहले की स्थिति में आ जाएँ। इसे 5 बार दुहराएँ।

व्यायाम-ख

अगर आप गर्भावस्था के बाद के दौर में हैं तो इस व्यायाम को लेटकर कर सकती हैं।

पहला चरण : पीठ के बल लेटकर टाँगों को घुटने के पास से मोड़ लें और पैरों को समतल रूप से जमीन पर टिका दें।

दूसरा चरण : अपनी पीठ के खाली (गहरे) हिस्से में तौलिया या नैपकिन मोड़कर रख दें।

तीसरा चरण : साँस छोड़ें।

चौथा चरण : चूतड़ की मांसपेशियों को सख्त करें और पेट के निचले हिस्से की ओर खींचें।

पाँचवाँ चरण : साथ-ही-साथ अपनी पीठ के खाली हिस्से को जमीन के सहारे समतल करने का प्रयास करते हुए तौलिए पर दबाव बढ़ाएँ।

छठा चरण : 6 तक गिनते हुए उसी स्थिति में रहें।

सातवाँ चरण : पहली वाली स्थिति में आ जाएँ एवं सामान्य ढंग से साँस लें। इस व्यायाम को 5 बार करें।

पैरों में खिंचाव से छुटकारे के लिए टहलना

कभी-कभी रक्त-प्रवाह में कमी के कारण भी पैरों में खिंचाव या मरोड़ें आ सकती हैं। यह व्यायाम आपके पैरों के निचले हिस्से में रक्त-प्रवाह को बढ़ाएगा।

पहला चरण : सामान्य ढंग से खड़ी होएँ। आपके पास टहलने के लिए कम-से-कम छह फीट जगह होनी चाहिए।

दूसरा चरण : अपने पैरों की उँगलियों पर उस छह फुट लंबी जगह पर चलें।

तीसरा चरण : उसके बाद अपनी एड़ियों पर चलते हुए वापस जाएँ।

चौथा चरण : और अंततः अपने पैरों के बाहरी भाग पर चलें।

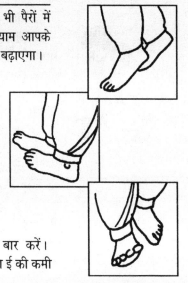

सोने से पहले प्रतिदिन ऐसा एक बार करें।

कभी-कभी कैल्शियम, विटामिन बी या ई की कमी

से भी खिंचाव आते हैं। अगर टहलने से खिंचाव में कमी
नहीं आती तो अपने आहार पर ध्यान दें।

उकड़ूँ बैठना

उकड़ूँ बैठते समय श्रोणि अंदरूनी, बाहरी और नली में
सबसे अधिक फैले होते हैं। जो भारतीय शैली के शौचालय
का इस्तेमाल करते हैं, वे फायदे में हैं; क्योंकि बिना ज्यादा
कुछ किए उनके जोड़ों और मांसपेशियों का व्यायाम हो
जाता है। अगर आपके घर में भारतीय शैली का शौचालय
है तो इसका बार-बार प्रयोग करना शुरू करें।

उकड़ूँ बैठने से बढ़ता हुआ बच्चा और गर्भाशय सही
स्थिति में आ जाते हैं। इससे कब्ज से भी छुटकारा मिलता है।

पहला चरण : जिस प्रकार भारतीय शैली के
शौचालय का प्रयोग करते समय बैठा जाता है, उसी प्रकार
उकड़ूँ बैठ जाएँ। अगर आप गर्भावस्था की बहुत आगे की
अवस्था में हैं और पेट काफी बढ़ गया है तो इन्हें करें :

दूसरा चरण : सामान्य ढंग से खड़ी हों, ताकि
आपका चूतड़ दीवार से सटा रहे।

तीसरा चरण : अब अपने पैरों की उँगलियों पर
खड़ी होएँ।

चौथा चरण : अब उकड़ूँ बैठ जाएँ।

पाँचवाँ चरण : पूरी तरह से उकड़ूँ न बैठें, बल्कि
थोड़ी-सी उठी हुई स्थिति में रहें।

छठा चरण : अपनी पीठ के निचले हिस्से को
दीवार से सटाकर अपने घुटनों को जितना अलग कर
सकती हैं, करें।

सातवाँ चरण : अंतिम स्थिति में कम-से-कम
2 मिनट तक रहें।

आठवाँ चरण : उकड़ूँ बैठने वाली स्थिति से निकलने
के लिए अपने हाथों, फिर घुटनों के बल आगे जाएँ।

9वें महीने में जब बच्चा सिर-नीचे वाली स्थिति
में होता है, तो इस स्थिति को पूर्ण करने के लिए उकड़ूँ
बैठने की अपेक्षा आप घुटनों को मोड़कर और उसके नीचे
तकिए डालकर बैठ सकती हैं।

इस मुद्रा से श्रोणीय संरचना घुटनों की ऊँचाई के स्तर तक पहुँच जाएगी। इसके साथ-साथ यह आगे की तरफ झुका होगा; ताकि बच्चे के श्रोणीय प्रवेशद्वार में आगमन के लिए सही कोण में होगा। इस स्थिति को 'आप्टिमल फेटल पॉजिशनिंग' कहते हैं। यह जेन सुटॉन और पाओलीन स्कॉट, जो प्रसाविका (दाई) और शिशु जन्म प्रशिक्षक थीं, के द्वारा काफी प्रचारित किया गया। यह टी.वी. देखते समय या बिछावन पर बैठे हुए भी किया जा सकता है।

सावधानियाँ

उन महिलाओं को उकड़ूँ नहीं बैठना चाहिए, जिनके गर्भाशय-मुख पर डॉक्टर द्वारा टाँका लगाया गया था। उन महिलाओं को भी नहीं करना चाहिए, जिन्हें गर्भावस्था के दौरान रक्तस्राव हुआ हो। या जो महिलाएँ खेड़ी की निम्न स्थिति के कारण बेडरेस्ट में हो।

वेरीकोज वेन्स या बवासीर के कारण अगर बहुत दर्द होता हो तब भी उकड़ूँ बैठने से परहेज करें।

ॐ श्वास

इस व्यायाम का आधार योग है और इससे माँ और बच्चे दोनों को आराम मिलता है। *(स्रोत : स्वामी सत्यानंद, बिहार स्कूल ऑफ योगा)*

पहला चरण : पीठ को सीधी रखते हुए पैरों को क्रॉस करके बैठ जाएँ। सिर और गर्दन को एक सीधी रेखा में रखें।

अपने अँगूठों को कान के छेद पर दबाकर रखें। इससे किसी भी आसपास की आवाज से आपको व्यवधान नहीं आएगा।

अँगूठे के बाद की दो उँगलियों को आँखों के ऊपर हल्के से रखें। अगली दो उँगलियों को, एक को होंठों के ऊपर और दूसरे को होंठों के नीचे रखें।

दूसरा चरण : श्वास लें।

तीसरा चरण : श्वास छोड़ते समय ॐ

का उच्चारण करें। बिना रुके 5 बार दुहराएँ।

अगर इस व्यायाम को करते समय आपको साँस की कमी का अनुभव हो रहा है तो रुककर ॐ श्वास के बीच एक गहरी साँस लेकर धीरे-धीरे छोड़ें।

शिथिलता

पूरी गर्भावस्था के दौरान महिला स्वयं को जितना अधिक शांत या आराम से रह सकती है, उसके लिए यह बहुत फायदेमंद है। जब आपको पता है कि अगले 10 मिनट तक आपको किसी कार्य की हड़बड़ाहट नहीं है, जब आप अपने सारे कार्य कर चुकी हैं, जब आपको पता है कि कोई बुलाएगा नहीं या टेलीफोन या दरवाजे की घंटी सुनकर नहीं भागना है; तब आप आराम से रहने का अभ्यास कर सकती हैं।

आराम से लेट जाएँ और अपने मस्तिष्क एवं शरीर को 5 से 10 मिनट का समय लेकर शांत होने दें। इस दौरान थोड़ा इधर-उधर खिसककर या तकिया, कुशन, चादर या कंबल जिसकी भी जरूरत हो उसे प्रयोग कर सही आरामदेह स्थिति पाने का प्रयास करें। जब एक बार सबकुछ व्यवस्थित हो जाए तो अपने विचारों को मस्तिष्क में प्रवेश करने दें। अपनी आँखों को बंद करके स्वयं को उन विचारों से थोड़ा दूर कर के जैसे आप टी.वी. या सिनेमा देख रहे हों, उसी प्रकार उन घटनाओं को देखें। स्वयं को इन सबसे अलग रखें। उन घटनाओं या विचारों को देखते समय उनके बारे में कोई निर्णय न लें, सिर्फ उन्हें 10-15 मिनट तक देखें।

अब शिथिलता के लिए सचेत होकर प्रयास करें। नीचे लिखी चीजों को या तो टेप करके सुनें या फिर किसी और से कहें कि वह आपको पढ़कर सुनाए।

- पैर की उँगलियों, पैरों और टखनों को शिथिल करें।
- जो स्नायु मेरे पैर की उँगलियों, पैर और टखनों की मांसपेशियों से जुड़े हुए हैं, उन्हें मैं शिथिल करूँगी।
- मैं पैर की पिंडलियों को शिथिल करूँगी।
- जो स्नायु मेरे पैर की पिंडलियों की मांसपेशियों से जुड़े हैं, उन्हें मैं शिथिल करूँगी।
- अपने घुटने को शिथिल करूँगी।
- जो स्नायु मेरे घुटनों की मांसपेशियों से जुड़े हैं, उन्हें शिथिल करूँगी।
- अपनी जाँघों को शिथिल करूँगी।
- जो स्नायु मेरी जाँघों की मांसपेशियों से जुड़े हैं, उन्हें शिथिल करूँगी।
- मेरे नीचे के अंग शिथिल हैं और उन्हें मैं उद्वेलित नहीं होने दूँगी।
- अपनी श्रोणीय सतह को शिथिल करूँगी।
- जो स्नायु मेरी श्रोणीय सतह की मांसपेशियों से जुड़े हैं, उन्हें शिथिल करूँगी।
- अपने चूतड़ को शिथिल रखूँगी।
- जो स्नायु मेरी चूतड़ की मांसपेशियों से जुड़े हैं, उन्हें मैं शिथिल करूँगी।
- अपने पेट के निचले हिस्से और गर्भ को शिथिल रखूँगी।
- जो स्नायु मेरे पेट के निचले हिस्से की मांसपेशियों से जुड़े हैं, उन्हें शिथिल रखूँगी।
- अब मेरे पेट का निचला हिस्सा शिथिल हो गया है और उसे मैं उद्वेलित नहीं होने दूँगी।
- मैं अपनी पीठ को शिथिल करूँगी।
- मैं अपने कंधे को शिथिल करूँगी।
- जो स्नायु मेरी पीठ की मांसपेशियों से जुड़े हैं, उन्हें शिथिल करूँगी।
- अब मेरी पीठ शिथिल हैं और उन्हें मैं उद्वेलित नहीं होने दूँगी।
- अपने ऊपर की बाँह को शिथिल करूँगी।
- अपने नीचे की बाँह को शिथिल करूँगी।
- अपनी हथेलियों और उँगलियों को शिथिल करूँगी।
- जो स्नायु मेरे हाथ की मांसपेशियों से जुड़े हैं, उन्हें शिथिल करूँगी।
- अब मेरे हाथ शिथिल हैं और उन्हें मैं उद्वेलित नहीं होने दूँगी।
- अपनी गर्दन को शिथिल करूँगी।
- जो स्नायु मेरी गर्दन की मांसपेशियों से जुड़े हैं, उन्हें शिथिल करूँगी।
- अब मेरा गर्दन शिथिल है और उसे उद्वेलित नहीं होने दूँगी।
- अपनी ठुड्ढी और चेहरे को शिथिल करूँगी।

❏ जो स्नायु मेरी ठुड्ढी और चेहरे की मांसपेशियों से जुड़े हैं, उन्हें शिथिल करूँगी।

❏ अब मेरा चेहरा शिथिल है और उसे उद्वेलित नहीं होने दूँगी।

❏ सिर के ऊपरी हिस्से को शिथिल करूँगी।

❏ सिर के पिछले हिस्से को शिथिल करूँगी।

❏ जो स्नायु मेरे सिर की मांसपेशियों से जुड़े हैं, उन्हें शिथिल करूँगी।

❏ अब मेरा सिर शिथिल है और उसे उद्वेलित नहीं होने दूँगी।

❏ अब शिथिलता मेरे दिमाग में रिस-रिस कर जा रही है।

❏ जो स्नायु मेरे दिमाग की मांसपेशियों से जुड़े हैं, उन्हें शिथिल करूँगी।

● अब मेरा दिमाग शिथिल है और उसे उद्वेलित नहीं होने दूँगी।

● अपनी आँखों को बंद करके लेटी रहें।

शिथिलता संबंधी अभ्यास के बाद अचानक न उठें। पहले आसपास अपनी चीजों के प्रति जागरूक बनें। जिस कमरे में आप लेटी हैं, फर्नीचर, दरवाजे, खिड़कियाँ इत्यादि को अपने ज्ञान में लाते हुए धीरे-धीरे अपने हाथों और पैरों को संचालित करें।

● आहिस्ता-आहिस्ता उठें।

प्रार्थना

कोलाहल और बेचैनी में भी सौम्यता रखो
और याद रखो कि निस्तब्धता में भी
कितनी शांति हो सकती है।
जहाँ तक संभव हो,
बिना समर्पण किए हर व्यक्ति के साथ
अच्छे संबंध रखो।
अपना सत्य शांति और स्पष्टता के साथ
कहो और दूसरों की सुनो,
सबसे सुस्त और उपेक्षित को भी कुछ
कहना हो सकता है।
आक्रामक और अभद्रों से जितना संभव हो
बचो,
ये आत्मा को दुखाते हैं।
अगर स्वयं की तुलना दूसरों से करोगे तो
व्यर्थता और जलन की भावना आ सकती है।
क्योंकि ऐसा हमेशा होगा कि कोई तुमसे
बेहतर होगा और कोई होगा कमतर।
अपनी सफलताओं के साथ-साथ
योजनाओं का भी आनंद लो।
चाहे जितना भी साधारण हो,
अपने कैरियर में रुचि लो।
समय के साथ बदलते अधिकारों में
यही पकड़ने लायक है।
अपने व्यापार में सावधान रहो,
क्योंकि दुनिया कलाबाजों से भरपूर है।
लेकिन इसके कारण अच्छे गुणों से
आँखें न मूँदो,
कई लोग उच्च आदर्शों के लिए
प्रयत्न करते हैं,
और हर जगह जीवन नायकत्व से भरा है।
अपनी पहचान बनाए रखो,
खासकर भावों को झूठा मत बनाओ।
प्रेम के प्रति हेयदृष्टि मत रखो,
क्योंकि हर शुष्कता और उसरता में
घास की तरह यही चिरस्थायी है।
युवावस्था की चीजों को
सौम्यता के साथ छोड़ दो और
कृतज्ञता के साथ समय की सलाह लो।
अनदेखे प्रकोपों के प्रति ढाल के लिए
जोश की शक्ति को बढ़ाओ।
लेकिन कल्पनाओं के कारण
स्वयं को तनावपूर्ण मत करो।
कई डर तो सिर्फ अकेलेपन और
थकान से ही जन्म ले लेते हैं।
संपूर्ण अनुशासन के साथ-साथ
अपने प्रति थोड़ा सौम्य रहो।
तुम इस ब्रह्मांड के बच्चे हो।
तारों और पेड़ों की तरह
तुम्हें भी यहाँ होने का अधिकार है,
भले ही तुम्हें इसकी समझ हो या न हो।
इसमें कोई शक नहीं कि
यह ब्रह्मांड अपने आपको खोल रहा है
जैसा इसे करना चाहिए।
इसलिए ईश्वर के प्रति
तुम्हारी धारणा जैसी भी हो,
उसके साथ शांतिपूर्ण रहो।
चाहे जीवन की इस कोलाहलपूर्ण भ्रांति में
तुम्हारी आकांक्षाएँ और मेहनत कैसी भी हो।
अपनी आत्मा के साथ शांतचित्त रहो।
हर तकलीफ, टूटे सपने और आघातों के बावजूद
यह फिर भी एक सुंदर दुनिया है।
सावधान रहो
और खुश रहने का प्रयास करो।

स्रोत : *संत पॉल का पुराना चर्च, बाल्टीमोर, 1692*

7

गर्भावस्था के दौरान सेक्स

गर्भावस्था के दौरान सेक्स बिलकुल सामान्य, स्वाभाविक और प्राकृत है। वास्तव में इस दौरान यह ज्यादा उमंग ला सकता है, क्योंकि किसी भी प्रकार का गर्भ-निरोधक रास्ते में नहीं आता है। लेकिन इससे पूर्व अगर आपका गर्भपात हो चुका है या बच्चा खो चुकी हैं या आपके बाँझपन का इलाज हो चुका है तो मासिक आने वाले समय के दौरान या वैसे भी डॉक्टर आपको सेक्स न करने की सलाह दे सकती हैं। अगर आपको संभोग से परहेज करने को कहा गया है, तब भी आप एक-दूसरे को सहला सकती हैं या आनंद प्राप्त करने की दूसरी विधियाँ अपना सकती हैं। डॉक्टर से यह पूछने में संकोच न करें कि कितने समय तक आपको संभोग से परहेज करना चाहिए; क्योंकि जब आपके गर्भपात हो जाने की संभावना का समय निकल चुका हो, तब डॉक्टर आपको संभोग कर सकने की याद दिलाना भूल सकती हैं। अगर आपका पिछला प्रसव समय से पहले से हुआ हो, उस स्थिति में भी डॉक्टर संभोग से परहेज करने को कह सकती हैं।

अगर आप कार्य के प्रति ज्यादा तनाव में रहती हों या बच्चे को पाल सकने में आनेवाले खर्चे क़े बारे में चिंतित हों या गर्भवती हो जाने के कारण क्रोध आता हो तो हो सकता है, आपको सेक्स करने की इच्छा न आए या अगर करे, तब भी आनंद न आए।

कुछ महिलाओं की गर्भावस्था के दौरान कामेच्छा बढ़ जाती है, जबकि कुछ महिलाओं की कामेच्छा मंद पड़ जाती है। किसी महिला की इच्छा का ध्यान रखना चाहिए। सेक्स के दौरान भी कुछ बातों का ध्यान रखना आवश्यक होगा, जैसे–पेट का बढ़ता आकार या स्तनों की बढ़ती हुई संवेदनशीलता। जो भी स्थिति आरामदेह हो, उसके बारे में अलग-अलग स्थितियों को आजमा सकती हैं।

अक्सर मर्द यह सोचते हैं कि संभोग के दौरान किसी

प्रकार बच्चे को नुकसान न पहुँचे। आप संभोग के दौरान बच्चे को चोट नहीं पहुँचा सकेंगे। बच्चा उसके चारों ओर के पानी और पानी की थैली से सुरक्षित रहता है। आकस्मिक झटकों और धक्कों से यह पानी बच्चे की रक्षा करता है। गर्भाशय श्रोणीय हड्डियों से बने ढाँचे में रहता है, जो उसे सुरक्षा प्रदान करता है। गर्भ के मुख पर, जिसे 'गर्भाशय-ग्रीवा' कहते हैं, झिल्ली का एक ढक्कन होता है, जो गर्भ को बंद कर देता है और किसी भी प्रकार के संक्रमण को गर्भ तक पहुँचने से रोकता है।

अगर कोई महिला अपनी गर्भावस्था के बारे में जरूरत से ज्यादा चिंतित रहती है और उसकी इस चिंता को उसके पति भी बढ़ाते हैं तो वे एक-दूसरे को ज्यादा तनाव ही देंगे। उन्हें सेक्स से इस हद तक भी डर लग सकता है कि प्यार से एक-दूसरे को छुएँ भी नहीं। तनाव की इस स्थायी स्थिति से बातें सुलझेंगी नहीं। गर्भावस्था के दौरान किसी भी प्रकार के तनाव से बचना चाहिए। दोनों को सहज होने की आवश्यकता है। तनाव को थपकी देकर और सहलाकर दूर कर देना ही अच्छा रहेगा। एक-दूसरे पर बारी-बारी से इसे आजमाएँ।

खून निकलना (रक्तस्राव)

अगर आपके गर्भावस्था वाले हार्मोन का स्तर अपेक्षित ऊँचाई तक नहीं पहुँचा है कि आपके मासिक को रोक दे तो गर्भावस्था के आरंभिक समय में रक्तस्राव हो सकता है। आमतौर पर जब आपका मासिक हुआ करता था, महीने के उसी समय पर यह रक्तस्राव काफी कम मात्रा में एक महीना या कुछ महीनों तक हो सकता है। यह कम होता है, गहरे रंग का होता है, लगभग एक घंटा तक एक या दो दिनों तक होता है और इसमें कोई दर्द नहीं होता। मासिक के समय के दौरान इसके होने का अभिप्राय साफ नहीं है। जिन महिलाओं को ऐसा रक्तस्राव होता है, उनकी भी गर्भावस्था पूरी तरह से सामान्य रहता है और उनका बच्चा भी पूरी तरह से स्वस्थ रहता है।

हालाँकि गर्भावस्था के दौरान होनेवाले किसी भी प्रकार के रक्तस्राव से गर्भपात का डर तो रहता ही है, इसलिए इस बारे में डॉक्टर की सलाह अवश्य लेनी चाहिए। जब गर्भपात की आशंका होती है, उस समय रक्त का रंग आमतौर पर चमकीला लाल या गुलाबी है, जिसका अर्थ है कि स्राव गर्भाशय के अंदर से हो रहा

है। जब रक्तस्राव रुक जाता है तो योनिस्राव का रंग बदलकर गहरा लाल या भूरा हो जाता है। साधारणतया भूरे स्राव के बंद होने के बाद तीन दिनों तक पूर्ण आराम की सलाह दी जाती है।

गर्भपात की आशंका सामान्यतः पहले तीन महीनों के मासिक वाले समय के दौरान ही रहती है, यानी पहले तीन महीनों या चौथे, आठवें या बारहवें हफ्ते की गर्भावस्था के दौरान। जब चौदहवें हफ्ते अंडाशय के द्वारा हार्मोन के उत्पादन का कार्य खेड़ी के द्वारा होने लगता है, तब भी यह हो सकता है।

गर्भपात की आशंका होने पर डॉक्टर तत्क्षण पूर्ण आराम की सलाह देंगी। इस स्थिति में महिला को केवल शौच जाने के लिए बिस्तर छोड़ने की इजाजत मिलेगी। उसे बस आराम से बिस्तर में लेटे रहना चाहिए, उसे सैनिटरी पैड का इस्तेमाल करना चाहिए और उसे बराबर बदलते रहना चाहिए। इस्तेमाल किए गए पैड को बाद में डॉक्टर की जाँच के लिए सम्हालकर रख देना चाहिए। गर्भपात का खतरा गर्भावस्था की गड़बड़ी का सूचक है, इसलिए जब मासिक का समय नजदीक आने लगे तो आराम करने के लिए पर्याप्त समय निकालना चाहिए। जब तक डॉक्टर न कहें, तब तक संभोग से परहेज ही करना बेहतर होगा। (देखें पृ. 56)

जैसा कि लोग समझते हैं, योनि में शिश्न का जाना कोई खतरे की बात नहीं। जब महिला चरम आनंद के क्षण में पहुँचती है, उस समय गर्भाशय उद्वेलित हो जाता है और उसके बाद और भी संकुचन हो सकते हैं। अगर आपको गर्भपात होनेवाला है या प्रसव-प्रक्रिया शुरू होनेवाली है तो इन संकुचनों से प्रसव चल सकता है।

संभोग

अगर आपके प्रसव का समय निकट आ गया है तो प्रसव-प्रक्रिया शुरू करने के लिए कृत्रिम हार्मोन मिला हुआ ग्लूकोज लेने से संभोग करना ज्यादा सुखदायी अनुभव होगा। और वीर्य में प्रोस्टाग्लैंडिन हार्मोन होता है, जिससे गर्भाशय में संकुचन आता है या इसका मुख गर्भाशय-ग्रीवा मुलायम हो जाती है। संभोग के दौरान शिश्न जितना अंदर जाएगा, उतना ही वह गर्भाशय-ग्रीवा के नजदीक पहुँचकर उसे वीर्य से नहा देगा। संभोग के दौरान अगर आप अपने नितंबों के नीचे तकिया रख लें तो ज्यादा अच्छा रहेगा। जब आपका साथी अंदर स्खलित हो जाए तो उसे उसी स्थिति में थोड़ी देर रहना

चाहिए, ताकि वीर्य में उपस्थित प्रोस्टाग्लैंडिन नामक हार्मोन गर्भाशय-ग्रीवा तक पहुँच जाए। आपको भी 15-20 मिनट बाद ही साफ-सफाई करनी चाहिए। अपने नितंबों के नीचे तकिया रखकर उसी स्थिति में लेटी रहें।

संभोग या हस्तमैथुन से अगर आप चरम आनंद तक पहुँचती हैं तो इससे 5 से 15 तक संकुचन होता है और ये प्रसव की शुरुआत कराने के लिए पर्याप्त हो सकते हैं। अगर आप अभी प्रसव में नहीं जाना चाहतीं तो चरम आनंद का एक स्थिर और सामान्य गर्भावस्था पर क्या प्रभाव पड़ता है, इसका पता नहीं चल पाया है। हालाँकि ऐसा बताया गया है कि जब कोई महिला चरम आनंद या चरमोत्कर्ष तक पहुँचती है और उसके गर्भाशय में संकुचन आता है, तो अवरुद्ध रक्त-नलिकाओं से भ्रूण को अतिरिक्त रक्त मिल सकता है।

गर्भाशय के आमतौर पर होनेवाले संकुचन काफी सामान्य हैं। यौवनारंभ से लेकर रजोनिवृत्ति तक ये संकुचन बिना महसूस हुए किसी महिला के पूरे प्रजननकाल के दौरान हर मिनट होते हैं। अगर कोई महिला अपनी गर्भावस्था के अंत समय में पहुँच चुकी है या उसकी गर्भाशय-ग्रीवा तैयार है या उसका समय से पहले प्रसव का कोई इतिहास, तो इन स्थितियों के अलावा संभोग के दौरान होनेवाला संकुचन समयपूर्व प्रसव का कारण नहीं बनेगा।

स्तनों का उत्तेजन

अगर आपका शरीर और बच्चा जन्म की तैयारी कर चुका है तो स्तनों के उत्तेजन से भी आपका प्रसव शुरू हो सकता है। इसलिए इसके बारे में घबराने की कोई बात नहीं कि इससे समय से पहले प्रसव हो जाएगा। छाती के उत्तेजन से गर्भाशय में संकुचन पैदा होता है, क्योंकि इससे पिट्यूटरी ग्रंथि के द्वारा एक असरदार हार्मोन इंडोक्राइन पैदा होता है, जिसे 'ऑक्सीटोसिन' कहते हैं। प्रसव-प्रक्रिया शुरू कराने के लिए डॉक्टरों द्वारा इसी हार्मोन का कृत्रिम रूप दिया जाता है। अगर आपका समयपूर्व प्रसव होने की संभावना है तो स्तनों के उत्तेजन से बचें।

प्रसव-प्रक्रिया के दौरान स्तनों के उत्तेजन से यह प्रक्रिया तेज हो जाती है। यह गर्भावस्था में गर्भाशय-ग्रीवा या गर्भ-मुख

के विलोपन में मदद करता है, जहाँ यह जन्म की तैयारी के लिए पतला हो जाता है और मुलायम हो जाता है या पक जाता है। अगर किसी महिला का प्रसव का संभावित समय बीत चुका है और उसकी प्रसव-प्रक्रिया नसों के अंदर ग्लूकोज डालकर शुरू की गई है और अगर उसकी गर्भाशय-ग्रीवा पतली हो गई है या मुलायम हो गई तो उसका सामान्य प्रसव होने की पूरी संभावना है। इसलिए स्तनों के उत्तेजन से उत्प्रेरित प्रसव के ऑपरेशन के बजाय सामान्य रूप से होने की ज्यादा संभावना है। दूसरी तरफ यह प्रसव को साथ-साथ भी शुरू करा सकता है। (देखें पृ. 137)

जन्म के बाद

बच्चे के जन्म के बाद आपका एक हफ्ता या कई हफ्तों का एक लंबा मासिक होगा। उसके बाद अगर आप बच्चे को स्तनपान करा रही हैं तो कई महीनों तक हो सकता है कि मासिक नहीं हो। अगर आपका मासिक नहीं हो रहा है, तब भी आपको गर्भ ठहर सकता है और आप गर्भवती हो सकती हैं। इसलिए जब आप पुनः संभोग शुरू करती हैं तो सलाह यही है कि किसी गर्भनिरोधक का प्रयोग करें। योनि की भरपाई या इसके स्वस्थ होने में लगभग 40 दिन या 6 हफ्ते का समय लगता है, इसलिए इसके बाद संभोग शुरू कर सकती हैं। पहले कुछ बार आप वैसलीन वगैरह का प्रयोग कर सकती हैं। गर्भनिरोधक के चुनाव के बारे में अपनी डॉक्टर से मशविरा अवश्य करें। अगर समय से पहले संभोग करती हैं तो कंडोम का प्रयोग कर सकती हैं। (देखें पृ. 176)

8

प्रसवकाल

तीन लक्षण हैं, जो प्रसव की शुरुआत की उद्‌घोषणा कर सकते हैं। ये लक्षण अपने आप भी उभर सकते हैं या साथ-साथ भी सामने आ सकते हैं। ये लक्षण प्रसव की अनुमानित तिथि के 15 दिन पहले या बाद में भी दिखाई पड़ सकते हैं।

श्लेष्मा-स्राव

आप देखेंगी कि अब गाढ़ा झिल्ली या कफ जैसा स्राव होने लगा है, जो सफेद, गुलाबी या भूरे रंग का हो सकता है। कभी-कभी इस स्राव में लाल रक्त की कुछ मात्रा भी मिली हुई हो सकती है।

यह स्राव गर्भ-मुख या गर्भाशय-ग्रीवा के ऊपर सील के रूप में प्रयोग हुए झिल्ली से होता है। यह झिल्ली किसी भी प्रकार के संक्रमण को गर्भाशय तक पहुँचने से रोकता है।

प्रसव शुरू होने के लगभग एक हफ्ते पहले गर्भाशय-ग्रीवा पतली होकर सपाट होने लगती है। इसके कारण इसके मुख पर पड़ी झिल्ली निकल जाती है और फिर यह गाढ़े स्राव के रूप में निकलने लगती है। यह स्राव इस बात की सूचना देता है कि अब आपका शरीर बच्चे को जन्म देने की तैयारी कर रहा है। इसमें खतरे और घबराने जैसी कोई बात नहीं।

डॉक्टर आपको बताएँगे कि अब आपकी गर्भाशय-ग्रीवा पक गई है या तैयार हो चुकी है।

संकुचन

मासिक के समय होनेवाली असुविधा जैसी ही कुछ अनुभूति आपको गर्भाशय के मांसपेशीय संकुचन से भी होगा, जिसे अक्सर दर्द समझ लिया जाता है। शुरुआत में ये संकुचन काफी धीमे होते हैं। इससे आपके मासिक की शुरुआत में होनेवाली हल्की असुविधा जैसा ही कुछ महसूस हो सकता है। कुछ महिलाएँ इस असुविधा को पेट की गड़बड़ी भी मान लेती हैं, क्योंकि प्रसव-प्रक्रिया के शुरू होने के दौरान दस्त लग जाना कोई

असामान्य बात नहीं। कुछ स्थितियों में महिलाएँ यह भी समझ लेती हैं कि यह कमर के पास टाइट कपड़े पहनने के कारण हो रहा है। हालाँकि अगर आप ज्यादा आरामदेह कपड़े पहन लें या हल्का खाना खाएँ, तब भी यह असुविधा बरकरार रहती है। समय-समय पर यह आती-जाती रहती है।

जब आपको ऐसा महसूस होने लगे तो समय को नोट करना शुरू करें कि कब-कब यह तकलीफ हो रही है। अगर यह संकुचन हर आधे घंटे में हो रहा है तो यह प्रसव की शुरुआत है। यह ज्यादा जल्दी-जल्दी या कहें, हर 15 मिनट में भी शुरू हो सकता है। अतः जब यह निश्चित समय के अंतराल पर हो रहा है तो जान लीजिए कि प्रसव-प्रक्रिया की शुरुआत हो चुकी है।

कभी-कभी प्रसव-प्रक्रिया शुरू होने से पहले मिथ्या या बिना किसी वजह के भी संकुचन होता है। ये जन्म की तैयारी के लिए गर्भाशय में होनेवाले संकुचन हैं। मिथ्या संकुचन, सचमुच वाले संकुचन जैसा ही महसूस होता है, लेकिन वे अनियमित अंतराल पर होते हैं।

अतः मिथ्या संकुचनों के बीच अनियमित समय होता है, जबकि सचमुच वाले संकुचनों के बीच निश्चित लयपूर्ण समय होता है।

यह भी संभव है कि निश्चित समय के अंतराल पर होनेवाले संकुचन भी एक-आध दिन के लिए रुककर फिर बाद में शुरू हो जाएँ। अगर संकुचन रुक जाते हैं तो इसमें खतरे वाली कोई बात नहीं। कभी-कभी धीरे से शुरू होनेवाली प्रसव-प्रक्रिया होती है, जो शुरू होती है और रुक जाती है, जब तक कि यह पूरी तरह से व्यवस्थित हो जाती है। अतः आप तब तक सुरक्षित रूप से घर पर रह सकती हैं, जब तक कि हर 10 मिनट के अंतराल पर संकुचन न होने लगें। जब वे 10 मिनट के अंतराल पर व्यवस्थित हो जाते हैं तो उनके रुकने की संभावना कम होती है।

अगर 5 मिनट के अंतराल पर संकुचन होने लगें तो ज्यादा अफरा-तफरी न मचाएँ।

जब आप अस्पताल या नर्सिंग होम के अपरिचित वातावरण में दाखिल होंगी, तो हो सकता है कि संकुचन कुछ देर के लिए रुक जाए। अगर ऐसा होता है तो थोड़ी-बहुत चहलकदमी करके वहाँ के वातावरण के साथ परिचय करें। वहाँ के टॉयलेट, नर्सिंग का स्थान, अपने रहने का कमरा इत्यादि देख लें। बरामदे में टहलें। एक बार वातावरण से आप परिचित हो जाएँगी तो आपका संकुचन पुनः शुरू हो जाएगा। गर्भावस्था के दौरान भी आप पहले जाकर अस्पताल या नर्सिंग होम से परिचय कर सकती हैं।

10 मिनट के अंतराल वाले संकुचनों के बाद, हर 5 मिनट पर संकुचन होना शुरू होगा और जन्म देने से थोड़ा पहले हर 2 मिनट पर संकुचन शुरू हो जाएगा। जन्म देने के दौरान पुनः 5 मिनट के अंतराल पर संकुचन होने लगेगा।

तरल-स्राव या तरल का टपकना

बच्चा एम्नियोटिक थैली के अंदर रहता है। कभी-कभार एम्नियोटिक थैली फट जाती है और सारा एम्नियोटिक जल निकल जाता है, जैसे कि मानो आपके पेट के अंदर कोई नल पूरी तीव्रता से खोल दिया गया हो। प्रसव शुरू होने से पहले भी एम्नियोटिक थैली फट सकती है। 9वें महीने में यह किसी भी समय हो सकता है, लेकिन यह आमतौर पर रात में होता है। इसलिए अपने बिस्तर के बीच आप रबड़ की कोई चादर बिछा सकती हैं। इसे दवाइयों की दुकान या कपड़े की दुकान से खरीदा जा सकता है। (इसे मोमजामा कहते हैं।)

जब ऐसा होता है तो एम्नियोटिक तरल इसके रास्ते में श्लेष्मा के ढक्कन को भी बहा ले जाती है। इस ढक्कन और एम्नियोटिक तरल से

जब चिकित्सीय देखभाल की तुरंत जरूरत है

रंगीन स्राव

एम्नियोटिक थैली से निकलनेवाला स्राव आमतौर पर साफ होता है, लेकिन अगर यह स्राव गंदला, हरा या बदबूदार है तो अपने डॉक्टर से तुरंत संपर्क करें। बच्चा आमतौर पर जन्म के बाद पाखाना करता है, लेकिन अगर यह गर्भ में ही पाखाना कर देता है तो इसी के कारण एम्नियोटिक तरल में यह रंग आ जाता है।

अतः अगर आपका एम्नियोटिक तरल म्यूकोनियम से गंदे हो जाते हैं तो आपको चिकित्सीय देख-रेख में रहने की आवश्यकता है। अगर म्यूकोनियम से गंदे होने के साथ-साथ बच्चे की हृदयगति (सामान्य गति 120-160 धड़कन प्रति मिनट होता है) पर भी प्रतिकूल प्रभाव पड़ रहा है तो हो सकता है, बच्चे का जन्म ऑपरेशन के द्वारा हो। अगर बच्चे के हृदय पर प्रभाव नहीं पड़ रहा है तो प्रसव सामान्य ढंग से चलकर प्राकृतिक रूप से बच्चे का जन्म हो सकता है।

चमकीले लाल रंग का रक्तस्राव होना

अगर आपको चमकीला लाल, ताजा रक्तस्राव, जैसा कि उँगली के कटने पर होता है या जैसा मासिक के ज्यादा स्राव वाले दिनों में होता था, वैसा ही रक्तस्राव हो रहा है तो आपको तुरंत डॉक्टर से संपर्क करना चाहिए।

अगर प्लेसेन्टा पर्विया हो, यह वह स्थिति है, जिसमें खेड़ी बच्चे के सिर और गर्भाशय-मुख के बीच आ जाता है और बच्चे के निकास को अवरुद्ध कर देता है, तो उस स्थिति में ताजा, चमकीला रक्तस्राव होता है।

या फिर अगर खेड़ी, जो बच्चे तक पोषण पहुँचाती है, वह गर्भाशय की दीवारों से अलग हो जाती है, तब चमकीला रक्तस्राव हो सकता है। अगर खेड़ी का एक छोटा हिस्सा अलग होता है, तो हो सकता है, इससे कोई नुकसान न हो, लेकिन फिर भी यह निश्चित करने के लिए कि बच्चे की हृदयगति पर तो कोई प्रतिकूल प्रभाव नहीं पड़ रहा है, आपको चिकित्सीय देख-रेख में रहना पड़ेगा। प्रसव के दौरान बच्चे की सामान्य हृदयगति 120 से 160 के बीच रहती है। 120 से नीचे और 160 से ऊपर, दोनों स्थितियों में इसे भ्रूणीय विपदा समझा जाता है। संभोग या डॉक्टर के द्वारा योनि की जाँच के एक-आध दिनों के बाद भी कभी-कभार खून की एक-दो बूँदें निकल आती हैं। इसमें खतरे की कोई बात नहीं।

होनेवाली सुरक्षा अब नहीं रही। इसके कारण अब किसी भी अंदरूनी जाँच के दौरान महिला संक्रमण के प्रति संवेदनशील रहेगी। अतः जब जल की थैली फूट जाती है तो डॉक्टर 24 घंटे के अंदर बच्चे का जन्म करा देना चाहती हैं।

सामान्य प्रथा यही है कि जिस महिला की जल की थैली फट जाती है, उसे एक कृत्रिम हार्मोन सिंटोसिनोन डालकर ग्लूकोज दिया जाता है, ताकि कृत्रिम रूप से उसका संकुचन शुरू करवाया जा सके।

हालाँकि अगर ग्लूकोज देने से पहले 4-5 घंटे इंतजार कर लें तो हो सकता है कि अपने आप संकुचन शुरू हो जाए और फिर ग्लूकोज देने की जरूरत भी न पड़े। यह ज्यादा सुखदायी होगा, क्योंकि साथ-साथ होनेवाला संकुचन, कृत्रिम रूप से कराए गए संकुचनों से हल्का होता है।

अतः अगर जल की थैली फट जाए तो हॉस्पीटल तो चली जाएँ, लेकिन डॉक्टर से अनुरोध करें कि ग्लूकोज अगर 4-5 घंटे रुककर दिया जाए तो ठीक रहेगा। यह एक सामान्य अनुरोध है। यह जानते हुए कि बच्चे का जन्म 24 घंटे के अंदर हो जाना चाहिए, 4-5 घंटे इंतजार कर लेने से भी आपके पास जन्म के लिए काफी समय, 19-20 घंटे रहेंगे।

कभी-कभी ऐसा भी हो सकता है कि एम्नियोटिक थैली फटे नहीं, लेकिन बूँद-बूँद स्रावित होता रहे। यह टपकाव साफ होगा और आप इसे रोक नहीं पाएँगी। सैनिटरी पैड पहनकर घर पर आराम करें। कुछ देर में हो सकता है कि एम्नियोटिक थैली अपने आप ही सील हो जाए और टपकना बंद हो जाएगा। कुछ समय बाद यह दुबारा शुरू भी हो सकता है और संकुचनों के शुरू होने के बाद भी हो सकता है।

अगर संकुचन 10 मिनट के अंतराल पर होने लगे हैं या टपकाव, नियंत्रण से बाहर हो गया है और सैनिटरी पैड उसे रोक नहीं पा रहा है, तो अस्पताल चली जाएँ। संक्रमण से बचने के लिए पैड बदलते रहना चाहिए।

प्रसवकाल में अपनाई जानेवाली मुद्राएँ

एक बार अगर प्रसव-प्रक्रिया शुरू हो चुकी हो तो लेटे रहने की बजाय सही स्थिति में रहें तो सबसे अच्छा रहेगा। सही स्थिति का अर्थ है, टहलना, झुकना, खड़े रहना और अन्य दूसरी मुद्राएँ, जिनके बारे में हम जल्दी ही चर्चा करेंगे। प्रसव-प्रक्रिया के दौरान सीधे रहने से निम्नलिखित फायदे हैं :

- गुरुत्वाकर्षण बल बच्चे के आगमन में सहायता करता है (गुरुत्वाकर्षण बल लगातार चीजों को अपनी ओर खींचता रहता है)।
  माता अगर लंबी रहने के बजाय सीधी मुद्रा में है तो बच्चा जन्म-नली में जल्द आ सकता है।

- जब माता पीठ के बल लेटी रहती है तो रक्तवाहिका एक तरफ तो गर्भाशय के भार से और दूसरी तरफ रीढ़ की हड्डी के बीच दब-सी जाती है। यह हृदय तक जानेवाले और वापस आनेवाले रक्तप्रवाह को बाधित करती है और माता एवं बच्चे दोनों को तकलीफ में डालती है।

- सीधी रहने से रक्तवाहिका पर से दबाव हट जाता है और इस प्रकार माता और बच्चे तक रक्तप्रवाह ज्यादा सुचारु रहता है और इसलिए जन्म के दौरान दोनों सचेत और जागरूक रहते हैं।

- जब माता लेटी रहती है तो योनि का झुकाव ऊपर की तरफ होता है, अतः बच्चे के लिए यह पहाड़ पर चढ़ने जैसा होगा। जब माता सीधी रहेगी, जैसे खड़ी रहेगी तो यह बच्चे के ढलान पर उतरने जैसी स्थिति होगी।

- जन्म के दौरान बच्चे का सिर पहले श्रोणीय गड्ढे के ऊपरी किनारे को पार करता है, फिर उसके निचले निकास को। श्रोणि के नीचे, निकास के ढाँचे का हिस्सा टेल-बोन का होता है। टेल-बोन एक लचीला हड्डी होता है। अगर प्रसव के दौरान आप बैठती या लेटती नहीं हैं तो यह सरक जाता है। जब बच्चा श्रोणि के निकास से बाहर आता है तो बच्चे के निकलने के लिए यह स्थान 30 प्रतिशत तक फैल जाता है।

सावधानियाँ

सिर्फ एक ही स्थिति होती है, जिसमें आपके लिए खड़ी रहने की बजाय, लेटना अच्छा है।

लगभग 36 हफ्तों के बाद बच्चे का सिर श्रोणीय गड्ढे के किनारे में व्यवस्थित हो जाता है। कुछ स्थितियों में सिर नीचा होकर श्रोणीय गड्ढे में व्यवस्थित नहीं हो पाता, बल्कि श्रोणीय निकास के ऊपर तैरता रहता है। इसे 'फ्लोटिंग हेड' कहते हैं। अक्सर फ्लोटिंग हेड प्रसव के शुरू होने के बाद श्रोणीय गड्ढे में व्यवस्थित हो जाता है।

गर्भावस्था के आखिरी महीने में जब आप डॉक्टर के पास जाएँ, तो उनसे पूछें कि क्या बच्चे का सिर श्रोणीय गड्ढे में व्यवस्थित हो गया है? अगर फ्लोटिंग हेड की स्थिति है और जल की थैली फट गई है तो संभव है कि सारा जल निकल जाए और नाभि-नाड़ी भी जल के साथ बहकर श्रोणीय गड्ढे के किनारे और बच्चे के सिर के बीच आ जाए। इस स्थिति में अगर आप खड़ी रहती हैं तो हो सकता है कि यह नाभि-नाड़ी के बच्चे के सिर और श्रोणि के बीच टकराते रहने का कारण बन जाए। यह एक बहुत ही अनिच्छित स्थिति है, जिसे चिकित्सीय भाषा में 'कॉर्ड प्रोलेप्स' कहते हैं। इसी नाड़ी के द्वारा बच्चे तक ऑक्सीजन और पोषण पहुँचता है।

जब बच्चे के सिर के तैरने और जल की थैली के फटने की घटना साथ-साथ हो, तो आपको लेटे ही रहना चाहिए या छाती से घुटने को सटाकर या दोनों हाथों और पैरों के ऊपर भार डालकर रहनेवाली स्थिति अपनानी चाहिए।

• 1977 में बर्मिंघम मेटरनिटि हॉस्पीटल में प्रसवकाल के दौरान टहलते रहनेवाली और लेटी रहनेवाली महिलाओं के समूह का अध्ययन किया गया। जो महिलाएँ प्रसवकाल में टहलती थीं, उनका—

(i) प्रसवकाल छोटा था,

(ii) दर्द-निवारक दवाई की आवश्यकता कम पड़ी,

(iii) हृदय की गंभीर गड़बड़ियाँ निश्चित रूप से काफी कम थीं, और

(iv) उन्हें दर्द भी कम हुआ।

आगे के अध्ययनों से पता चला कि

(i) संकुचनों की तीव्रता और ताकत उन महिलाओं में ज्यादा होती है, जो प्रसव के दौरान इधर-उधर घूमती-टहलती हैं, और (ii) संकुचनों की त्वरितता और नियमितता ज्यादा अच्छी होती है।

प्रसव के दौरान सही स्थिति

टहलना

प्रसवकाल के दौरान टहलते रहना सबसे अच्छी स्थिति है। आप अपने कमरे में आराम से टहल सकती हैं। टहलते समय तेजी से चलने से परहेज करें, इससे आप थक जाएँगी। बस इधर-उधर घूमती रहें और जब संकुचन महसूस हो, तब :

- टहलना रोक दें। जहाँ हैं वहीं दोनों पैरों को अच्छी तरह फैलाकर, ताकि आपके शरीर का वजन दोनों पैरों पर बराबर पड़े, खड़ी हो जाएँ। अपनी दोनों हथेलियों को पेट के निचले हिस्से पर रखें। संकुचन होनेवाले समय के दौरान अपनी चूतड़ से गोलाकार गति बनाए रखें। जब संकुचन रुक जाए तो टहलना फिर से शुरू कर सकती हैं।
- संकुचन महसूस होने के समय अगर आप किसी दीवार के पास हैं तो रुक जाएँ और दीवार की तरफ मुँह करके खड़ी हो जाएँ। दीवार से 6 इंच दूर, अपने पैरों को अलग करके खड़ी रहें। कंधे की ऊँचाई पर अपनी हथेलियों को दीवार पर टिका दें। अपने शरीर को सीधा रखते हुए, अपनी कुहनी को थोड़ा झुकाकर शरीर को थोड़ा आगे झुकाएँ, फिर हथेलियों को हल्के जोर से शरीर को वापस धकेलें। संकुचन अनुभव होने के दौरान इसी प्रकार हल्के-हल्के शरीर को आगे-पीछे करती रहें। पेट को आगे धकेलने और पीठ के गड्ढे वाले हिस्से को बढ़ाने से बचें, क्योंकि इससे पीठ का दर्द उभर सकता है।

  अगर यह आगे और पीछे की शरीर की गति आपको आरामदेह नहीं लगती है तो आप इसके बजाय अपने चूतड़ को गोल-गोल घुमा सकती हैं।

करें।

परहेज करें।

- दूसरी तरह से, अगर आप दीवार की तरफ मुख करके खड़ी हैं तो अपने पैरों को दीवार से थोड़ी दूरी पर टिका लें। हाथों को ऊपर उठाकर दीवार पर टिका लें और उसे कोहनी से मोड़कर उसपर अपना सिर टिका लें। संकुचनों में मजबूती लाने में यह स्थिति मदद करती है, खासकर अगर संकुचन धीमें हों तो यह ज्यादा फायदेमंद होगी।

जब संकुचन गुजर जाए तो फिर से टहलना शुरू कर दें।

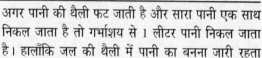

अगर जल की थैली फट जाए तो बाल्टी का प्रयोग

अगर पानी की थैली फट जाती है और सारा पानी एक साथ निकल जाता है तो गर्भाशय से 1 लीटर पानी निकल जाता है। हालाँकि जल की थैली में पानी का बनना जारी रहता है और यह गर्भाशय में जमा हो जाता है, एवं संकुचन के समय पानी बाहर निकल जाता है। अगर आप खड़ी हैं तो इसके कारण आपकी टाँगों पर पानी आ सकता है। अगर आप टहल रही हैं तो गीलेपन से बचने के लिए कचड़े डालने के लिए प्रयोग में आनेवाली बाल्टी जैसी बाल्टी पर बैठ सकती हैं। पानी बाल्टी में चला जाएगा और आप सूखी रहेंगी। आप कुर्सी वाले कमोड का भी प्रयोग कर सकती हैं और अगर बिस्तर पर हैं तो बेड पैन का प्रयोग कर सकती हैं।

खाने की मेज की कुर्सी का प्रयोग

अगर प्रसव-प्रक्रिया रात में शुरू होती है, जब नींद आ रही हो या फिर आप थकी हुई हैं और टहलना नहीं चाह रही हैं, तब इस मुद्रा का प्रयोग कर सकती हैं।

खाने की मेज की कुर्सी का प्रयोग किया जा सकता है, क्योंकि यह पीठ की तरफ संकीर्ण होता है और इसमें बाँहें भी नहीं होतीं। कुर्सी की पीठ की तरफ मुँह करके, दोनों पैर कुर्सी की दोनों तरफ डालकर बैठ जाएँ (जैसे घुड़सवारी के वक्त बैठा जाता है)। कुर्सी की पीठ का प्रयोग सिर टिकाने के लिए करें।

जैसे ही आप सिर कुर्सी पर टिकाने के लिए आगे की ओर झुकती हैं, आपका टेल बोन उठकर श्रोणीय निकास से दूर चला जाता है और बच्चे के लिए जगह बन जाता है।

जब आप टहलकर थक गई हों तो फिर घुटने के बल झुकने को आजमा सकती हैं। आप अस्पताल के बिस्तर पर भी घुटनों के बल झुक सकती हैं।

घुटनों के बल झुकना

पैर के पीछे, अपनी पिंडलियों पर एक मुलायम लेकिन मोटा तकिया रख लें। जब संकुचन नहीं हो रहा हो, तब उस मोटे तकिए पर बैठ जाएँ। जब संकुचन महसूस हो, तब घुटनों के बल उठकर सिरहाने को पकड़ लें एवं आगे की ओर झुककर अपने चूतड़ को गोलाकार घुमाएँ।

जब संकुचन बीत जाए तो पुनः तकिए पर बैठ जाएँ।

प्रसव के दौरान पीठ का दर्द

अगर आप संकुचनों के दौरान अपनी पीठ के निचले हिस्से में सबसे अधिक दर्द का अनुभव करती हैं तो आप प्रसव के बैक लेबर से गुजर रही हैं। बैक लेबर का अर्थ है कि बच्चे का मुँह रीढ़ की हड्डी की तरफ होने की बजाय माता के पेट की तरफ है। बच्चे के सिर का पिछला हिस्सा, माता की रीढ़ की हड्डी पर दबाव डालता है, जिसके परिणामस्वरूप पीठ का दर्द उभर आता है। पीठ के निचले हिस्से पर दबाव डालने से तकलीफ से आराम होगा।

अगर आप दीवार की तरफ पीठ करके

पीठ दीवार की ओर करके खड़ा होना

खड़ी हों और पीठ के जिस हिस्से में दर्द है, उससे दीवार पर हल्का दबाव डालें तो आराम महसूस करेंगी। पीठ के निचले हिस्से पर अधिकतम दबाव डालने के लिए आप घुटनों और पंजों के बल होकर अपने कंधों को आगे की ओर झुका सकती हैं।

पीठ-दर्द और बच्चे की परवर्ती स्थिति होने पर इस मुद्रा को अपनाने से आराम मिलेगा और बच्चे को सामान्य स्थिति में आने में भी मदद मिलेगी। यह प्रसव की तीव्रता को भी कम करता है। झुककर अपने घुटनों को 1 फुट अलग करते हुए अपने हाथों को आगे टिका लें और घुटन एवं पंजों पर स्थित हो जाएँ। चूतड़ को गोलाकार घुमाएँ।

जब ग्लूकोज ड्रिप पर हों

ड्रिप का मतलब है कि ग्लूकोज बोतल से ट्यूब में जाता है, फिर एक सूई के द्वारा—जो आपकी बाँह में घुसाया गया—से सीधा आपकी नसों में जाता है। कभी-कभी बिस्तर से लगे रॉड से ग्लूकोज की बोतल लटकाकर रखी जाती है और कभी-कभी यह पहिएवाली स्टैंड की राड से लगा दिया जाता है। (देखें पृ. 135)

बिस्तर पर बैठना

अगर आपके बिस्तर से ड्रिप लगा दिया गया है, तब तो आपको बिस्तर पर ही रहना पड़ेगा। लेटने की बजाय आप अपने बिस्तर को एडजस्ट करके बैठने वाली स्थिति में ला सकती हैं।

जब संकुचन शुरू हो, अपने पैरों को क्रॉस करके आगे झुकें और जिस हाथ में ड्रिप नहीं लगा है, उसे बिस्तर पर रख दें।

श्वास का अभ्यास करें। संकुचन के खत्म होने पर फिर से बैठ जाएँ और आँखें बंद करके शिथिल होने का प्रयास करें, जब तक कि फिर से संकुचन न शुरू हो।

दूसरी तरह से, आप बिस्तर से उतरकर सामने की कुर्सी पर बैठ सकती हैं या फिर खड़ी रह सकती हैं। संकुचन आने पर आप खड़ी हो सकती हैं और सहारे के लिए दूसरे

हाथ से बिस्तर को पकड़ सकती हैं।

अगर आप इस तरह खड़ी होती हैं तो ऐसी स्थिति में आप चाहें तो अपने चूतड़ को गोलाकार घुमा भी सकती हैं।

आराम प्रदान करनेवाली स्थितियाँ

हथेली से थपकी

प्रसव-प्रक्रिया से गुजर रही किसी महिला को अगर संकुचन का अनुभव हो रहा है तो उसके पेट के निचले हिस्से और पीठ के निचले हिस्से पर हथेली रखने से उस महिला को काफी आराम मिलता है।

संकुचन के दौरान पेट के निचले हिस्से की मांसपेशियों के ठीक पीछे गर्भाशय में काफी तीव्र संकुचन होता है। पीठ के निचले हिस्से में श्रोणीय ढाँचा जन्म के समय फैल जाता है। अतः इन दो स्थानों पर हथेली रखने से माता को सुकून मिलता है। इसे प्रसव की किसी भी मुद्रा के साथ आजमाया जा सकता है।

हाथों को दबाना

प्रसव में महिला को अक्सर किसी वस्तु या व्यक्ति को कसकर पकड़ने की इच्छा होती है। अगर आपको ऐसी इच्छा होती है तो साथी को चाहिए कि वह आपकी हथेलियों पर कड़ी एवं सख्त पकड़ बनाए रखे। आपको अपने साथी को हाथ कसकर नहीं पकड़ना चाहिए, ताकि ऐसा करते समय आपकी शक्ति और ऊर्जा बर्बाद न हो और शरीर में किसी प्रकार का तनाव न आए। ऐसा करने से पहले अँगूठियाँ उतार लें, क्योंकि उनसे दर्द हो सकता है।

आपकी साथी के हाथ का अँगूठा आपके हाथ के पीछे की तरफ होना चाहिए। बची हुई चार उँगलियाँ दूसरी तरफ से आकर हाथों के पीछे पकड़ बना लें। पकड़ मजबूत होनी चाहिए। अगर आप ज्यादा या कम दबाव चाहती हैं तो साथी को इसके बारे में बताएँ।

सहलाना

गर्भाशयी संकुचनों के दौरान पेट की त्वचा और मांसपेशियों

में काफी तनाव आ जाता है। हल्की मालिश या सहलाने से यह तनाव कम होगा।

पेट के निचले हिस्से में, यानी नाभि और रोम प्रदेश के बीच के स्थान में धीरे-धीरे उँगली फिराकर सहलाइए। दोनों हाथों की उँगलियों को नाभि के दोनों तरफ रखिए और फिर आहिस्ता-आहिस्ता, गोलार्द्ध में घुमाते हुए पेट से बाहर की ओर चूतड़ की तरफ ले जाइए। उसके बाद उँगलियों को उसी प्रकार घुमाते हुए रोम प्रदेश की तरफ और अंततः नाभि की तरफ ले जाइए।

अगर आप ड्रिप पर हैं और एक हाथ में सूई लगी हुई है तो दूसरे हाथ की उँगलियों से एक तरफ से दूसरी तरफ तक मालिश कर सकती हैं, यानी एक चूतड़ से दूसरे तक, फिर पेट के निचले हिस्सों में। आपका साथी आपकी यह मालिश कर सकता है।

उँगलियों को हल्की थपकी के साथ चलाना चाहिए और रगड़ने से बचना चाहिए। जितनी हल्की थपकी होगी, उतना ही अच्छा रहेगा। इसे श्वास के अभ्यास के साथ किया जाना चाहिए। जरूरत के अनुसार टेलकम पाउडर इस्तेमाल कर सकती हैं।

पैरों की मालिश

अगर आपको लगता है कि आपकी टाँगें कमजोर हैं या काँपती हैं, टखनों से ऊपर की ओर पैर के किनारे मालिश करने से अच्छा महसूस होगा। उँगलियाँ आसानी से फिसले और पसीने के कारण रुके नहीं, इसके लिए टेलकम पाउडर का इस्तेमाल कर सकती हैं।

अगर आपकी जाँघों में कंपन महसूस होता है तो घुटनों के ऊपर और जाँघों के अंदर और बाहर यह मालिश की जा सकती है। कभी-कभी यह मालिश बच्चे के जन्म के बाद की जा सकती है।

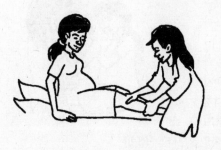

पीठ के दर्द के लिए

प्रसव के दौरान पीठ में हल्का तकलीफ होना सामान्य है। बैक लेबर या बच्चे के परवर्ती स्थिति में होने से

यह दर्द ज्यादा उभर जाता है, क्योंकि इसमें प्रसव की तकलीफ पेट के निचले हिस्से की बजाय पीठ के निचले हिस्से में केंद्रित हो जाती है।

पीठ की मालिश

करवट में लेट जाएँ। एक तकिया सिर के नीचे और दूसरा घुटनों के नीचे रख लें।

आपके साथी को आपकी पीठ की तरफ मुँह करके बैठना चाहिए। एक हाथ से वह आपकी चूतड़ को पकड़ सकता है, ताकि आपको स्वयं ताकत न लगानी पड़े और दूसरे हाथ से चूतड़ के ठीक ऊपर, आपकी पीठ के निचले हिस्से की कड़ी और समतल स्थान को खोजना चाहिए। एक बार पता चल जाने पड़ उस स्थान को हथेली के किनारे से दबाना चाहिए और फिर घड़ी की सूई के चलने की दिशा में और विपरीत दिशा में घुमाना चाहिए।

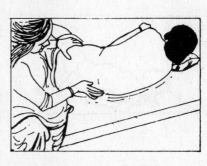

गर्भावस्था के दौरान भी अगर पीठ-दर्द की शिकायत हो तो इस मालिश का प्रयोग किया जा सकता है।

चूँकि इस मालिश से हथेलियों पर काफी दबाव पड़ता है, इसलिए अगर मालिश करनेवाला व्यक्ति कुहनी को जाँघ पर रखकर मालिश करे तो उसे थोड़ी आसानी होगी। फिर भी अगर थकावट महसूस हो तो आपका साथी पीठ-से-पीठ सटाकर बैठ सकता है।

पीठ-से-पीठ सटाना

जिस प्रकार पीठ की मालिश के लिए लेटी थीं, उसी प्रकार करवट में लेटी रहें। अपनी पीठ को सीधा रखते हुए आपकी पीठ के निचले हिस्से से जितना संभव हो उतना सटकर आपका साथी बैठ सकता/सकती है। आपके ऊपर झुकने से उसे बचना चाहिए, क्योंकि हो सकता है कि इससे आप लुढ़क जाएँ।

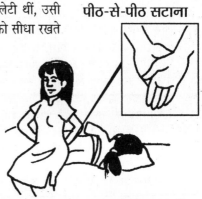

अगर आपका साथी कोई पुरुष है तो हो सकता है कि उसका सिर्फ

सटकर बैठना ही काफी हो । फिर भी अगर आपको लगता है कि दबाव कम पड़ रहा है तो आपके साथी को अपने दोनों हथेलियों को पीछे की तरफ ले जाकर क्रॉस बनाकर आपकी पीठ पर रखना चाहिए, फिर सटकर बैठना चाहिए । इससे दबाव बढ़ेगा और ज्यादा आराम मिलेगा ।

टेनिस बॉल

आपकी पीठ के निचले हिस्से की मालिश के लिए टेनिस की गेंद का काफी प्रभावी रूप से प्रयोग किया जा सकता है । टेनिस बॉल के प्रयोग के लिए आपके पास फोम का गद्दा होना चाहिए । इसे रूई या कॉयर फोम के गद्दे पर नहीं किया जा सकता ।

फोम के गद्दे पर लेटकर अपनी पीठ के निचले हिस्से और गद्दे के बीच एक टेनिस की गेंद रख लें । जब आप टेनिस की गेंद के ऊपर लेटी होंगी तो उससे आपकी पीठ के निचले हिस्से की मालिश हो जाएगी । 15-20 मिनट के लिए इससे आराम मिलेगा ।

खड़ी होकर भी टेनिस की गेंद का प्रयोग किया जा सकता है । दीवार के साथ पीठ करके खड़ी हो जाएँ । पीठ के जिस हिस्से में भी दर्द हो, ऊपर या नीचे, वहाँ गेंद को पीठ और दीवार के बीच रखकर संतुलित कर लें । फिर इधर-उधर सरककर बॉल से मालिश करें ।

संकुचन के दौरान खड़ी होकर साथी से कहें कि वह अपना एक हाथ रोम प्रदेश के ठीक ऊपर, आपके पेट के निचले हिस्से पर रखे और दूसरा हाथ चूतड़ के ऊपर पीठ के निचले हिस्से पर रखे । हाथों से दबाव देने की आवश्यकता नहीं है । हाथों को इन दोनों स्थानों पर काफी सौम्यता के साथ रखना चाहिए ।

संकुचन के बाद, जब दोनों हाथ वहीं हों, तो साँस छोड़ें, फिर पेट को आगे जाने दें । हाथ की तरफ अपने पेट को शिथिल होने दें । अपनी श्रोणीय सतह को शिथिल होने दें, श्रोणीय सतह को उसी प्रकार शिथिल छोड़ दें, जैसा पेशाब करते समय करती हैं । सोचें कि आपकी श्रोणि खुल रही है और इससे गुजरकर अब आपका बच्चा आपकी शिथिल योनि से निकल रहा है । अपने कूल्हों और चूतड़ को शिथिल होने दें । अपनी जाँघ की अंदरूनी और बाहरी हिस्से को शिथिल होने दें ।

9

प्रसव के दौरान श्वास एवं शिथिलता

अनभिज्ञता-डर-तनाव-दर्द वाले लक्षण

गर्भाशय मजबूत मांसपेशियों से बना होता है, जिसकी क्रियाओं के कारण यह खुलता है और बच्चे को पहले तो गर्भाशय-ग्रीवा (मुख) से गुजरने देता है और उसके बाद बच्चा योनिमार्ग से गुजरते हुए डॉक्टर के हाथों तक पहुँचता है। इस प्रकार बच्चे का जन्म गर्भाशय और योनि की मांसपेशियों की सुचारु कार्यप्रणाली पर निर्भर करता है।

हमारे शरीर में दो तरह की मांसपेशियाँ होती हैं—स्वयंसेवी मांसपेशियाँ एवं अस्वयंसेवी मांसपेशियाँ। स्वयंसेवी मांसपेशियाँ वे होती हैं, जिनपर हमारा सीधा नियंत्रण होता है। जैसे हाथों और पैरों की मांसपेशियाँ। अस्वयंसेवी मांसपेशियाँ वे होती हैं, जिनपर हमारा प्रत्यक्ष नियंत्रण नहीं होता, जैसे हृदय और गर्भाशय की मांसपेशियाँ।

प्रसव के दौरान अगर कोई महिला तनावपूर्ण है, तो उसके गर्भाशय की मांसपेशियाँ भी तनावपूर्ण हो जाएँगी और बड़ी कठिनाई से अपना कार्य करेंगी, क्योंकि शरीर का तनाव संक्रमणकारी होता है और यह एक मांसपेशियों से दूसरी तक पहुँचता है। हालाँकि अगर महिला शिथिल या तनावरहित है तो उसके गर्भाशय की मांसपेशियाँ बिना किसी बाधा के अपना कार्य करेंगी और हर संकुचन के साथ वह गर्भाशय-ग्रीवा के पूर्ण फैलाव के नजदीक पहुँचती जाएँगी, जिससे कि महिला का प्रसवकाल छोटा और कम दर्द देने वाला होगा।

इसे अनभिज्ञता-डर-तनाव-दर्द वाले लक्षण कहते हैं। यह इस समझ से अनभिज्ञ रहना है

कि जन्म के समय होनेवाले अनजाने दर्द से शरीर किस प्रकार कार्य करता है। डर से तनाव होता है, जिसके कारण पेट की मांसपेशियाँ कड़ी हो जाती हैं, जिसके परिणामस्वरूप ज्यादा दर्द और लंबा चलनेवाला प्रसवकाल होता है। जबकि अगर आप जन्म के समय शरीर के कार्यकलापों को अच्छी तरह जानती-समझती हैं, तो आप उस अनजाने दर्द को खत्म कर देती हैं। डर नहीं होगा तो तनाव भी नहीं होगा, जिससे मांसपेशियाँ अच्छी तरह कार्य करेंगी, ताकि आपका शरीर उस प्रकार कार्य कर सके, जिसके लिए प्रकृति ने व्यवस्था की है, यानी बिना किसी तनाव की बाधा के।

प्रसवकाल में त्वरित शिथिलता

अपने पेट के निचले हिस्से, श्रोणीय सतह, चूतड़, कूल्हे और अपनी जाँघों को शिथिल करें—ऐसा हर बार करें, जब संकुचन समाप्त हो जाए। फिर सामान्य शिथिलता को अपना लें।

शरीर में कुछ ऐसे बिंदु हैं, जहाँ तनाव इकट्ठा हो जाते हैं। अगर आप इन बिंदुओं पर शिथिलता का अभ्यास करें तो आप शीघ्रता से शिथिलता प्राप्त कर सकती हैं।

- अपनी ललाट को शिथिल करें। चिंता करना छोड़ दें। अपनी भौंहों पर दबाव दें और ललाट पर थपकी दें।
- अपने जबड़े को शिथिल करें। जबड़ा शिथिल रहने से योनि शिथिल रहेगी।
- अपने दाँतों को अलग कर लें और मुँह के बीच में जीभ को रहने दें।
- अपने कंधों को शिथिल कर लें।
- अपनी कुहनियों को शिथिल करें। उन्हें ढीला करके अपने शरीर से दूर ले जाएँ।
- अपने हाथों को शिथिल करें।
- अपने पैरों को शिथिल करें।

अगर इनमें से किसी भी बिंदुओं को शिथिल करने में आपको परेशानी हो रही हो तो अपने साथी से कहें कि वहाँ हल्की मालिश कर दें। जैसे आपका साथी, आपके कंधों, चेहरे, पैरों इत्यादि की मालिश करके शिथिल होने में मदद कर सकता है। इसे प्रतिदिन करें, ताकि प्रसव के दौरान आप आसानी से इसका प्रयोग कर सकें।

हर संकुचन के बाद शिथिल हो जाएँ। संकुचन के दौरान गर्भाशय में रक्त और ऑक्सीजन की आपूर्ति आंशिक रूप से बाधित हो जाती है। संकुचन के बाद की शिथिलता से गर्भाशय को इन जीवनदायिनी द्रव की बड़ी मात्रा में आपूर्ति होती है। जब शरीर शिथिल होता है, तो शरीर काफी कम मात्रा में ऊर्जा का प्रयोग करता है एवं ऑक्सीजन से भरपूर रक्त गर्भाशय एवं बच्चे तक पहुँचता है, ताकि बच्चा स्वस्थ एवं जागरूक रहे। दो संकुचनों के बीच आराम की अवधि भी आपके अधिकतम फायदे में रहेगा और यह तनाव को आपके शरीर में बनने और इकट्ठा होने नहीं देगा, ताकि आप हर समय शिथिल रह सकें।

जब संकुचन शुरू हो, तो अपने चेहरे को शिथिल रखने पर ध्यान केंद्रित करें। अगर आप अपने चेहरे को शिथिल रख पाएँगी तो अपने आप ही आपके शरीर का बाकी भाग भी शिथिल रहेगा। शरीर के किसी भी हिस्से का तनाव चेहरे पर उभर आएगा।

प्रसवकाल में श्वास का अभ्यास

प्रसवकाल में अच्छी तरह नियमित श्वास के अभ्यास से प्रसव का दर्द जाता रहेगा।

बच्चे के जन्म से पहले श्वास का अभ्यास नियमित रूप से करना चाहिए, ताकि प्रसव-प्रक्रिया में जाने के समय आप सहजता से श्वास-अभ्यास शुरू कर सकें।

अनुकूलित अनुभूति

अनुभूतियाँ उत्तेजन का फौरन और अनिच्छुक जवाब होती हैं। दो तरह की अनुभूतियाँ होती हैं। जन्मजात अनुभूतियाँ, जैसे किसी चोट से बचने के लिए आँखें झपका लेना और खाने के निश्चित समय पर भूख लग जाने जैसी अनुकूलित अनुभूतियाँ।

जन्मजात अनुभूतियों के तहत ही, अगर कुत्ते के मुँह में मांस डाल दिया जाए तो वह लार टपकाने लगेगा। हालाँकि अगर कुत्ते को मांस दिए जाने से पूर्व घंटी बजाकर उसे इसकी सूचना दी जाए और इसे कुछ बार दुहराएँ तो कुत्ता मांस न दिए जाने पर भी सिर्फ घंटी की आवाज पर ही लार टपकाने

लगेगा। इस प्रकार एक अनुकूलित अनुभूति सुनिश्चित कर दी गई है, जिसमें खाने का संबंध घंटी की आवाज से बन जाता है और यह लार टपकाना सुनिश्चित करता है।

उसी प्रकार प्रसव के लिए नियमित रूप से श्वास का अभ्यास भी मस्तिष्क के साथ एक रास्ता बना लेता है, जो श्वास के अभ्यास को प्रसव के साथ जोड़ देता है। जब वास्तव में प्रसव-प्रक्रिया शुरू हो जाती है तो मस्तिष्क, श्वास के अभ्यास का जवाब सुनिश्चित करता है।

श्वास-केंद्र

प्रसव के दौरान श्वास के अभ्यास से, मस्तिष्क के एक हिस्से में गतिविधियों का केंद्र बन जाता है, जहाँ से इसके विकास और फैलाव की प्रवृत्ति बन जाती है। जैसे, विद्यार्थी का ध्यान अगर शिक्षक की बातों पर है तो गली में होनेवाले शोर पर उसका ध्यान नहीं जाएगा; क्योंकि शिक्षक की बातों की तरफ दत्तचित्त हो जाने के कारण उसके मस्तिष्क के खास हिस्से में गतिविधियों का केंद्र बन जाएगा और यह केंद्र, एक निरोधक क्षेत्र से घिर जाएगा, जिसमें आसपास के सभी शोर का उत्तेजन बह जाएगा। उसी प्रकार दाँत का दर्द पता नहीं चलता अगर हम किसी महत्त्वपूर्ण कार्य में लगे हों, लेकिन दूसरे समय यह चुभने लगता है।

श्वास के अभ्यास के द्वारा प्रसव की तैयारियों का उद्देश्य यही है कि प्रसव के दौरान श्वास को गतिविधियों का केंद्र बनाकर मस्तिष्क के निरोधन की अपनी अधिकतम क्षमता को पुनःपरिवर्तित कर सकें।

केंद्र या श्वास की गतिविधियों के द्वारा प्राप्त की गई ताकत इस बात पर निर्भर करेगा कि आपके श्वास-अभ्यास का स्वरूप कैसा है। और फिर यह इस बात पर निर्भर करेगा कि इस केंद्र के विकास के लिए आपने कितना अभ्यास किया है। अतः आपके प्रसव की सफलता आपके अपने हाथों में है।

रूस में पावलोव के अनुसंधानों पर आधारित डॉ. लमाजे के बच्चे के जन्म के सायकोप्रोफिलेक्टिक तरीके में भी इसपर बल दिया गया है।

डॉ. लमाजे ने अपनी किताब 'पेनलेस चाइल्डबर्थ' (न्यूयॉर्क, 1972) में कहा है, 'जिस प्रकार कोई महिला तैरना, लिखना या पढ़ना सीखती है, उसी प्रकार वह बच्चे को जन्म कैसे दे, यह भी सीखती है—और ऐसा वह बिना किसी दर्द के करती है।'

श्वास-अभ्यास का स्वरूप

स्वच्छ करनेवाला गहरा श्वास

किसी भी प्रकार का श्वास का अभ्यास शुरू करने से पहले स्वच्छ करनेवाला एक गहरा श्वास लें। यानी आप अपने फेफड़े को पूरी तरह साँसों से भर लें और फिर उसे पूरी तरह खाली कर दें।

नाक के द्वारा गहरी साँस लें और इसे मुँह के द्वारा छोड़ें। ऐसा श्वास के अभ्यास की शुरुआत और अंत में करें।

कमर के स्तर का श्वास

नाक से गहरी साँस लें और धीरे-धीरे मुँह से छोड़ें, जैसे कि आप एक हाथ की दूरी पर रखी मोमबत्ती की लौ को अपनी छोड़ी गई साँसों से बस हिलाना चाहते हों।

इसका कुछ बार अभ्यास करें।

अब अपनी त्वरित गति का श्वास-शिथिलता अभ्यास करें, फिर इसको 30 सेकेंड तक अभ्यास करें। शुरुआत और आखिर में स्वच्छ करनेवाली गहरी साँस लें।

कमर के स्तर के श्वास-अभ्यास की संख्या 30 सेकेंड में 4-6 के बीच होनी चाहिए। अगर आप 6 बार से ज्यादा कर रही हों तो इसका मतलब है कि आप जल्दी-जल्दी साँस ले रही हैं। इसके अनुसार अपने श्वास-अभ्यास को व्यवस्थित कर लें।

छाती के स्तर का श्वास

कॉलरबोन के नीचे अपनी छाती पर अपने हाथों को रखें। इसके साथ आप अपने साथी से कहें कि ब्रा के स्तर पर वह पीठ पर अपना एक हाथ रखें। अब अपने हाथों के स्तर तक एक खाली, धीरे-धीरे सौम्य साँस मुँह से लें एवं छोड़ें।

आपका मुँह न सूखे इसके लिए अपनी जीभ को तालु से टिका लें।

इसे कुछ बार दुहराएँ।

अब त्वरित शिथिलता लाएँ। इस श्वास-अभ्यास को 30 सेकेंड करें। शुरुआत और अंत में स्वच्छ करनेवाले गहरे श्वास लें।

स्वच्छ करनेवाले गहरे श्वास को छोड़कर, छाती के स्तर वाले अभ्यास की संख्या गिनें। यह 30 सेकेंड में 10-12 के बीच होनी चाहिए। अगर आप 12 की संख्या पार कर रही हैं तो श्वास-अभ्यास की गति धीमी करें।

जबड़े के स्तर के श्वास-अभ्यास में सिर्फ 'आउट' शब्द के 'टी' पर जोर देते हुए कहना है। श्वास-अभ्यास की चिंता न करें, जब आप यह शब्द कहेंगी तो वह अपने आप हो जाएगा।

इसे कुछ बार दुहराएँ।

त्वरित शिथिलता लाएँ। यह श्वास-अभ्यास 30 सेकेंड तक करें। शुरुआत और आखिर में स्वच्छ करनेवाला गहरा श्वास लें।

आप 30 सेकेंड में इसे 20 से 25 के बीच करें। इससे स्वच्छ करनेवाली गहरी साँस को न गिनें। अगर संख्या 25 के बाद जा रही हो तो उसे धीमी करें।

अब आप श्वास के अभ्यास के लिए तैयार हैं। चलिए यह मान लें कि संकुचन शुरू हो गया है और धीरे-धीरे यह बढ़कर फिर धीरे-धीरे घट रहा है।

श्वास का अभ्यास

आपका साथी कहता है	आप क्या करें	अवधि
संकुचन आरंभ हो गया है।	स्वच्छ करनेवाली गहरी साँस लें और कमर के स्तर का श्वास-अभ्यास करें।	15 सेकेंड
यह तगड़ा हो रहा है।	छाती के स्तर का श्वास-अभ्यास	15 सेकेंड
और भी तेज	बाहर छोड़ने वाला श्वास-अभ्यास	15 सेकेंड
यह घट रहा है।	छाती के स्तर का श्वास-अभ्यास	15 सेकेंड
और घट रहा है।	कमर के स्तर का श्वास-अभ्यास	15 सेकेंड
जा चुका है।	स्वच्छ करनेवाला गहरा श्वास-अभ्यास एक बार करें।	

मौखिक निर्देशों के साथ इसका कुछ बार अभ्यास करें।

फिर कलाई पर दबाव डालते हुए इसका अभ्यास
करें। कलाई के अंदर की तरफ की नसें संवेदनशील
होती हैं और उनपर दबाव डालकर हम नसों को यह
संदेश देते हैं कि जितना ज्यादा दबाव होगा, श्वास उतना
ही उथला होगा। जैसे, जब आप टहलते हैं तो साँसें
उतनी उथली नहीं होतीं, जितनी दौड़ते समय होती हैं।

प्रसवकाल में कलाइयों पर दबाव नहीं दिया जाएगा। जब
प्रसवकाल शुरू हो जाएगा तो गर्भाशय की नसों के सिरे संकुचन
के विकास के साथ ऐसा ही संदेश मस्तिष्क को भेजेंगे। पहले
कलाइयों पर दबाव डालकर किए गए अभ्यास के कारण मस्तिष्क
उथली साँसों के कारण कष्टकारक पीड़ा के साथ भी अपने आप

आपका साथी कहता है	और...
संकुचन आरंभ हो गया है।	कलाइयों पर मजबूत दबाव डालता है।
यह और भी दमदार हो रहा है।	थोड़ा और दबाव बढ़ाता है।
और भी तेज।	थोड़ा और दबाव।
यह घट रहा है।	दबाव थोड़ा हटा देता है।
और भी घट रहा है।	कलाइयों पर मजबूत दबाव पर लौट आता है।
यह जा चुका है।	पूरी तरह से दबाव हटा देता है।

अनुकूल हो जाएगा।

श्वास के अभ्यास के समय आपके साथी को मौखिक
निर्देशों के अनुरूप ही आपकी कलाइयों को पकड़कर उसपर
दबाव डालना चाहिए।

प्रतिदिन श्वास-अभ्यास का 5 चक्कर लगाएँ। शुरुआत
में त्वरित शिथिलता लाना याद रखें और हर श्वास-अभ्यास के
बाद शिथिलता को दुहराएँ। सुबह उठने पर या रात को सोते
समय इसका अभ्यास कर सकती हैं।

प्रसवकाल में आप जिस किसी भी श्वास-अभ्यास को चाहें,
कर सकती हैं। आप आखिर किस अभ्यास का प्रयोग करेंगी, यह
इसपर निर्भर करेगा कि आमतौर पर गहरी या उथली श्वास लेती हैं,
या फिर इसपर कि आपकी प्रसव-प्रक्रिया कृत्रिम रूप से प्रवृत्त की
गई है या यह प्राकृतिक है, अथवा फिर इसपर कि आप निद्रालु
हैं या जागरूक।

ध्यान-केंद्रित श्वास-अभ्यास

आँखों के स्तर के ऊपर एक बिंदु चुन लें। इसपर ध्यान केंद्रित करें। अब यह कल्पना करें कि उस जगह पर आपके किसी आराध्य की तस्वीर है या फिर किसी सुंदर चीज की तस्वीर है, जैसे हाल ही में अगर आपने कोई मनोरम सूर्यास्त देखा हो या कोई और सुंदर तस्वीर की कल्पना करें।

उस दृश्य पर ध्यान-केंद्रित करें और अपने मुँह को हल्के से खुलने दें। प्राकृतिक रूप से मुँह से श्वास लें।

ध्यान-केंद्रित श्वास-अभ्यास को ध्यान बँटानेवाले श्वास-अभ्यास के रूप में किया जा सकता है।

जब आपकी अंदरूनी जाँच की जा रही हो, तो जैसे मूत्र-त्याग करते समय श्रोणीय सतह को शिथिल करती हैं, वैसा ही करते हुए स्वच्छ करनेवाली एक गहरी साँस लें।

अगर आपका दूसरे मरीजों या अपने रिश्तेदारों के कारण ध्यान बँट रहा हो तो ध्यान-केंद्रित करनेवाला श्वास-अभ्यास करें। यह आपका ध्यान उस वातावरण से हटाने में मदद करेगा और आप डिस्टर्ब नहीं होंगी। आप ध्यान-केंद्रित श्वास-अभ्यास को दूसरे स्तर के अभ्यासों के साथ भी कर सकती हैं, यानी कमर के स्तर के श्वास-अभ्यास, छाती के स्तर के और श्वास छोड़ने के अभ्यास के साथ-साथ अपनी तस्वीर पर भी ध्यान-केंद्रित कर सकती हैं।

जब आपको ऑपरेशन थिएटर में ले जाया जा रहा हो, और आप वहाँ रखे डरानेवाले उपकरणों से अपना ध्यान बँटाना चाहती हों, तो इसमें ध्यान-केंद्रित करनेवाले श्वास-अभ्यास से मदद मिलेगी।

जब आपको सूई दी जा रही हो या ड्रिप आपकी बाँह में लगाया जा रहा हो, तब भी आप ध्यान-केंद्रित श्वास-अभ्यास करें।

जोर नहीं लगाने का श्वास-अभ्यास

दादी माँ की कहानियों में प्रसव-प्रक्रिया के दौरान जोर लगाने की जो बातें हैं, वे गलत हैं। सिर्फ बच्चे के जन्म के समय ही शारीरिक रूप से जोर लगाना चाहिए। जन्म से पहले

गर्भाशय-ग्रीवा के दोनों होंठों को बच्चे के सिर से अलग रहना चाहिए।

बच्चे के जन्म से ठीक पहले हो सकता है कि एक होंठ तो अलग हो गया हो और दूसरा अब भी बच्चे के सिर को ढके हुए हो। अगर आप समय से पहले ही जोर लगाएँगी तो गर्भाशय-ग्रीवा के अनखुले होंठ से बच्चे का सिर टकरा सकता है, और इससे सूजन आ सकती है।

संकुचन के बीच में ही आपको जोर लगाकर बच्चे को बाहर निकाल देने जैसी इच्छा हो सकती है। इस समय महत्त्वपूर्ण है कि आप वहाँ के परिचारकों को इस बारे में सूचित करें, ना कि डॉक्टर के कहने तक बर्दाश्त करती रहें। बर्दाश्त करने से बचने के लिए नीचे सुझाए गए श्वास-अभ्यास करें।

दो उथले छोटे श्वास	फूँक मारें
दो उथले छोटे श्वास	फूँक मारें
दो उथले छोटे श्वास	फूँक मारें

अगर जोर लगाने की इच्छा काफी प्रबल है तो आपको लगातार कई बार फूँक मारने की आवश्यकता पड़ सकती है। यानी

दो उथले छोटे श्वास	फूँक मारें, फूँक मारें, फूँक मारें।

कभी-कभार जिन महिलाओं का प्रवृत्त प्रसव कराया गया है, उन्होंने प्रसव के दौरान इस श्वास-अभ्यास को अपनाया है।

बदलाव

बच्चे के जन्म के पूर्व बदलाव का एक महत्त्वपूर्ण समय होता है। गर्भाशय-ग्रीवा, बच्चे के सिर को निकलने देने के लिए गर्भाशय-ग्रीवा 10 से.मी. तक फैल जाता है। बदलाव की अवधि में गर्भाशय-ग्रीवा लगभग 8 से.मी. तक फैली हो सकती है (पूरा फैलाव 10 से.मी. तक होता है।) यानी गर्भाशय-ग्रीवा का फैलाव जल्द ही पूर्ण होनेवाला है और बच्चे के योनिमार्ग से बाहर निकलने की प्रक्रिया शुरू होनेवाली है। जल्द ही प्रसव के प्रथम चरण से दूसरे चरण में जाने का काम भी शुरू हो जाएगा। बदलाव का समय लगभग 10 मिनट से एक घंटा तक का हो सकता है। यह उस बात का द्योतक है कि आप अब

वहाँ पहुँच चुकी हैं।

यह भी हो सकता है कि बदलाव के इस चरण को आप बिना किसी विशेष अनुभूति के पार कर सकती हैं। यही वह समय है जब आपको अपने साथी के साथ की आवश्यकता महसूस होती है।

बदलाव के समय संकुचनों का अंतराल सबसे नजदीक का होता है। यह हर दो मिनट पर आकर 1 मिनट तक होनेवाले तीव्र संकुचन भी हो सकते हैं। श्वास बाहर छोड़नेवाले और ध्यान करनेवाले अभ्यास इस समय सबसे सही हो सकते हैं। बदलाव की अवधि के बाद फिर से 5 मिनट के अंतराल पर संकुचन होने लगते हैं।

इस चरण की विशेष स्थिति यह है कि इस दौरान समय से पूर्व बच्चे को धकेलने की इच्छा होने लगती है। गर्भाशय-ग्रीवा के पूर्ण रूप से फैलने के पूर्व ऐसा करने से उसमें सूजन आ सकती है और इसके कारण ग्रीवा खुलने में विरोध कर सकती है।

बदलाव के इस समय को मनःस्थिति में नकारात्मक परिवर्तन के रूप में भी चिह्नित कर सकते हैं। अचानक आप गुस्सा या असक्षम या असहाय महसूस कर सकती हैं और दर्द-निवारक गोली की आवश्यकता भी पड़ सकती है। आप अस्पताल की व्यवस्था या अपने साथी के प्रति भी गुस्सा महसूस कर सकती हैं। आप इस बात से भी हतोत्साहित महसूस कर सकती हैं कि घंटों से प्रसव-प्रक्रिया चलने के बाद भी कुछ नहीं हो रहा है। आप अपनी स्थिति पर असहाय भी महसूस कर सकती हैं कि अब इससे सबसे कहीं भाग भी नहीं सकतीं। नकारात्मक मनोभाव और दमदार संकुचनों के कारण आप दर्द-निवारक दवा की भी माँग कर सकती हैं। यही वह समय है, जब आपको दर्द-निवारक दवा दी भी जा सकती है। सबसे अच्छा तो यही होगा कि इस समय कोई भी दवा लेने से परहेज करें, क्योंकि एक तो यह जन्म-प्रक्रिया को धीमी कर देगा और दूसरे इससे आपको जन्म के समय चिमटा या खींचने वाले उपकरणों की आवश्यकता पड़ सकती है।

जब आप अपनी साँस को रोके हुए हैं, तो अपनी ठुड्ढी

को अपनी छाती की तरफ हल्के से झुकाएँ, ताकि प्रसव के दौरान आप चाहें जैसा भी जोर लगाएँ, यह आपके गले पर पड़ना न शुरू होकर श्रोणि की ओर मुड़ जाए। अगर आप ज्यादा देर तक अपनी साँसों को रोककर नहीं रख पा रही हैं तो इसका अर्थ हुआ कि आपके शरीर में ऑक्सीजन की जरूरत अब ज्यादा है। अतः तुरंत साँस लें और पुनः साँस को रोककर रखने का अभ्यास जारी रखें। ऐसा करते समय आप अपने सिर को थोड़ा उठाकर रख सकती हैं, ताकि श्वास लेने के बाद अपनी ठुड्ढी को छाती की ओर पुनः ले जाना शुरू करें।

अगर आपको कब्ज की शिकायत है तो नीचे की ओर जोर न लगाएँ, सिर्फ वास्तविक जन्म के समय ही शारीरिक रूप से जोर लगाने की जरूरत है। अभ्यास के समय, सिर्फ श्वास को रोककर रखने का अभ्यास करें और फिर अपने श्रोणीय सतह को शिथिल छोड़ दें, जैसा आप मूत्रत्याग करते समय करती हैं।

अतः जब आप समझती हैं कि संकुचन शुरू हो गया है और आपसे जोर लगाने को कहा जाता है, तो आप ऐसा करें–

कमर के स्तर का

कमर के स्तर का

कमर के स्तर का। रोककर रखें। (ठुड्ढी को छाती की तरफ झुकाएँ और श्रोणीय सतह को शिथिल करें।)

साँस छोड़ें, साँस लें। (अगर आवश्यकता पड़े)

संकुचन बीत जाने के बाद त्वरित शिथिलता का अभ्यास करें। अगर आपका साथी आपको याद दिलाता रहे कि यह अवश्य ही बदलाव का समय है और यह इस बात का संकेत है कि आप प्रसवकाल के अंत तक पहुँच चुकी हैं, तो इससे मदद मिलती है। कुछ महिलाओं को इस दौरान अगर साथी हाथ का दबाव दे तो सुकून मिलता है, जबकि कुछ महिलाएँ इस दौरान किसी का भी स्पर्श नहीं चाहतीं। इस समय साथी का बिना दखलअंदाजी का सहयोग काफी मददगार होता है। इस दौरान महिलाएँ आत्मनिरीक्षण कर रही होती हैं और जानती हैं कि यह सारा कुछ उसे स्वयं

ही करना है। उसके शरीर में जो कुछ हो रहा है, उसे वह ही महसूस कर सकती हैं। यह छोटा लेकिन गहन अवधि होती है।

जोर लगाना

जब गर्भाशय-ग्रीवा का फैलाव 10 से.मी. या पाँच उँगलियों के बराबर हो जाता है, तब बच्चे को जन्मनली या योनि के द्वारा जोर लगाकर निकालने का काम शुरू हो जाता है। यानी प्रसव का दूसरा चरण आरंभ हो गया है।

अब आपको डिलीवरी रूम यानी प्रसूति-कक्ष की ओर ले जाया जाएगा। प्रसूति-कक्ष में एक विशेष मेज के ऊपर आपको दोनों टाँगों को अलग कर लिटा दिया जाएगा। हो सकता है कि आपके पैरों को रकाब का सहारा दिया जाए। या फिर आपसे कहा जाएगा कि आप अपनी टाँगों को घुटने के पास से मोड़कर टेबल पर पैरों को समतल टिका लें।

जब डॉक्टर आपसे जोर लगाने को कहें तो आप नीचे लिखे श्वास-अभ्यास को करें।

अभ्यास के दौरान आप अपने सिर के नीचे दो तकिए टिकाकर अपनी पीठ को दीवार का सहारा देकर बैठती थीं। अपनी टाँगों को अपने सामने फैलाकर फिर एक कमर के स्तर का श्वास लें। नाक से कमर तक श्वास लेकर अधखुले होंठों से श्वास छोड़ें।

और दूसरा कमर के स्तर का श्वास-अभ्यास।

10

उत्प्रेरित प्रसव

प्रसव की अनुमानित तिथि

प्रसव की अनुमानित तिथि कोई अप्वाइंटमेंट की तारीख जैसी नहीं है। गर्भावस्था की औसत अवधि के आधार पर थोड़े-बहुत जोड़-घटाव के बाद यह तारीख बता दी जाती है। गर्भावस्था इससे आगे बढ़ सकती है और इससे पहले खत्म भी हो सकती है। अध्ययनों से पता चला है कि सिर्फ 4 से 5 प्रतिशत बच्चे ही अनुमानित तिथि को जन्म लेते हैं।

औसतन गर्भावस्था आखिरी मासिक के पहले दिन से जोड़ें तो 280 दिनों की या 40 हफ्तों की या 9 महीने 7 दिनों की होती है। अगर बच्चा 38वें हफ्ते से 42वें हफ्ते के बीच जन्म लेता है तो इसमें बच्चे को किसी प्रकार का नुकसान नहीं है।

किसी महिला के प्रसव की अनुमानित तिथि जानने के लिए गर्भावस्था से पूर्व की अंतिम मासिक से जोड़ा जाता है। मान लीजिए, यह 25 मार्च को शुरू हुआ तो इसमें 7 दिन जोड़ने पर 1 अप्रैल आएगा। फिर इसमें तीन महीना घटा दीजिए तो 1 मार्च, 1 फरवरी और फिर 1 जनवरी आएगा। तो प्रसव की अनुमानित तिथि 1 जनवरी होगी। तय तिथि से 280 दिन जोड़ने की बजाय यह उसका शॉर्ट-कट तरीका है।

हालाँकि 40 हफ्ते या 280 दिन मात्र एक औसत है। बच्चे के विकसित होने का समय 38वें से 42वें हफ्ते के बीच कभी भी हो सकता है।

बच्चे के जन्म की वास्तविक तिथि माता के मासिक-चक्र से प्रभावित होगी। कुछ महिलाओं का 25 या 28 दिनों का मासिक-चक्र होता है तो कुछ का 35 या 40 दिनों का हो सकता है। अंडोत्सर्ग और गर्भधारण साधारणतः अगले मासिक के शुरू होने से 14 दिन पूर्व होता है। 25 दिनों के मासिक-चक्र

वाली महिला अपेक्षाकृत जल्दी गर्भधारण कर जल्दी जन्म देंगी और 35 दिनों के मासिक-चक्र वाली महिला को अपेक्षाकृत देर लगेगी, क्योंकि उनके मासिक-चक्र की अवधि में अंतर है। लंबे मासिक-चक्र का अर्थ है, तय समय के बाद बच्चे का जन्म होना। प्रसव की अनुमानित तिथि को जोड़ने के लिए महिला को अपने मासिक के बारे में विश्वास होना महत्त्वपूर्ण है।

नियमित मासिक-चक्र वाली महिला की प्रसव-तिथि का अनुमान अनियमित मासिक-चक्र वाली महिला से ज्यादा सटीक होगा। जुड़वाँ बच्चों की सूरत में गर्भावस्था 3 हफ्ते कम की हो सकती है। तीन बच्चों और चार बच्चों वाली गर्भावस्था और भी छोटी होगी। जो भी हो, गर्भावस्था को पूरे समय तक रखना बेहतर है। ज्यादा बच्चे होने की हालत में गर्भावस्था के अंतिम कुछ हफ्तों में शारीरिक तनाव से दूर रहना महत्त्वपूर्ण है। यह बच्चों के लिए बेहतर होगा।

जो महिला गर्भनिरोधक गोली का प्रयोग कर रही थी, उसका नियमित मासिक के बिना भी गर्भ ठहर सकता है। गोली का प्रयोग रोक देने के बाद कम-से-कम तीन मासिक तक गर्भधारण के लिए रुकना चाहिए। इस दौरान किसी और गर्भनिरोधक का प्रयोग करना अच्छा रहेगा।

हालाँकि प्रसव कब और क्यों शुरू होता है, इसके ठीक-ठीक कारण ज्ञात नहीं हैं, लेकिन इस बात के प्रमाण हैं कि जब भ्रूण गर्भ से बाहर निकलने के लिए तैयार होता है तो एक हार्मोन स्रावित होता है, जिससे प्रसव की शुरुआत होती है।

जब प्रसव उत्प्रेरित हो

बच्चे के जन्म को नियंत्रित करने के भाव से गर्भाशय को जब कृत्रिम ढंग से प्रसव के संकुचनों के लिए उत्तेजित किया जाता है तो उसे प्रसव के लिए उत्प्रेरित करना कहते हैं।

कभी आपके फायदे के लिए तो कभी डॉक्टर की सहूलियत के लिए प्रसव को उत्प्रेरित किया जाता है। आपका फायदा यानी, किसी खास तिथि को काम पर लौटना, अपना घर सहूलियत से बदलना, किसी शादी-ब्याह आदि में शामिल होना हो सकता है। डॉक्टर की सहूलियत यानी, काफी दिनों के इंतजार के बाद होनेवाली मीटिंग में शामिल होना या पहले से तय किसी जगह की यात्रा पर जाना हो सकता है। या फिर इसे इस कारण से भी

उत्प्रेरित किया जा रहा हो, ताकि सारे चिकित्सीय स्टाफ उस समय ड्यूटी पर हों।

प्रसव को उत्प्रेरित करने की सफलता के लिए बच्चे का अपना समय पूरा करना आवश्यक है, साथ ही इसके सिर का दबाव नीचे गर्भ-मुख पर पड़ रहा हो, और गर्भ-मुख मुलायम, छोटा और हल्का फैला हुआ हो। अगर ये स्थितियाँ मौजूद नहीं हैं तो प्रसव को उत्प्रेरित करने की परिणति शल्यक्रिया के द्वारा हो सकती है।

जब आपकी गर्भावस्था अनुमानित तिथि से आगे बढ़ जाती है तो आप इस बारे में चिंतित हो सकती हैं कि कब बच्चे का जन्म होगा। और लोग फोन कर के पूछते भी रहते हैं कि क्या समाचार है, यह आपकी चिंता को और बढ़ा देती है। हो सकता है कि डॉक्टर ने आपसे कहा भी हो कि अगर आप अनुमानित तिथि से आगे बढ़ जाती हैं तो प्रसव को उत्प्रेरित किया जा सकता है। अनुमानित तिथि से आगे बढ़ जाने के बाद प्रसव को कब उत्प्रेरित किया जाना चाहिए, इस बारे में डॉक्टरों की अलग-अलग राय है। अगर सबकुछ सामान्य है तो कुछ डॉक्टर गर्भावस्था को 43वें हफ्ते में जाने देने से भी नहीं हिचकेंगे। हर गर्भावस्था को अलग तरह से देखना चाहिए। अतिचिंता या टोक्सेमिया की स्थिति में प्रसव को उत्प्रेरित करना पड़ेगा।

प्रसव को प्रवृत्त करने की अलग-अलग विधियाँ

अरंडी का तेल

गर्भावस्था के पूर्ण होने पर, पहले महिलाओं को अरंडी का तेल दिया जाता था और अगर वे सचमुच प्रसव के लिए तैयार होती थीं तो अगले दिन प्रसव शुरू करा दिया जाता था। कभी-कभी इसके साथ हल्के गर्म जल से स्नान और एनीमा का प्रयोग भी किया जाता था।

एक कप मीठे दूध में, 25-50 मि.ली. अरंडी का तेल मिलाकर महिला को प्रसव के लिए उत्प्रेरित करने की तय तिथि से एक दिन पहले की रात में पिला दिया जाता था।

पोंछना और फैलाना	प्रसव के पहले या उसके दौरान जब गर्भाशय-ग्रीवा शिथिल हो जाती है, इस विधि को चलाया जा सकता है। जिस दिन प्रसव के लिए उत्प्रेरित करना है, उसके एक दिन पहले रात में, एक कप मीठे दूध में 25-50 मि.ली. अरंडी का तेल मिलाकर महिला पी लेती हैं। जब योनि की अंदरूनी जाँच की जाती है, उसी दौरान गर्भाशय की दीवारों और उसके मुख के ऊपर से पानी की थैली की झिल्लियाँ उँगलियों से पोंछकर हटा दी जाती हैं। गर्भाशय-ग्रीवा को भी उँगलियों से थोड़ा फैला दिया जाता है। इससे प्रसव में शीघ्रता आती है। इसके बाद इसे उत्प्रेरित किया जा सकता है।
जेल या पेसरी	योनि की जाँच के दौरान गर्भाशय के मुख या गर्भाशय-ग्रीवा पर प्रोस्टोग्लैंडिन हार्मोन युक्त जेल या पेसरी लगाई जा सकती है। जब यह पिघलकर गर्भाशय-ग्रीवा के संपर्क में आता है तो यह उसे जन्म की तैयारी के लिए मुलायम कर देता है।
झिल्लियों का कृत्रिम छेदन	आर्टिफिशियल रेचर ऑफ मेम्ब्रेन्स को अक्सर ARM कहा जाता है। गर्भ के अंदर बच्चे को चारों तरफ से घेरी हुई पानी की थैलियों की झिल्ली को कृत्रिम रूप से फाड़ दिया जाता है। इसे योनि की अंदरूनी जाँच के दौरान किया जाता है।

अगर झिल्लियों को नहीं फाड़ा जाता है तो वे प्रसव के दौरान अपने-आप साथ-ही-साथ फट सकते हैं। खासकर तब, यदि गर्भाशय-ग्रीवा का फैलाव पूर्ण हो चुका हो। कभी-कभी ये झिल्लियाँ जन्म के समय भी फटती हैं।

जब थैली को फाड़ दिया जाता है तो संकुचनों की तीव्रता बढ़ जाती है। ARM प्रसव-प्रक्रिया को तेज करता है और यह संकुचनों को उत्प्रेरित करने का एक तरीका है। ज्यादा लंबे समय तक खिंच चुके प्रसव में यह उपयोगी है। अगर भ्रूण में परेशानी के लक्षण दिख रहे हैं तो उस स्थिति में भी यह उपयोगी है। जल के टूट जाने से डॉक्टर को उसमें म्यूकोनियम स्टेन की जाँच करने का मौका मिलता है। अगर पानी का रंग हरा है या बच्चे के मल के कारण गंदला है तो यह परेशानी का लक्षण है, क्योंकि बच्चे को पहला मल त्याग जन्म के बाद करना चाहिए, गर्भाशय में नहीं।

डॉ. इयन डोनाल्ड ने अपनी किताब 'प्रैक्टिकल आब्सटेट्रिक प्रॉब्लम्स' में लिखा है, 'बहुत ही कम अपवादों के साथ, अक्षुण्ण झिल्लियों का अर्थ है, अक्षुण्ण माँ और अक्षत बच्चा।'

अगर झिल्लियाँ अक्षुण्ण हैं तो नाड़ीभ्रंश की संभावना और भी कम है। जब पानी के साथ अगर नाड़ी बहकर श्रोणि की हड्डियों और बच्चे के सिर के बीच आ जाती है और इससे बच्चा परेशान हो जाता है, तब नाड़ीभ्रंश होता है। झिल्लियों के फटने पर इतना तीव्र संकुचन होता है कि यह नाड़ी पर दबाव बढ़ाकर रक्त और ऑक्सीजन के प्रवाह को कम कर देता है, तब भी नाड़ी पर दबाव पड़ने की संभावना होती है।

जब झिल्लियाँ अक्षुण्ण हैं तो संक्रमण की संभावना काफी कम है। झिल्लियों की अक्षुण्णता का अर्थ यह भी है कि पूरे भ्रूणीय सतह पर जल का बराबर दबाव पड़ रहा है, ताकि बच्चे के लिए जन्म का अनुभव सुखद हो।

जब झिल्लियों के अक्षुण्ण रहते बच्चे का जन्म होता है तो बच्चे के जन्म के बाद और खेड़ी के निष्कासन से पूर्व गर्भाशय के बंद होने की संभावना कम ही है।

इन सभी बातों को ध्यान में रखते हुए नियमित ARM अनिच्छित ही होना चाहिए।

मांसपेशियों में इंजेक्शन

पाइटोसिन का इंजेक्शन बाँह या कूल्हे में दिया जा सकता है। जब संकुचन सुस्त पड़ जाते हैं तो पाइटोसिन प्रसव में तेजी लाता है। एक बार जब प्रसव-प्रक्रिया व्यवस्थित हो जाती है तो एपिडोसिन इंजेक्शन का 3-5 डोज गर्भाशय-ग्रीवा के खुलने या फैलने के लिए दिया जा सकता है।

नसों में ड्रिप

इन दिनों प्रसव के लिए उत्प्रेरित करने की सामान्य विधि है कि कृत्रिम ऑक्सीटोसिन हार्मोन के प्रयोग से प्रसव की शुरुआत करा दी जाए, जो कि प्राकृतिक

प्रसव में माता के पिट्यूटरी ग्लैंड से स्रावित होता है और गर्भाशय में संकुचन लाता है। ऑक्सीटोसिन के कृत्रिम रूप, जिसे सिंटोसिन कहते हैं, को ग्लूकोज के बोतल में डालकर सीधा माता के रक्त-प्रवाह में उसकी बाँह में लगे ड्रिप के माध्यम से भेज दिया जाता है। एक बारीक सूई बाँह की नसों में डालकर ड्रिप लगा दिया जाता है।

डॉक्टर ड्रिप का प्रयोग पसंद करती हैं, क्योंकि ग्लूकोज आपको बिना कुछ खाए-पिए ऊर्जा प्रदान करता है। अतः अगर शल्यक्रिया की आवश्यकता होगी तो आपका पेट खाली होगा और एनीस्थीसिया के प्रयोग के समय यह स्थिति उपयुक्त होगी। अगर आप खाती हैं तो एनीस्थीसिया लेने पर उल्टी होने का खतरा है, जिससे कुछ अंश आपकी नाक में जा सकता है। ग्लूकोज या डेक्सट्रोज के घोल से बिना पेट को तकलीफ दिए ऊर्जा सीधे आपकी नसों के माध्यम से आप तक पहुँच जाती है।

अगर आप लंबे खिंचे प्रसव के कारण थक गई हैं तो ग्लूकोज से मिलने वाली ऊर्जा आपके लिए उपयोगी होगी। अतः प्रसव के दौरान अगर आप थकान का अनुभव कर रही हैं तो डॉक्टर की सहमति से पानी में ग्लूकोज धोकर पी सकती हैं।

जब एक बार ड्रिप लगा दिया जाता है तो बिना आपके जाने-समझे सिंटोसिट के साथ-साथ कोई भी दवा सीधे आपके रक्तप्रवाह में डाली जा सकती है। अगर आपकी बाँह में ड्रिप लगा है तो हर बार बोतल बदले जाते समय जानकारी माँगें कि अब क्या लगाया जा रहा है। सिंटोसिन हार्मोन वाली बोतल पर 'Synto' लिखा मिलेगा।

ड्रिप के नियमित प्रयोग से परहेज करना चाहिए। प्रसव के दौरान यह आपकी गतिविधि को बंद कर देगा और आप बिस्तर तक ही सिमट कर रह जाएँगी। इससे प्रसव और भी तीव्र और तगड़ा हो जाएगा, जो अनावश्यक रूप से आपकी परेशानी ही बढ़ाएगा। कभी-कभी लंबे प्रसव की स्थिति में ड्रिप लगाने की जरूरत होती है।

कुछ स्थितियों में, जैसे—रोक्सेमिया, उच्च रक्तचाप, मधुमेह, लंबी खिंची गर्भावस्था में अगर थैली फट चुकी

है, फिर भी प्रसव शुरू नहीं हुआ है, तो नसों के माध्यम से ग्लूकोज ड्रिप देकर प्रसव शुरू कराया जा सकता है।

अगर आप ड्रिप पर हैं तो ब्लाडर को पूरा भर जाने से बचाने के लिए बराबर पेशाब करना याद रखें। आपके बिस्तर के किनारे लगाने की बजाय उनसे अनुरोध करें कि ग्लूकोज की बोतल और पहिएवाली स्टैंड से लगाएँ। इससे आपको जरूरत पड़ने पर टॉयलेट जाने में भी आसानी रहेगी और सामान्य घूमना-फिरना भी हो सकेगा। अलग बिस्तर के किनारे बोतल को लगा दिया गया है तो फिर लंबे ट्यूब का अनुरोध करें, ताकि बिस्तर में पलट सकें या उठ-बैठ सकें। अगर ट्यूब छोटा है तो समझिए फँस गईं। जिस बाँह में ड्रिप लगी है, उसपर भार न डालें।

उत्प्रेरित करने के घरेलू तरीके

स्तनों का उत्तेजन

अगर आपका साथी आपके निपल को चूसता है या आपमें से कोई निपल और स्तनों की थपकी और मालिश करता है तो इससे आपके शरीर में ऑक्सीटोसिन हार्मोन का स्राव होगा। अगर आपका शरीर इस समय प्रसव के लिए तैयार है तो कुछ समय में इसके कारण प्रसव-प्रक्रिया शुरू हो जाएगी। आपके स्तनों के ऊपर हल्का गर्म कपड़ा रखने से भी वैसा ही प्रभाव पड़ेगा। प्रसव की आपकी अनुमानित तिथि से 15 दिन पहले, एक मग हल्के गर्म पानी में हाथ पोंछने वाला एक-दो तौलिया डाल दें। उनसे पानी निचोड़कर वक्ष पर रखें, ताकि एरोला और निपल ढँक जाएँ। इसे आपको एक सुखद गर्म सनसनाहट महसूस होगी। जब ऐसा महसूस हो तो फिर से तौलिए को पानी में डाल दें और पुनः वही प्रक्रिया दुहराएँ। कुल मिलाकर यह 6 बार करें। दिन में 4 बार दुहराएँ—सुबह, दोपहर, शाम और रात में।

सेन फ्रांसिस्को के लेटरमैन आर्मी मेडिकल सेंटर में 100 महिलाओं के दो दल, जिनमें से हर एक गर्भावस्था के 39वें हफ्ते में थी, उनसे कहा गया कि

वे दिन में तीन बार अपने दोनों निपल को उँगलियों के छोर से पकड़कर एक घंटे तक धीरे-धीरे रगड़ें। 42वें हफ्ते में एक दल की ऐसा न करनेवाली 77 महिलाओं के मुकाबले दूसरे दल की निर्देशों का पालन करनेवाली 89 महिलाओं की प्रसव-प्रक्रिया शुरू हो गई। एक दल की 17 महिलाओं के मुकाबले दूसरे दल की 5 ही महिलाओं की गर्भाशय-ग्रीवा नहीं पक सकी थी।

संभोग

बच्चे का विकास माता के पेट के बड़े होने से नहीं; बल्कि गर्भाशय की ऊँचाई से पता चलता है। गर्भावस्था के चौथे महीने में जाकर ही बाहर से इसका पता चलने लगता है, जब पेट का आकार बढ़ जाता है। प्रसव के कुछ हफ्ते पहले गर्भाशय नीचा हो सकता है; क्योंकि इस दौरान बच्चे का सिर श्रोणि में चला जाता है।

अगर प्रसव की आपकी अनुमानित तिथि काफी समय पहले गुजर चुकी है, और डॉक्टर का कहना है कि प्रसव के लिए उत्प्रेरित करना पड़ेगा तो संभोग के लिए यह अच्छा अवसर है। वीर्य में प्रोस्टोग्लैंडिन हार्मोन की अधिकता होती है और यह गर्भाशय-ग्रीवा को पकाकर संकुचन शुरू कराने के लिए जाना जाता है। इस प्रकार गर्भाशय-ग्रीवा को भी तैयार कर दिया जाता है और अस्पताल में पड़नेवाले ड्रिप की बजाय प्राकृतिक तरीके से प्रसव-प्रक्रिया शुरू हो जाती है।

देर तक चलनेवाली गर्भावस्था

गर्भावस्था प्रसव की अनुमानित तिथि से 14 दिन आगे जा सकती है। हालाँकि ज्यादातर प्रसूति-विशेषज्ञ अनुमानित तिथि से 7 से 10 दिन से ज्यादा गर्भावस्था नहीं चलने देना चाहते हैं। अगर गर्भावस्था अनुमानित तिथि के 14 दिन से आगे चली जाती है तो डॉक्टर को पता है कि—

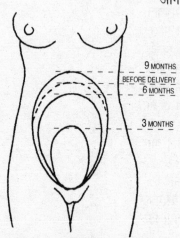

9 MONTHS
BEFORE DELIVERY
6 MONTHS

3 MONTHS

- इस समय के बाद खेड़ी रेशेदार होने लगती है और बच्चे को पोषित करने की इसकी क्षमता घटने लगती है।
- एम्नियोटिक फ्लूइड की मात्रा घटने लगती है, क्योंकि बच्चे का आकार बढ़ने लगता है। अतः इसका परिणाम सूखे प्रसव के रूप में हो सकता है।

- सिर की हड्डियाँ कड़ी होने लगती हैं और परिणामतः जन्म के समय साँचे के अनुसार अपने को नहीं ढाल पातीं।

प्रसव को उत्प्रेरित करने की आवश्यकता है या नहीं, यह बच्चे के भले-बुरे पर निर्भर करता है। इसे नीचे बताए गए तरीकों से जाना जा सकता है।

भ्रूण की हृदयगति

अगर भ्रूण की हृदयगति सामान्य है तो यह इस बात का संकेत है कि बच्चे के साथ सबकुछ ठीक-ठाक है। भ्रूण की औसत हृदयगति 140 धड़कन प्रति मिनट है। इसमें आंशिक अंतर हो सकता है। आपकी डॉक्टर को पता होगा कि गर्भावस्था के दौरान आपके बच्चे की हृदयगति कैसी रही है।

खेड़ी की अपर्याप्तता I.U.G.R.

अगर गर्भाशय का आकार उतना नहीं है, जितना होना चाहिए तो डॉक्टर को संदेह होगा कि अपर्याप्त खेड़ी के कारण बच्चे का विकास नहीं हो रहा है। कम वजन की, कुपोषित महिलाओं में, ड्रग्स लेनेवाली महिलाओं में, उच्च रक्तचाप, गुर्दे की बीमारी या मधुमेह से पीड़ित महिलाओं में ऐसा हो सकता है। जो महिलाएँ प्रीएक्लेम्पिसिया, हृदय, फेफड़े या आँतों की गड़बड़ी की शिकार हैं या संक्रमण की शिकार हैं, उनमें भी ऐसा हो सकता है।

'ऑब्सटेट्रिक्स एंड द न्यूबॉर्न' (1977) नामक किताब में I.U.G.R. के संदर्भ में कहा गया है कि 'दूसरे बच्चे का प्रदर्शन पहले बच्चे की तुलना में ज्यादा अच्छा हो सकता है।'

अगर डॉक्टर को भ्रूणीय विकास के धीमे होने का संदेह है तो आप अपने खुराक को बेहतर करें। अगर अच्छा खा रही हैं तो आराम करें। आराम करने से गर्भाशय और बच्चे तक रक्त का प्रवाह तेज हो जाता है। आराम करने के बाद जब अगली बार जाँच के लिए जाएँगी तो आप पाएँगी कि बच्चे के विकास में अचानक ही तेजी आ गई है। जब आराम करें तो पीठ के बल लेटने की बजाय करवट में लेटें। इससे बच्चे तक रक्त और ऑक्सीजन की आपूर्ति में तेजी आएगी। बाएँ करवट लेटने से बच्चे को अधिकतम ऑक्सीजन की आपूर्ति होती है। धुएँ से भरे वातावरण में न रहें।

अगर इससे भी बच्चे के विकास में सहायता नहीं मिलती तो बच्चे का जन्म शल्यक्रिया के द्वारा या फिर प्रसव को उत्प्रेरित करा के हो सकता है। यह निर्णय डॉक्टर लेंगी कि आपके लिए क्या अच्छा रहेगा।

मधुमेह से पीड़ित माता

हो सकता है कि कुछ महिलाएँ गर्भावस्था के दौरान मधुमेह की शिकार हुई हों तो कुछ पहले से ही मधुमेह से पीड़ित रही हों।

जो मधुमेह गर्भावस्था के दौरान होता है, उसे 'जेस्टेशनल डायबिटीज' कहते हैं। इसके गर्भावस्था के आखिरी तीन महीने में होने की आशंका होती है। गर्भावस्था की शुरुआत में ग्लूकोज के ऊँचे स्तर का अर्थ है कि माता को पता भले ही नहीं हो, लेकिन गर्भवती होने से पूर्व ही वह मधुमेह से ग्रसित थी। अधिकतर महिलाएँ, जिन्हें जेस्टेशनल डायबिटीज हो जाता है, वे **पाती** हैं कि प्रसव के बाद उनके ग्लूकोज का स्तर फिर से सामान्य हो गया है। हालाँकि अगली बार गर्भवती होने पर जेस्टेशनल डायबिटीज भी फिर से लौट सकता है। लेकिन इस संभावना को पोषक आहार लेकर और वजन-वृद्धि पर लगाम रखकर कम किया जा सकता है।

अक्सर बिना मधुमेह के भी गर्भवती महिलाओं के मूत्र में ग्लूकोज का पता चलता है, क्योंकि गर्भावस्था में ग्लूकोज के टूटने का मूत्र में आने का प्रतिरोध-स्तर घट जाता है। ग्लूकोज टालरेंट टेस्ट से पता चल जाएगा कि वास्तव में महिला को डायबिटीज है या नहीं।

जो महिलाएँ गर्भवती होने से पूर्व ही मधुमेह से पीड़ित थीं, उनमें ब्लडशुगर काफी मात्रा में होता है, जिससे बच्चा ग्रहण कर लेता है और काफी बड़ा हो जाता है। डॉक्टर इन महिलाओं को मीठा न खाने की सलाह देंगी।

मधुमेह से पीड़ित माता को पहले ही प्रसव के लिए उत्प्रेरित किया जा सकता है, ताकि बच्चा इतना बड़ा न हो जाए कि सुरक्षित रूप से उसका योनिमार्ग से निकलना असंभव हो जाए। अपने बड़े आकार के बावजूद हो सकता है कि बच्चा परिपक्व नहीं हुआ हो और जन्म के बाद उसकी खास देख-रेख की आवश्यकता होगी।

कभी-कभी जब गर्भाशय-ग्रीवा मुलायम नहीं होती और उसका खुलना संभव नहीं जान पड़ता तो शल्यक्रिया की जा सकती है।

आपको डायबिटीज होगा या नहीं, यह आपके खानदान के डायबिटीज के इतिहास पर निर्भर करेगा। वैसी महिलाएँ, जिन्होंने पहले काफी बड़े बच्चे को जन्म दिया है, 4 किलो या 9 पाउंड के बच्चे को, तो उन्हें भी डायबिटीज हो सकता है। अक्सर बच्चे के जन्म के बाद डायबिटीज गायब हो जाता है। जो भी हो, यह इस बात का संकेत है कि आपमें डायबिटीज के छिपे हुए लक्षण हैं और आपको अपने भोजन और वजन पर खास ध्यान देना चाहिए।

टॉक्सेमिया

अगर किसी महिला का रक्तचाप सारे दिन ज्यादा ही रहता है (सिर्फ क्लीनिक जाते समय नहीं), जब उसके मूत्र में अलब्यूमिन पाया जाता है या जब उसके शरीर में द्रव इकट्ठा हो रहा है, जिससे उसके चेहरे, घुटने, उँगलियाँ सूजी रहती हैं, तो उसे टॉक्सेमिया है। टॉक्सेमिया से पीड़ित महिला के वजन में भी अचानक वृद्धि हो सकती है। गहन टॉक्सेमिया में, जो खेड़ी बच्चे का पोषण करती है और उस तक ऑक्सीजन पहुँचाकर व्याज्य पदार्थों को निकालती है, वह अच्छी तरह कार्य नहीं कर पाएगी और बच्चे के लिए खतरा उत्पन्न हो जाएगा। ऐसी स्थितियों में प्रसव को उत्प्रेरित कर दिया जाएगा, ताकि खेड़ी को अच्छी तरह कार्य करने के दौरान ही बच्चे का जन्म हो सके (देखें पृ. 57)

अत्यधिक रक्तचाप

गर्भावस्था के आखिरी तीन महीने में अगर महिला का रक्तचाप काफी अधिक पाया जाता है, 140/90 या उससे अधिक, तो डॉक्टर उसके इलाज का प्रयास करेंगी, ताकि गर्भावस्था को जारी रखा जा सके। यह ध्यान रखना होगा कि भ्रूण का समुचित विकास हो, ताकि वह जन्म के बाद जीवित रह सके। आराम करने से अक्सर रक्तचाप में कमी आती है। अगर जरूरत हो तो इसे नियंत्रित रखने के लिए नींद की दवा भी दी जा सकती है। अगर ये उपाय अपर्याप्त साबित होते हैं तो प्रसव को उत्प्रेरित कराया जा सकता है।

जब जल की थैली फट जाती है

जब जल की थैली फट जाती है और उसके साथ संकुचन शुरू नहीं होता है, तो बच्चे का 24 घंटे के अंदर जन्म कराने के लिए उत्प्रेरित किया जाता है। 24 घंटे के बाद संक्रमण का खतरा उपस्थित हो जाता है। मजेदार बात है कि हर बार अंदरूनी जाँच के बाद संक्रमण का खतरा बढ़ जाता है।

पानी की थैली फटने के 4-5 घंटे या उससे अधिक समय तक आप ड्रिप के लगने का इंतजार कर सकती हैं। संभव है कि इंतजार करते समय अपने आप ही संकुचन शुरू हो जाए। जो संकुचन साथ शुरू होते हैं, वे ड्रिप से होनेवाले संकुचन से हल्के और कम दर्द देते हैं।

ज्यादा देर तक प्रसव चलना

जब प्रसव-प्रक्रिया बिना किसी प्रगति के कई घंटों, लगभग 12-18 घंटे तक चलती है तो उत्प्रेरित करने से प्रसव की प्रगति में तेजी आएगी।

रिअस-निगेटिव

अगर आप रिअस-निगेटिव हैं और संभावना है कि जन्म के बाद आपके बच्चे को रूधिर आधान की आवश्यकता होगी तो प्रसव को उत्प्रेरित किया जा सकता है, ताकि आपका बच्चा उस समय जनमे जब लैब की सुविधाएँ, शिशु-विशेषज्ञ और दूसरे स्टाफ मौजूद रहें। यह भी तभी संभव होगा, अगर गर्भावस्था के दौरान आपका पॉजिटिव एंडी-बॉडी टेस्ट हो।

यह ऐसा टेस्ट है, जिससे पता चलता है कि आपके तंत्र में एंटी-बॉडी मौजूद हैं। (देखें पृ. 60) हालाँकि यह खतरा आजकल अस्तित्व में नहीं ही है; क्योंकि माता को इससे बचाव के लिए एंटी-डी इम्यूनोग्लोबिन का इंजेक्शन दे दिया जाता है।

11

जन्म

बिना किसी जटिलता के सीधे-सादे जन्म के तीन महत्त्वपूर्ण चरण होते हैं। प्रसव के पहले चरण में गर्भ का मुख बच्चे के सिर को निकलने का रास्ता देने के लिए खुलकर फैल जाता है। प्रसव के दूसरे चरण में बच्चा योनिमार्ग से निकलकर जन्म लेता है। प्रसव के तीसरे चरण में खेड़ी बच्चे को पोषित करने का कार्य कर चुकने के बाद निकल जाती है।

प्रसव का पहला चरण

पहला चरण सबसे लंबा होता है—लगभग 12 घंटे का, थोड़ा कम या थोड़ा ज्यादा। दूसरा चरण 30 मिनट से लेकर डेढ़ घंटे तक का हो सकता है। तीसरा चरण लगभग 10 मिनट का होगा। पहले प्रसव के दौरान, पहला चरण बाद के प्रसवों से अपेक्षाकृत लंबा होता है।

पहले चरण में गर्भ-मुख या गर्भाशय-ग्रीवा पतली होकर बच्चे के सिर के ऊपर फैल जाती है, जबकि गर्भाशय की दीवारें सिकुड़कर बच्चे को गर्भाशय-ग्रीवा की तरफ धकेलती है। संकुचनों या प्रसव-पीड़ा के दौरान यही क्रिया होती है। कभी-कभी संकुचनों को अनुभव होने से पूर्व अहानिकर गाढ़े श्लेष्मा का स्राव देखा जा सकता है। दूसरी तरफ पानी का रिसाव प्रसव की शुरुआत की घोषणा कर सकता है।

जब आप अस्पताल जाएँगी तो आपके पति या रिश्तेदार को कुछ फॉर्म भरने को दिया जाएगा, जबकि आपको एक कमरे में ले जाकर अस्पताल का गाउन पहनने को कहा जाएगा। फिर आपके रोम-प्रदेश को साफ कर दिया जाएगा। इसके बाद आपको एनीमा दिया जाएगा। एनीमा वह प्रक्रिया है, जिसमें मलमार्ग में एक ट्यूब डालकर द्रव से आँतों को अच्छी तरह साफ कर दिया जाता है। इसके प्रयोग से जन्म के दौरान मल निकलने की घटना को रोका जा सकता है। एनीमा दिए जाने के बाद अक्सर संकुचन और तगड़े हो जाते

हैं। याद रखें कि खाली मलाशय और मूत्राशय प्रसव के विकास में सहायक होंगे, अतः प्रसव के दौरान जब भी मलत्याग के लिए जाने की इच्छा हो, चली जाएँ और तरल चीजें लेती रहें। हर एक से डेढ़ घंटे में मूत्रत्याग के लिए जाएँ। भरे हुए ब्लाडर के कारण तकलीफ और दर्द हो सकता है और यह गर्भाशयी संकुचनों को रोक सकता है। बाद में यह ब्लाडर की विरूपता और संक्रमण का कारण बन सकता है। तरल लेने में कोई कोताही न करें। अगर पसीना ज्यादा आ रहा है तो प्यास भी ज्यादा लगेगी।

एनीमा देने के बाद आपके पति या रिश्तेदार को आपके पास रहने की अनुमति मिल सकती है। जब आप जन्म देने के लिए तैयार हो जाएँगी और आपको प्रसव-कक्ष में ले जाया जाएगा, तब तक वे आपके साथ रह सकते हैं। आप यदि प्रसव के लिए किसी बड़े अस्पताल में हैं तो हो सकता है कि पति या रिश्तेदार को भी आपके साथ रहने की अनुमति न मिले।

प्रसव के दौरान अक्सर आपका ब्लड-प्रेशर जाँचा जाएगा। नर्स आपकी धड़कन, तापमान इत्यादि की भी जाँच करेगी एवं बच्चे की धड़कनों को सुनेंगी। अंदरूनी जाँच के द्वारा या पेट को थपथपाकर बच्चे की स्थिति जानी जाएगी। गर्भाशय-ग्रीवा कितने सेंटीमीटर फैल चुकी है, यह जानने के लिए भी अंदरूनी जाँच की जा सकती है। इस बात को नोट किया जाएगा कि झिल्लियाँ फट चुकी हैं या नहीं और क्या किसी तरह का रक्तस्राव हो रहा है। आपसे पूछा जाएगा कि आपने अंतिम बार क्या खाया था और आपने कोई दवा ली है या नहीं?

बिलकुल सौम्य ढंग से शुरू होकर प्रसव काफी तगड़ी अनुभूति दे सकता है। संकुचनों के बीच आपको त्वरित शिथिलता का अभ्यास अवश्य करना चाहिए। अगर दिन के समय प्रसव-प्रक्रिया शुरू होती है तो घर में ही आराम से चहलकदमी करें। अगर प्रसव-प्रक्रिया शाम या रात में शुरू होती है तो घर में ही आराम से चहलकदमी करें। अगर प्रसव-प्रक्रिया शाम या रात में शुरू होती है तो थोड़ी देर सो लेने का प्रयास करें। बहुत अधिक क्रियाशील होकर खुद को थकाएँ नहीं। अपनी ऊर्जा प्रसव के दूसरे भाग के लिए बचाकर रखें; लेकिन इस दौरान ऊर्ध्वाकार रहने का प्रयास करें। जब आप सीधी रहेंगी तो बच्चे के सिर का गर्भाशय-ग्रीवा पर दबाव गर्भाशय के संकुचन को उत्तेजित करता है। अगर आप कुछ देर के लिए लेटती हैं तो ध्यान रखें कि पीठ के बल लेटने की बजाय करवट में

लेटना बेहतर होगा, क्योंकि इससे एक प्रमुख रक्त-नलिका, वेना कावा पर से दबाव कम होगा। इससे आपके रक्त में ऑक्सीजन की मात्रा बढ़ जाएगी, जो आपके और बच्चे के हित में है।

प्रसवकाल वाले अध्याय में, ऊर्ध्वाकार या सीधा रहने के बारे में और कब ऐसे नहीं रहना चाहिए, इन सबके बारे में विस्तृत विवरण दिया गया है।

श्वास के अभ्यास, विभिन्न मुद्राओं और शिथिलता-संबंधी तकनीकों के द्वारा प्रसव को काफी आराम के साथ निभाया जा सकता है। फिर भी, ऐसी कुछ दवाएँ हैं, जो प्रसव के दौरान दर्द से आराम के लिए प्रयोग किए जाते हैं। उनका प्रयोग आपके प्रसूति-विशेषज्ञ के निर्देश पर निर्भर करेगा। प्रसव के दौरान आपको उनकी जरूरत पड़ भी सकती है और नहीं भी।

हालाँकि दवाएँ, पीड़ाहारी और संवेदनाहारी देना अक्सर अनावश्यक होता है और उनके साइड इफेक्ट भी होते हैं, फिर भी कभी-कभी ये दिए जाते हैं। आप स्वयं इनके प्रयोग करने की इच्छा न ही जताएँ तो अच्छा। प्रसव में महिला के साथ परिवार के सदस्य अनावश्यक रूप से चिंता न करें और डॉक्टर से 'कुछ कीजिए' जैसा कुछ न कहें तो बेहतर रहेगा। प्रसव में जितना समय लगना है, वह लगेगा।

कुछ महिलाओं को जन्म देते समय अस्वाभाविकता या तकलीफ हो सकती है। कभी-कभी जटिलताएँ उत्पन्न हो जाती हैं, और इस स्थिति में निर्णय डॉक्टर को ही लेने दें। कुछ स्थितियों में प्रसव के दौरान जटिलताएँ उत्पन्न होती हैं, जबकि कुछ में जटिलता पहले से ही मौजूद रहती है। जैसे अगर महिला का पहला बच्चा शल्यक्रिया से होने पर, पहले अगर मृत शिशु का जन्म हुआ हो, गुर्दे की तकलीफ या मधुमेह की समस्या हो—इन स्थितियों में जटिलताएँ पहले ही मौजूद हैं। इन स्थितियों में, अगर घर के पास कोई अच्छा सरकारी अस्पताल हो तो यह सुविधाजनक रहेगा। किसी बड़े सरकारी अस्पताल में उच्च अनुभवी और प्रशिक्षित स्टाफ, ब्लड-बैंक की सुविधा, जनमे बच्चे की देख-रेख के लिए पेडियाट्रिक यूनिट आदि मौजूद होंगे और खर्चे का दबाव भी नहीं रहेगा।

प्रसव का दूसरा चरण

प्रसव के दूसरे चरण की पहचान हर एक या दो मिनट बाद होकर पूरे एक मिनट तक रहनेवाले तगड़े संकुचनों से होती है।

प्रबंधित जन्म

अगर प्रसव दवा के बगैर चलता है, जब महिला प्रबंधित जन्म की तकनीकें अपना रही है या प्रसव को शिथिलतापूर्वक प्राकृतिक रूप से सँभाल रही है, तब शरीर में एंडारफिन हार्मोन निकलता है। एंडारफिन प्राकृतिक दर्द-निवारक है, जो कड़े अभ्यास और प्रसव के द्वारा शरीर से स्रावित होता है।

प्रबंधित जन्म के कुछ तरीके महिलाओं को जन्म देने के लिए सिर्फ मनोवैज्ञानिक प्रशिक्षण पर ध्यान केंद्रित कराते हैं, जबकि दूसरे तरीके, जैसा कि इस किताब के 'प्रसव के लिए श्वास और शिथिलता के अभ्यास' अध्याय में दिया गया है, महिला को प्रसव के लिए कुछ श्वास के अभ्यासों के द्वारा तैयार करते हैं।

उन महिलाओं के लिए प्रबंधित जन्म बिलकुल ठीक रहेगा, जो प्रसव के दौरान पूरी तरह या जब तक संभव हो दवाओं के प्रयोग से परहेज करना चाहती हैं। प्रसव के दौरान अपनी इच्छा के अनुसार मुद्राएँ बदल लेने से भी प्रसव की तकलीफ कम हो जाती है। श्वास और शिथिलता का अभ्यास भी तकलीफ से आराम दिलाता है।

दर्द-निवारक दवाएँ आसानी से दे दी जाती हैं और महिलाएँ ले भी लेती हैं, क्योंकि हमारे सभ्य समाज में कोई भी व्यक्ति अपनी भावनाओं से नियंत्रण नहीं खोना चाहता। जैसा कि महिलाएँ अक्सर

कहती हैं, 'मैं अपना तमाशा नहीं बनाना चाहती।' प्रसव के दौरान अपनी भावनाओं को प्रदर्शित करना किसी महिला को सामाजिक रूप से स्वीकार्य नहीं है। उससे उम्मीद की जाती है कि वह मरीज की तरह बिस्तर में पड़ी रहेगी और जितना हो सके कम शोर मचाएगी। महिलाओं को अक्सर यह महसूस नहीं होता कि उनके सामने दूसरे उपाय भी हैं।

प्रसव के दौरान किसी भी प्रकार की दवा से परहेज करना उत्तम रहेगा; क्योंकि जो कुछ भी आप सूँघती हैं या मांसपेशियों के द्वारा लेती हैं, प्रसव में ड्रिप के द्वारा लेती हैं, वह खेड़ी के माध्यम से बच्चे तक कुछ ही मिनटों में पहुँच जाता है। आपको यह सब आपके वजन के हिसाब से दिया जाएगा और यह तुरंत बच्चे तक पहुँच जाएगा, जो आपके वजन का एक छोटा अंश ही है। अतः कोई दवा जो आपमें नींद ला सकती है या अचेत कर देती है, बच्चे के साथ भी वह वैसा ही, बल्कि कई गुणा ज्यादा करेगी।

अधिकतर नींद लाने वाली और दर्द-निवारक दवाएँ, जो माता को दी जाती हैं, उसकी श्वास-प्रक्रिया को प्रभावित करती है और रक्तचाप घटा देती है और यही सब बच्चे के साथ भी करती है।

परिणामस्वरूप बच्चा उनींदी हालत में जनमेगा और यह उसकी श्वसन-प्रक्रिया को तकलीफ में डाल सकती है। जन्म के समय ऑक्सीजन की कमी का बच्चे के मस्तिष्क पर बुरा प्रभाव पड़ सकता है। अगर यह प्रभाव आंशिक भी हुआ, तब भी यह बाद के वर्षों में उसके सीखने की योग्यता को प्रभावित कर सकता है।

अगर बच्चा समय से पूर्व जन्म ले रहा है या काफी छोटा है तो बहुत सावधानीपूर्वक दबाएँ दी जानी चाहिए, क्योंकि बच्चे का लीवर अभी विकसित नहीं होगा और उसके लिए दवाओं को तोड़कर शरीर से खत्म करने में कठिनाई होगी। प्रसव के दौरान अगर कोई दवा आवश्यक रूप से दी भी जाती है तो उसका डोज ज्यादा बड़ा नहीं होना चाहिए, ताकि कोई साइड इफेक्ट न हो। साथ ही डोज इतना भी छोटा न हो कि उसका इच्छित असर ही न पड़े, यानी उसे प्रभावहीन भी नहीं होना चाहिए।

प्रसव के दौरान माता को जितनी अधिक दवाइयाँ दी जाएँगी, जन्म के बाद बच्चे का जिंदगी से तालमेल उतना ही लंबा और कठिन हो जाएगा। दवाओं से स्तनपान कराने पर भी नकारात्मक असर पड़ता है, खासकर शुरुआती 5 दिनों में।

अधिकतर स्तनधारी जीव अपने बच्चे को शांत-स्थल अथवा अँधेरे कोने में जन्म देना चाहते हैं, जहाँ उन्हें अपने पर छोड़ दिया जाता है और वे इधर-उधर चहलकदमी करते हुए खुद ही बच्चे को जन्म देते हैं। जिन लोगों ने पालतू जानवर पाल रखे हैं, उन्होंने इस तरह का व्यवहार अपने कुत्ते-बिल्लियों को करते पाया होगा।

मानव अपनी सीखी हुई आदतों के कारण, इस तरह के अपने पुराने व्यवहार को फिर से करना कठिन मानते हैं।

किसी महिला को अपने शरीर के अनुसार चलना और बच्चे को जन्म देने को अपने शरीर का मूलभूत कार्य समझना, सीखना चाहिए। हर संकुचन को, उसके शरीर द्वारा बच्चे को जन्म देने का एक प्रयास मानना चाहिए। अगर सकारात्मक और प्राकृतिक रूप से किया जाए तो कई औरतें बच्चे के फिसलकर निकलने, गर्भ और भीगेपन का अनुभव और फिर बच्चे की चीख सुनने के अह्लाद की बात करती हैं। जबकि दवा और संवेदनाहारी के असर से बच्चे को जन्म देनेवाली महिलाओं को लग सकता है कि उन्होंने ये सारे अनुभव पाने के मौके गवाँ दिए।

दो प्रसूति-विशेषज्ञ, डॉ. डिक रीड और डॉ. लमाजे ने महिलाओं को प्रसव के साथ तालमेल रखना सिखाया। डॉ. रीड ने डर को दूर करने के उद्देश्य से शिथिलता और प्रसव-प्रक्रिया को समझने पर जोर दिया। डॉ. लमाजे ने प्रसव के समय श्वास को अभ्यास करने पर जोर दिया। डॉ. माइकल ओडेन्ट महिलाओं को यह सिखा रहे हैं कि प्रसवकाल में किस प्रकार प्रागैतिहासिक समय के अनुसार चलें। सहायकों के द्वारा महिला को शांत और शालीन सहायता दी जाती है, जबकि प्रसवरत महिला आरामदेह मुद्राओं का प्रयास करती हुई इधर-उधर घूमती है। उसे इस बात के लिए प्रोत्साहित किया जाता है कि प्रसव के बारे में सभ्यता ने जो सिखाया है, उसे भूल जाओ और अपने

शरीर की बात सुनो। कुछ समय बाद ये संकुचन धीमे पड़ जाएँगे। इस चरण की खास बात है कि आपकी तरफ से भी इच्छा होगी कि बर्दाश्त करके बच्चे को बाहर की तरफ धकेलें। कुछ महिलाओं को प्रसव के इस चरण में मितली भी होती है। प्रसव का दूसरा चरण, गर्भाशय-ग्रीवा के पूरा फैलने, लगभग 10 से.मी. से शुरू होकर बच्चे के जन्म के साथ खत्म होती है। इस चरण में आपको डिलीवरी-रूम में ले जाकर पीठ के बल लिटा दिया जाता है। आपको टाँगें घुटने से मोड़कर पैरों को बिस्तर से टिकाना होता है। फिर आपके पैरों को एक जोड़ी रकाबों से सहारा दिया जाएगा, ताकि घुटने से मुड़े होने के कारण पूरा फैलने में टाँगों को दोनों तरफ सहारा मिले।

इसे अक्सर प्रसव का क्रियात्मक चरण कहा जाता है, क्योंकि गर्भाशयी संकुचनों के साथ आपको भी साथ देकर बच्चे को बाहर करने के लिए शरीर का जोर लगाना पड़ता है।

इस चरण में योनि की परतें बच्चे के सिर को रास्ता देने के लिए खुल जाती हैं। बच्चे के सिर का श्रोणि पर दबाव पड़ने से मलाशय भरा हुआ जैसा अनुभव होता है, जिससे कई महिलाएँ मलत्याग करने की इच्छा बताती हैं। अंततः बच्चे का सिर परिनियम या श्रोणि की बाहरी पेशियों के संपर्क में आता है, जो तब तक फैला रहता है, जब तक बच्चे का सिर उससे निकलता है, ठीक उसी प्रकार जैसे पोलोनेक का स्वेटर पहनते समय आपका सिर स्वेटर से डालते वक्त दिखेगा। बच्चे का सिर निकलते समय आमतौर पर चेहरा नीचे की ओर होता है और सिर का पिछला भाग छत की ओर। सिर के बाहर निकलने के बाद कंधा दिखता है और फिर तेजी से पूरा शरीर बाहर निकल जाता है। हो सकता है कि अब आपको बच्चे की चीख सुनाई दे। बच्चे के जोर से न चिल्लाने का यह अर्थ नहीं कि कहीं कुछ गड़बड़ है।

प्रसव का तीसरा चरण

यह चरण बच्चे के जन्म के साथ शुरू होता है और खेड़ी के निष्कासन के साथ समाप्त होता है। बच्चे के जन्म के बाद खेड़ी गर्भाशय की दीवारों से अलग होकर बाहर

निकल जाती है। बच्चे के जन्म के बाद भी नाभि-नाड़ी धड़कती रहती है और खेड़ी के माध्यम से बच्चे तक ऑक्सीजन पहुँचाती है। साथ-ही-साथ बच्चे का अपना श्वसन-तंत्र भी स्थापित हो जाता है। बच्चे की नाभि से कुछ इंच दूर नाड़ी को बाँध दिया जाता है और उससे कुछ इंच दूर दो गाँठों के बीच इसे काट दिया जाता है। नाड़ी की ठूँठ बच्चे के पेट पर छोड़ दी जाएगी। कुछ दिनों के बाद यह ठूँठ बच्चे की नाभि के रूप में इसके पूर्व के अनुभव की अमिट छाप छोड़ते हुए गिर जाएगा।

बच्चा नाक, मुँह और गले में श्लेष्मा का गाढ़ा तरल लिए जनमता है। सिर के बाहर निकलते समय यह थोड़ा-बहुत पुँछ जाता है। जन्म के बाद श्लेष्मा के निकल जाने के लिए बच्चे का सिर नीचे की ओर करके रखा जाता है। अगर श्लेष्मा बच्चे के पहले श्वास में व्यवधान डाल रहा है और संभावना है कि थोड़ी-बहुत वह अंदर खींच लेगा तो इसे चूसक उपकरण के प्रयोग से हटा दिया जाता है। जब बच्चे का श्वसन-तंत्र स्थापित हो जाता है तो बच्चे के फेफड़े में बची थोड़ी-बहुत श्लेष्मा रक्त-प्रवाह में समाहित हो जाती है। जन्म के समय बच्चे के फेफड़े पिचके हुए बैलून की तरह झुके हुए होते हैं और श्लेष्मा से एक-दूसरे से चिपके होते हैं। पहली साँस उसमें हवा भर देती है। फेफड़ों में हवा भर जाने से, उस तरफ रक्त प्रवाहित हो जाता है और बच्चे की रक्त प्रवाहिका द्वारा हवा में से ऑक्सीजन सोख लिया जाता है। जब ऐसा होता है तो बच्चे का खेड़ी से ऑक्सीजन प्राप्त करने की क्रिया समाप्त हो जाती है और अब वह फेफड़े से ऑक्सीजन प्राप्त करता है।

बच्चे का हृदय काम करना शुरू कर देता है। जो धमनी बच्चे के हृदय तक खेड़ी के माध्यम से रक्त पहुँचाती थी, वह खेड़ी अब नाड़ी के काट दिए जाने के बाद कार्य करना बंद कर देती है। अब बच्चे का हृदय स्वतंत्र रूप से धड़कने का कार्य करना शुरू कर देता है।

खेड़ी का निष्कासन दुःखद नहीं होता और दर्द नहीं होता। अंतिम कुछ संकुचनों से खेड़ी गर्भाशय की दीवारों से अलग होकर जन्म देनेवाले रास्ते से बाहर निकल जाती है। कभी-कभी गर्भाशय में संकुचन लाने और इस चरण के कार्यों में तेजी लाने के लिए सिंटोमेट्राइन या सिंटोसिनोन इंजेक्शन

दिया जाता है। कभी-कभी डॉक्टर नाड़ी में गाँठ लगाते समय ही पेट पर मालिश कर खेड़ी को गर्भाशय से अलग होने में सहायता करते हैं। दूसरी तरफ जन्म के 10 से 15 मिनट के बाद गर्भाशय में पुनः संकुचन शुरू हो जाता है। उन संकुचनों को खेड़ी को गर्भाशय की दीवारों से अलग कर बाहर निकालने के लिए समुचित तेज होने में 10-15 मिनट और लगता है।

डॉक्टर यह देखने के लिए खेड़ी की जाँच करते हैं कि यह पूरा बाहर निकली है या नहीं। अगर यह थोड़ा-बहुत अंदर रह जाएगी तो बाद में समस्याएँ खड़ी करेगी। इससे गंभीर रक्तस्राव और थक्के निकलने शुरू हो सकते हैं।

जन्म के समय बच्चा

जन्म के समय बच्चा वैसे ही दिखता है मानो उसे सिर के बाल तक गीला प्लास्टर लगा हो। बच्चे का शरीर चीज जैसे पदार्थ, वर्निक्स आदि से ढका होता है, जो गर्भ में बच्चे को वाटरप्रूफ सुरक्षा प्रदान करता है। बच्चे के शरीर में जहाँ-तहाँ खून भी लगा हो सकता है। शुरू-शुरू में बच्चा नीले रंग का दिख सकता है, लेकिन एक बार जब इसका प्रवाह-तंत्र स्थापित हो जाएगा तो यह गुलाबी रंगत ले लेगा। पहले-पहल बच्चा 1 मिनट में 110 बार साँसें लेता है। यह खाँसता है, बड़बड़ करता है और भारी साँसें भी लेने लगता है।

कभी-कभार होता है कि बच्चे का सिर बिलकुल अनुरूप न हो, क्योंकि यह जन्म के दौरान जहाँ-तहाँ पड़नेवाले दबाव के कारण होता है। बच्चे का लिंग चाहे जो भी हो, उसके वक्ष फूले हुए हो सकते हैं। पुरुष बच्चे का अंडकोश नीला और बड़ा हो सकता है। स्त्री बच्चे की योनि गुलाबी और सूजी हुई हो सकती है। बच्चे का पूरा शरीर महीन रोएँ से भरा हो सकता है। आकृति की विषमता कुछ दिनों में गायब हो जाएगी।

12

मृदुल-जन्म

हाल के वर्षों में लोगों का सारा ध्यान प्रसवरत माता की बजाय प्रसवरत बच्चे की तरफ चला गया है। पहले सबसे ज्यादा ध्यान इस बात पर दिया जाता था कि माता को होनेवाले दर्द से किस प्रकार आराम दिलाया जाए। लेकिन अब विज्ञान ने लोगों को यह समझा दिया है कि बच्चा अपने वातावरण और परिवेश के प्रति बहरा या असंवेदनशील नहीं होता, जैसा कि पहले समझा जाता था। बच्चा प्रकाश, ध्वनि और स्पर्श के प्रति काफी संवेदनशील होता है। जिस प्रकार माता जन्म देने के लिए पीड़ा से गुजरती, सहती है, उसी प्रकार बच्चा भी जन्म लेने के लिए संघर्ष करता है। इस प्रक्रिया से बाहर आने के लिए, जीवन के लिए संघर्ष करता है।

जन्म लेना बच्चे के लिए भी पीड़ादायक होता है, लेकिन इसमें उसे कितनी पीड़ा होती है, यह नहीं कहा जा सकता; क्योंकि किसी को भी अपने जन्म का अनुभव याद नहीं रहता। प्रसव-प्रक्रिया के शुरू होने तक बच्चा गर्भाशय के हल्के गर्म पानी में सुरक्षित रहता है। बच्चे को गर्भ के अंदर साँस नहीं लेनी पड़ती है। इसके शरीर की नाभि-नाड़ी के द्वारा ऑक्सीजन की आपूर्ति होती है। यह कभी भूखा या प्यासा नहीं रहता। नाड़ी के द्वारा बच्चे तक पोषण पहुँचता है। इसके देख-रेख की सारी जिम्मेदारी नाभि-नाड़ी और खेड़ी की होती है और बच्चा अपने इस वातावरण में सुरक्षित और सहज महसूस करता है। अचानक पालन-पोषण करनेवाला गर्भ मुँह मोड़ने लगता है और सिकुड़ने लगता है। हर संकुचन के साथ जगह की और कमी होने लगती है। गर्भ से यह और भी आगे और नीचे जन्म-नली की ओर ठेल दिया जाता है। गर्भ के द्वारा यह धकिया कर निकाले जाने की बात को समझकर बच्चा भी उसी दिशा में आजादी पाने के लिए संघर्षरत हो जाता है। इस न समझ में आनेवाली ताकतों से छुड़ाकर स्वतंत्र कर लेने की आशा में ही बच्चा इस संघर्ष में शामिल हो जाता है।

यह मेरे लिए भी कठिन दौर है

अंततः आजादी मिलती है, यानी जन्म होता है। और बच्चे का सामना किस बात से होता है? जिंदा रहने के लिए उसे

साँस लेना होगा और यह जल्दी करना होगा। जो नाड़ी इस तक ऑक्सीजन पहुँचा रही थी, उसे फौरन काट दिया जाता है। जीवन में पहली बार उसके फेफड़ों में हवा भरता है, और शायद बच्चा हवा को आता महसूस करता है और अंततः यह फेफड़ों में पहुँचकर उसे साथ-ही-साथ फुला देता है। जैसे किसी साइकिल के पहियों में हवा भरी गई हो। उसे अचानक अंधा कर देनेवाले प्रकाश का सामना करना पड़ता है, जिससे यह अपनी आँखें बंद कर लेता है। इसे उल्टा लटका दिया जाता है और शायद थप्पड़ भी पड़ता है, ताकि वह रोने लगे और वहाँ की परिचारिकाओं को पता चले कि सबकुछ ठीक-ठाक है।

और फिर विचित्र और बहरा कर देनेवाले शोर से बच्चे का सामना होता है। इसकी त्वचा, जो हल्के गर्म पानी के सुखद घेरे में रहने की आदी हो गई थी, पहली बार उसे कपड़े का रूखापन महसूस होता है। इसे सख्त और ठंडे टेबल पर लिटाया जाता है। हो सकता है कि उसे नाक या मुँह में होते हुए फेफड़े तक ट्यूब डाल दिया जाए। कभी-कभी हो सकता है कि उसकी आँखों में आई-ड्रॉप डाला जाए, जिससे उसे जलन का अनुभव होगा।

दूसरे शब्दों में, प्रसव के अवसाद के बाद जन्म का अवसाद शुरू होता है। आजकल कई मनोचिकित्सकों को महसूस होता है कि जन्म के दौरान बच्चे को अनुभव होनेवाला अवसाद हमेशा के लिए उसके मनोविज्ञान पर एक अमिट छाप छोड़ जाता है। और कई प्रसूति-विशेषज्ञों को ऐसा लगता है कि जन्म के समय के अवसाद को जन्म के समय गर्मजोशी-भरे स्वागत से काफी कम किया जा सकता है।

डॉ. आर.डी. लेंग	उनके अनुसार, जब बच्चे का जन्म होता है तो नाभि-नाड़ी गीली रहती है और धड़क रही होती है। यह पूरी तरह रक्तिम होता है, जो बच्चे तक खेड़ी के द्वारा पहुँचता है। जैसे ही बच्चे का जन्म होता है, डॉक्टर खेड़ी को पकड़कर काट देते हैं। बच्चे का अपना रक्त-प्रवाह-तंत्र सुनिश्चित होने में लगभग 5 मिनट का समय लगता है। अगर नाड़ी को तुरंत नहीं काटा जाता है तो इस रूपांतरण के दौरान बच्चे को नाड़ी से ऑक्सीजन मिलता रहता है। जब बच्चे का अपना रक्त-संचार-तंत्र कार्य में आ जाता है तो नाड़ी में रक्त-नलिकाएँ सील हो जाती हैं। अतः अगर बच्चे का रक्त-प्रवाह-तंत्र के कार्य में आ जाने के बाद नाड़ी काटी जाती है तो बच्चे का साँस लेने और नई दुनिया के साथ तालमेल आसान और नम्र होगा।
डॉ. फ्रेडरिक लेबॉयर	फ्रांसीसी प्रसूति-विशेषज्ञ डॉ. लेबॉयर का मानना है कि जन्म के समय बच्चे का रोना दरअसल उसके द्वारा महसूस किए गए दर्द

के कारण है। उनका मानना है कि बच्चे का जन्म धीमी रोशनी और फुसफुसाकर किए गए बातचीत वाले वातावरण में होना चाहिए। नवजात बच्चे को उठाकर उसकी माता के पेट पर, पेट के बल लिटा दिया जाना चाहिए। और जब बच्चा इस दुनिया को महसूस कर रहा है तो माता को उसकी पीठ पर हल्का हाथ फिराना चाहिए। अगर बच्चा कुछ समय के लिए साँसें लेने भी लगा है, तब भी नाड़ी को उसके धड़कन रुकने के बाद काटना चाहिए।

अपनी किताब 'बर्थ विदाउट वॉयलेंस' (यू.के., 1975) में लेबॉयर ने लिखा है, 'जोर से चिल्लाने की बजाय, हर बच्चा लगभग एक या दो बार हल्के लेकिन स्वस्थ रूप से चीखा और फिर जोरदार ढंग से साँसें लेने लगा। और इसके बाद जो शांति छाई तो औरतों ने पाया कि उनका बच्चा चिल्ला नहीं रहा है। पहले तो उसे आश्चर्य हुआ, फिर उसने खतरा भाँप कर हममें से एक जो सबसे नजदीक था, उससे पूछा,—

'मेरा बच्चा चिल्ला क्यों नहीं रहा?' और वे काफी दुःखी लग रही थी। उसके सवालों में आश्चर्य, पछतावे और तोहमत ने हमें निरुत्तर कर दिया। हमें महसूस नहीं हुआ था कि हमारे मस्तिष्क में कितनी गहरे तक यह धारणा बसी हुई है कि नवजात बच्चे को अवश्य रोना चाहिए और कितना गहरा है यह अवचेतन में जमा विश्वास कि जन्म और दुःख एक ही है।

'अगर साफ-साफ कहें तो हमें यह स्वीकार कर लेना चाहिए कि एक नवजात बच्चा, जो एक-दो हल्की चीखों के बाद गरारे करता हुआ जीवन शुरू करता है, जो जम्हाई लेकर हाथ-पैर फैलाता है और जो जीवन में ऐसे प्रवेश करता है मानो एक आरामपूर्ण नींद से जागा हो तो हमारे लिए आश्चर्य का विषय होगा।

'जब कोई बच्चा इस दुनिया में आता है तो निस्संदेह उसे चीखना चाहिए, लेकिन उसे रोने की कोई जरूरत नहीं।'

डॉ. लेबॉयर का मानना है कि एक बार नाड़ी को काट दिए जाने के बाद उसे हल्के गर्म पानी से भरे टब में डालना चाहिए। बच्चा उसी प्रकार उस गर्म पानी में हल्का महसूस करेगा जैसा उसने माता के गर्भ में गर्म जल की थैली में खुद को सुरक्षित महसूस किया था।

डॉ. माईकल ओडेन्ट

डॉ. लेबॉयर के अध्ययन से डॉ. ओडेन्ट काफी प्रभावित हुए हैं। हालाँकि जब डॉ. लेबॉयर बच्चे पर ही अपना ध्यान केंद्रित रखते हैं, डॉ. ओडेन्ट प्रसवरत माता की भी सोचते हैं। उनका मानना है कि महिला को इस प्रकार प्रशिक्षित किया जाना चाहिए, ताकि

वह प्रसव को अपने शरीर की एक स्वाभाविक प्रक्रिया के रूप में स्वीकार करे। और जब वह अपने शरीर के द्वारा एक बहुत ही मूल क्रिया को अंजाम देने जा रही है तो उसे पीछे लौटकर सचेतन में अपने शरीर के संपर्क में रहना चाहिए। प्रसव के दौरान उपयुक्त अलग-अलग स्थितियों के बारे में उसे बताया जाना चाहिए। प्रसव में महिला जो करना चाहती है, उसे करना चाहिए। उसे जैसे पसंद हो, उसी प्रकार वह प्रसव करवा सकती है। अगर वह चीखना चाहती है तो चीखे। अगर वह बैठना चाहती है तो बैठे, टहलना चाहती है तो टहले। जिस कमरे में वह प्रसव करेगी, उसमें चमकते स्टेनलेस स्टील का कोई उपकरण खुले में नहीं होगा। इसके पेंट और दृश्य नारंगी और भूरे रंग के हों। कमरे में हल्की रोशनी हो और आरामदेह हो। इसमें नीचा प्लेटफार्म, कुशन और जन्म देनेवाली कुर्सी भी हो। प्रसव में महिला को सीधा रहने को कहा जाता है और जन्म देते समय उकड़ूँ बैठने को, जैसा कि परंपरागत रूप से भारतीय दाई भी कहती हैं।

डॉ. ओडेन्ट का मानना है कि ब्रीच बेबीज या वैसे बच्चे जिनका पैर पहले बाहर निकलता है, उस स्थिति में वह मुद्रा ज्यादा फायदेमंद है। जब जन्म के समय महिला उकड़ूँ बैठनेवाली स्थिति में होती है तो ब्रीच बेबीज का जन्म ज्यादा तेजी से होता है और बच्चे के सिर के बाहर निकलने से पूर्व उसके कफ में साँस ले लेने के खतरे को भी काफी कम किया जा सकता है।

डॉ. ओडेन्ट के पास हल्के गर्म पानी का छोटा पूल भी है, जिसमें प्रसवरत महिला बैठ सकती है। गर्म पानी महिला के तनावपूर्ण मांसपेशियों को शिथिल करता है और संकुचनों को आसान करता है। कभी-कभी जब माता की गर्म जल से बाहर आने की इच्छा नहीं होती तो उसी में बच्चे का जन्म हो जाता है। बच्चा अपनी नाभि-नाड़ी से ऑक्सीजन प्राप्त करता हुआ ही पानी से बाहर आता है। यह गर्भ के गर्म जल से निकलकर पूल के गर्म जल में जन्म लेता है। जब इसे पूल के पानी से बाहर निकाला जाता है, तब यह साँसें लेनी शुरू करता है।

डॉ. ओडेन्ट की अद्वितीयता उनकी इस धारणा में निहित है कि उनका मानना है कि हर महिला में प्राकृतिक रूप से जन्म देने की एक सहज वृत्ति होती है। इस योग्यता को आधुनिक प्रसूति तरीकों में संदेह से देखा जाता है, जो प्रसव को नियंत्रित रखने पर ही अपना ध्यान केंद्रित रखती है। डॉ. ओडेन्ट हर प्रसव को उसी प्रकार देखते हैं, जैसे यह स्वाभाविक रूप से होता है, और उसमें कोई हस्तक्षेप नहीं करते। वे दर्द-निवारक दवाओं, कृत्रिम हार्मोन, एपिड्यूरल—इनमें से किसी का प्रयोग नहीं करते। उनका मानना है कि बिना किसी चिकित्सीय हस्तक्षेप के शरीर जटिल न्यूरोहार्मोन पैदा करती है। इन हार्मोनों के प्राकृतिक संतुलन पर ही सहज प्रसव निर्भर है।

अपनी किताब 'बर्थ रिबॉर्न' (यू.के., 1986) में डॉ. ओडेन्ट लिखते हैं, 'यह बात अब और भी मानी जाने लगी है कि जटिल हार्मोन के संतुलन में एंडोरफिन एक महत्त्वपूर्ण भूमिका का निर्वाह करती है, जो सहज प्रसव को संभव बनाती है। मारफीन जैसी असर के साथ न्यूरोहार्मोन दर्द-निवारक के रूप में भी काम करते हैं, जो न सिर्फ दर्द से छुटकारा दिलाते हैं, बल्कि चिंता को दबाकर एक अच्छा महसूस करने की भावना पैदा करते हैं। एंडोरफिन का ऊँचा स्तर, उदाहरण के लिए, अल्फा ब्रेन वेन्स को प्रवृत्त करता है, जो परमानंद की अवस्था से संबद्ध है। यह लगभग वैसा ही है कि इस अच्छा महसूस करने की नैसर्गिक योग्यता को लोगों ने पहले ही भाँप लिया हो और इसे झंकृत करने के तरीके ढूँढ़ते रहे हों। उदाहरण के लिए, दौड़ने से हमारे एंडोरफिन का स्तर ऊँचा होता है। प्रार्थना, ध्यान, योग और एक्यूपंचर से भी ऐसा हो सकता है।

जन्म के बाद बच्चे को माता के पैरों के बीच एक मुलायम तौलिए पर पेट के बल लिटा दिया जाता है। बच्चे का सिर एक तरफ नीचे की ओर घुमा दिया जाता है, ताकि अगर बच्चे के मुँह में कुछ तरल हो तो गुरुत्वाकर्षण के कारण वह निकल जाए और इसे बच्चे के फेफड़ों में जाने से रोका जा सके। बच्चा तब तक इस स्थिति में लेटा रहता है, जब तक यह चीखकर, गहरी साँस न लेने लगे, छींके, खाँसे और अच्छी शारीरिक स्थिति दिखाए। कमरे को आरामदेह तापमान तक गर्म किया जाता है या बच्चे को एक कंबल ओढ़ा दिया जाता है। जब बच्चा नाड़ी के द्वारा जुड़ा हुआ ही है, तभी माँ अपनी बाँहों में बच्चे को उठा लेती है। जन्म के पहले ही एक-आध घंटे में माँ-बच्चा एक-दूसरे से जान-पहचान कर लेते हैं। इस प्रथम मिलन के बाद, बिना किसी हड़बड़ी के नाड़ी काट दी जाती है।

हालाँकि डॉ. लेबॉयर और डॉ. ओडेन्ट का मृदुल-जन्म में गहरा विश्वास है; लेकिन किसी भी आपात स्थिति से निबटने के लिए उनके पीछे पूरी चिकित्सीय दल तैयार रहता है। अगर माता या बच्चे में किसी प्रकार की तकलीफ आए तो उसका पता लगाने और निबटने के तरीके वे जानते हैं। डॉ. लेबॉयर कहते हैं कि माता और बच्चे को कभी भी ऑक्सीजन की कमी नहीं होनी चाहिए। डॉ. ओडेन्ट शल्यक्रिया तभी करते हैं जब यह जरूरी हो। मजे की बात है कि उनकी शल्यक्रिया और बच्चे की मृत्यु-दर औसत से काफी कम है।

शल्यक्रिया-दर

डॉ. ओडेन्ट	–	6 से 7 प्रतिशत
यू.एस.ए.	–	19 प्रतिशत
यू.के.	–	13 प्रतिशत
फ्रांस	–	15 प्रतिशत

(स्रोत : बर्थ रिबॉर्न, डॉ. एम. ओडेन्ट के द्वारा, पृ. 101)

फ्रांस में जन्म के तुरंत पहले या बाद में मृत्यु-दर पिछले आठ वर्षों में 20 प्रति 1000 से गिरकर 10 प्रति 1000 हो गई है। इसमें डॉ. लेबॉयर का काफी योगदान माना जाता है।

13

बच्चे के जन्म के बाद

बच्चे के जन्म के तुरंत बाद हो सकता है कि आपमें मातृत्व की भावना, प्यार न आया हो या आप सहज न हो पाई हों। बच्चा के रूप-रंग को लेकर हो सकता है कि आप थोड़ा निराश भी हों। यह बिलकुल सामान्य है। जब आप बच्चे को अपना दूध पिलाना शुरू करेंगी और उसकी देख-रेख करने लगेंगी, और जब आप देखेंगी कि किस प्रकार बच्चा आपको प्रत्युत्तर दे रहा है तो आपमें मातृत्व की भावना का संचार होगा और बच्चे के प्रति प्यार जगेगा।

बच्चे के जन्म के बाद अगर डुकोलैक्स या कोई और मोम के टेबलेट का प्रयोग करें तो पहला शौच आसानी से कर पाएँगी। डॉक्टर आपकी नींद के लिए कांपोज, टाँकों के लिए एंटीबायोटिक, दर्द-निवारक गोली या रक्तस्राव के लिए भी गोली लेने की सलाह दे सकती हैं।

बच्चे के जन्म के बाद, और उसके बाद भी, जब शौच के लिए जाएँ तो अपने मलद्वार को योनि की तरफ से ना धोएँ। इससे आपके टाँके संक्रमित हो सकते हैं और वे विषाक्त होकर मूत्रमार्ग के संक्रमण का कारण बन सकते हैं। मल-त्याग के बाद मलद्वार को साबुन से अलग से साफ करें।

सामान्य प्रसव के बाद

बच्चे के योनिमार्ग से सामान्य प्रसव के बाद आप पाएँगी कि शरीर के कुछ हिस्सों में तकलीफ के साथ समझौता करना पड़ रहा है। जैसे, जन्म के कुछ दिनों के बाद आपका स्तन दूध आने के कारण भरा हुआ, सूजा हुआ और संवेदनशील हो जाएगा। जब ऐसा हो तो दबाकर थोड़ा दूध निकाल देने से राहत मिलेगी। दूध पिलाने के दौरान आपको कभी-कभार हल्का संकुचन महसूस हो सकता है, क्योंकि

दूध पिलाते समय हार्मोन निकलते हैं, जो गर्भाशय में संकुचन लाकर इसे गर्भावस्था के पूर्व की स्थिति और आकार में लाने के लिए प्रोत्साहित करते हैं। इस असुविधा से छुटकारे के लिए कमर के स्तर का श्वास-अभ्यास करें।

टाँकों के कारण आपकी श्रोणीय सतह सूजी हुई हो सकती है, अतः शुरुआत के 4-5 दिनों तक बैठने में तकलीफ हो सकती है। जैसी ट्यूब का इस्तेमाल बच्चे के तैरने के लिए करते हैं, अगर वैसी ही एक ट्यूब बैठने के लिए प्रयोग में ला सकें तो आराम मिलेगा। यह बैठते समय श्रोणीय सतह पर सीधा दबाव नहीं पड़ने देगा और जल्द स्वस्थ हो पाएँगी। खासकर जब बच्चे को दूध पिलाने को बैठेंगी तो इसके कारण दबाव कम पड़ेगा। स्नान के वक्त अगर एक मग हल्के गर्म पानी में होम्योपैथ की एक दवा कैलेन्डुला की आठ से दस बूँदें डालकर मूलाधार और योनि के आसपास के पूरे क्षेत्र को धोएँ तो शीघ्र स्वस्थ हो जाएँगी। डॉक्टर लगाने के लिए एक मलहम, एक माइसिन और शायद एक संवेदनाहारी मलहम देंगी।

आपको अपना पेट जेली-जैसा ढीला और अस्थिर मालूम पड़ेगा। पेट की सुडौलता के लिए पहले कुछ हफ्तों में आपको अपने पेट की मांसपेशियों का व्यायाम करना चाहिए (नीचे देखें, जन्म के बाद के व्यायाम)

किसी प्रकार का कसा पेंटीज या कपड़ा या पेट के पास बाँधने वाले कपड़े न पहनें। इससे आपकी मांसपेशियों को कृत्रिम सहारे की आदत पड़ जाएगी। जब भी सहारा हटाएँगी, मांसपेशियाँ लटक जाएँगी।

जन्म के तुरंत बाद मांसपेशियाँ शिथिल करनेवाले हार्मोनों के प्रभाव में ही रहती हैं। जो व्यायाम आप करती हैं, उसे ऐसा होना चाहिए कि वह मांसपेशियों को उनके फैले हुए आकार से प्रारंभिक आकार में ला सके। इसके लिए खास व्यायाम करने की जरूरत है। उकड़ूँ बैठनेवाले व्यायामों से बचें। जब पीठ के बल लेटी हों तो दोनों पैर एक साथ ऊपर ना उठाएँ। इससे पीठ के निचले हिस्से पर काफी जोर पड़ेगा। हवा में साइकिल न चलाएँ।

Changing baby's diaper

घरेलू कामकाज से निबटना

इस समय आपकी मांसपेशियाँ शिथिल और शरीर, खासकर पीठ, में ज्यादा तनाव होता है, इसलिए इस समय घर के कामकाज के लिए अगर किसी की मदद ले सकें तो अच्छा रहेगा, ताकि आप आराम कर सकें और आसानी से काम करें।

जब आप काम कर रही हैं, या कहें कपड़े धो रही हैं या इस्तरी कर रही हैं तो अनावश्यक जोर न डालें। डायपर धोते समय कम ऊँचाई वाले स्टूल पर आराम से बैठकर कपड़े धोएँ। इस्तरी करते समय ध्यान रखें कि वह उचित ऊँचाई पर स्थित है। इस्तरी करते समय, झूले को धकेलते समय या खाना बनाते समय झुकना न पड़े, इसका ख्याल रखें। अपनी कुहनियों को शिथिल रखें और कंधों में तनाव न आने दें। घर के दैनिक कार्य को निबटाते समय ज्यादा खिंचाव से आपके शरीर की कुछ मांसपेशियों में दर्द उभर सकता है। और अगर आपका भाग्य विरुद्ध है तो बाद तक यह दर्द रह जाएगा, इसलिए काम करते समय ज्यादा खींच-तान न करें। कोई भी भारी वस्तु न उठाएँ। मध्यम वजन की कोई वस्तु उठाते समय घुटनों के बल, पीठ को सीधा रखते हुए ऐसा करें। बिस्तर ठीक करते समय या कोई चीज उठाते समय पहले अपने पेट को हाथों से सहारा दें।

आपके पेट के निचले हिस्से में भूरी या बैंगनी रेखाएँ दिखाई दे सकती हैं। धीरे-धीरे इन रेखाओं का रंग उड़कर त्वचा के रंग से मिल जाएगा और इनका उभार भी कम हो जाएगा। इन्हें स्ट्रेच मार्क्स कहते हैं और सालों में इनका रंग उड़ता है।

बच्चे के जन्म के बाद कभी-कभार आपको बवासीर की तकलीफ भी हो सकती है। मलद्वार के आसपास खुजली भी हो सकती है। जब बवासीर बहुत बढ़ जाता है तो उनसे खून भी निकल सकता है। अगर आप मलद्वार के आसपास पानी के झोंके लगाएँ और फिर उसे कपड़े से थपथपाकर सुखाएँ तो खुजली से आराम मिलेगा। मसालेदार भोजन से परहेज करें। कई महिलाओं ने प्रॉक्टोसेडाइल नामक मलहम के अंदरूनी एवं बाहरी हिस्से पर प्रयोग को काफी आराम पहुँचाने वाला पाया है।

जन्म के बाद किए जानेवाले श्रोणीय सतह के जो व्यायाम सुझाए गए हैं, उन्हें अवश्य करें। इससे ये मांसपेशियाँ सही रूप में आ जाएँगी और पेशाब करते समय आप उसे नियंत्रित रख पाएँगी। इन मांसपेशियों के ढीले पड़ जाने से भी उन्हें बचा पाएँगी।

हालाँकि जन्म के समय आपका वजन कुछ कम हो जाएगा, लेकिन आपको पहली वाली आकृति वापस पाने में कुछ समय लगेगा। स्वयं को 8 महीने से लेकर एक साल तक का समय दें। अगर आपका वजन अच्छा-खासा है तो फिर आपको मेहनत करनी पड़ेगी। जन्म के समय आपका वजन खेड़ी, बच्चे और एम्नियोटिक तरल के वजन के बराबर अपने आप ही कम हो जाएगा। जन्म के बाद के कुछ हफ्तों में आपके शरीर का काफी अतिरिक्त तरल निकल जाएगा।

रीफ गाँठ   बच्चे के लिए कपड़े की लंबी पट्टी

दो से ढाई मीटर के एक दुपट्टे में रीफ गाँठ लगाएँ

अब इस पट्टी को कंधे से टिका लें

पीछे से यह ऐसा दिखेगा

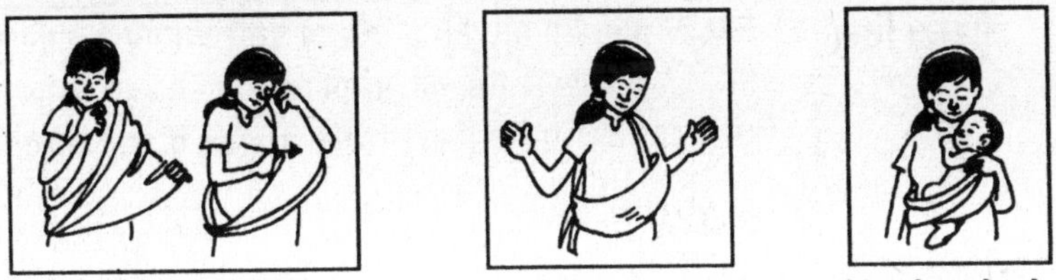

अंदर तह किए हुए कपड़े को बाहर निकालकर बच्चे के लिए पट्टी तैयार करें।

अब इस पट्टी में बच्चे को डाल लें। अब आपके दोनों हाथ कार्य करने के लिए स्वतंत्र हैं।

थोड़े बड़े बच्चे को इसमें बिठाकर रखा जा सकता है।

सामान्य प्रसव के बाद के व्यायाम

जब आप व्यायाम करने के लिए लेटें तो तकिए की मदद न लें।

व्यायाम-1

पीठ के बल लेटकर टाँगों को घुटने से मोड़ लें। पैर बिस्तर पर टिका हो। आहिस्ता-आहिस्ता श्वास लेकर फिर आहिस्ता ही छोड़ें।

पहले और दूसरे दिन

यह अभ्यास प्रत्येक दिन दूसरे व्यायामों के बीच और आखिर में करें।

इसे 5 बार करें।

व्यायाम-2

अपनी टाँगों को थोड़ा अलग करके लेटकर पसार लें। अपने पैर की उँगलियों को मोड़ें और तानें। अपने टखनों को मोड़ें और तानें। अपने पैरों को वृत्ताकार दोनों दिशाओं में बारी-बारी से घुमाएँ। हर दिशा में 5 बार घुमाएँ। इसे 5 बार दुहराएँ।

व्यायाम-3

पीठ के बल लेटकर टाँगों को घुटने से मोड़ लें और पैरों को बिस्तर पर टिका लें। अपने चूतड़ की मांसपेशियों को सख्त करके, पेट को अंदर की ओर खींचें, ताकि आपकी पीठ का बिस्तर पर दबाव पड़े। 6 की गिनती तक इस स्थिति को बरकरार रखें।

इसे 5 बार करें।

साँस छोड़ें एवं दुहराएँ। शुरू करने से पहले हर बार साँस छोड़ें।

तीसरा दिन ऊपर के तीनों व्यायाम को दुहराएँ एवं इसमें व्यायाम-4 शामिल कर लें, जो आपके गर्भ की मांसपेशियों को मजबूत बनाकर उसे सहारा देगा एवं इसे सही स्थिति में रखने में मदद करेगा।

व्यायाम-4

इसे बैठकर या लेटकर किया जा सकता है। साँस छोड़ें। जिस स्थान से आपके बच्चे का जन्म हुआ था, उसे खींचें यानी अपनी योनि की मांसपेशियों को सख्त कर लें अर्थात् उसी प्रकार योनि को संकुचित करें, जैसा आप पेशाब को रोकने के लिए करती हैं। 6 की गिनती तक इस संकुचन को रोके रखें। साँस छोड़ें। दुहराएँ।

इसे 5 बार करें। शुरू करने से पहले हर बार साँस छोड़ें।

व्यायाम-5

चौथे से सातवें दिन बिस्तर पर लेटकर दाईं टाँग को घुटने से मोड़ लें। बाएँ पैर को सीधा रखें।

अपने सीधे पैर (बाएँ) को बिस्तर पर जितनी दूर तक हो सके खिसकाएँ, फिर ऊपर की ओर खिसकाएँ।

इस दौरान सिर्फ आपकी कमर की मांसपेशियों में हरकत होनी चाहिए। दूसरे पैर के साथ दुहराएँ। दोनों पैरों से बारी-बारी से 4 बार ऐसा करें।

व्यायाम-6

लेटकर टाँगों को घुटने से मोड़ लें और पैरों को बिस्तर पर टिका लें।

अपने पेट की मांसपेशियों को खींच लें।

अपना एक हाथ बिस्तर की दूसरी तरफ दूसरे हाथ की ओर कूल्हे के पास ले जाएँ। वापस पहली वाली स्थिति में आ जाएँ। अब इसे दूसरे हाथ के साथ करें। कुल मिलाकर इसे 8 बार करें।

दोपहर में पेट के बल सोएँ। एक तकिया अपने सिर के नीचे रख लें और एक छाती के नीचे, ताकि कोई असुविधा न हो।

शल्यक्रिया के बाद

अगर आपके बच्चे का जन्म पेट की शल्यक्रिया के द्वारा संवेदनाशून्य करनेवाली औषधि के प्रयोग से हुआ है तो कुछ घंटों तक आपको नसों में ड्रिप पर रखा जाएगा। जब आप संवेदनाशून्य करनेवाली औषधि के प्रभाव से बाहर आएँगी तो पहली बात जो आपके मस्तिष्क में कौंधेगी, वह होगी पेट के जख्म से होनेवाली तकलीफ। उसके बाद आपकी मुलाकात बच्चे से करवाई जाएगी। जितना श्वास का अभ्यास आप आसानी से इस समय कर सकती हैं, कर लें, ताकि आपके उत्तकों में जो संवेदनाशून्यक का असर है, वह निकल जाए और आप अच्छा महसूस करें।

शल्यक्रिया के बाद गले में कफ जमा होने जैसा महसूस होना

सामान्य है। कुछ महिलाओं का कहना है कि 'बस गला खराब हो गया है।' शल्यक्रिया के दौरान आपकी श्वास-नली में रबड़ का ट्यूब लगा दिया जाता है, ताकि एनेस्थीसिया के असर से अगर उल्टी हो जाए तो आप उसे अपने फेफड़ों की तरफ न खींच लें। गले की यह तकलीफ उसी वजह से है। इसके कारण गला सूख सकता है और खाँसी भी हो सकती है। अगर आपका गला सूखा मालूम पड़ रहा है तो अपने मुँह पर एक भींगा हुआ तौलिया रख लें या फिर पानी की कुछ बूँदें गले में डाल लें। जब इस खुश्की से थोड़ा आराम मिल जाए तो कोई कफसिरप ले लें या फिर गले के आराम के लिए मिस्री चूसें।

जितनी जल्द आप खाँसकर गले से कफ निकाल देंगी, उतनी जल्द आराम महसूस होगा। जिस प्रकार गाने से पहले गायक अपना गला साफ करते हैं, उसी प्रकार आपको खाँसकर गला साफ करना सीखना पड़ेगा। गले को खाँसकर साफ करें और कफ निकाल दें। कफसिरप लेने के मुकाबले यह ज्यादा प्रभावकारी होगा। जितनी जल्द आप गला साफ कर लेंगी, उतना अच्छा महसूस होगा। गर्भावस्था के दौरान आप पेट की बजाय गले से खाँसने का अभ्यास कर सकती हैं।

पेट के अंदर की ओर वाले टाँके तो अपने आप गल जाएँगे; लेकिन बाहर की तरफ वाले टाँकों को एक हफ्ता या 10 दिनों के बाद हटाने की जरूरत होगी। दूसरी तरफ, बाहर की ओर वाले टाँके भी गलने वाली किस्म के हो सकते हैं। आपको आराम से स्वस्थ होने की प्रक्रिया को चलने देना होगा।

दूसरे दिन बिस्तर का चादर बदलने के लिए नर्स आएगी। उसके चादर बदलते समय अगर आप बिस्तर से उतर सकें तो अच्छा रहेगा। बिस्तर को बैठने वाली स्थिति में एडजस्ट कर लें, ताकि बैठ सकें। अपनी हथेलियों को शरीर के दोनों तरफ टिकाकर उसके सहारे अपने आपको थोड़ा उठाकर धीरे-धीरे बिस्तर के किनारे तक जाएँ। आराम से टाँगों को बिस्तर से नीचे लटका लें और फिर पैरों को स्टूल या फर्श पर रख लें। सहारे के लिए पेट के पास एक तकिया रख लें और खड़ी होकर धीरे-धीरे सोफा या कुर्सी पर जाकर बैठ जाएँ। जब बिस्तर तैयार हो जाए तो आराम से बिस्तर पर वापस चली जाएँ। इस पूरे कार्यकलाप के बाद अंत में आपको काफी अच्छा महसूस होगा, क्योंकि इससे रक्त-संचार में तेजी आएगी।

अगर आपका पहला प्रसव शल्यक्रिया के द्वारा हुआ है और इसका कारण असफल प्रवेश या गंभीर अवसाद जैसे बार-बार न होनेवाले कारक हैं तो ऐसे में दूसरा प्रसव सामान्य हो सकता है। लेकिन अगर पहले बच्चे के लिए शल्यक्रिया श्रोणि के गड़बड़ विकास के कारण हुआ था, तो दूसरा बच्चा भी शल्यक्रिया के द्वारा ही होगा। अगर एक बार आपके ऊपर शल्यक्रिया हो चुकी है तो भविष्य में होनेवाला सारा प्रसव अस्पताल में ही होना चाहिए। गर्भाशय में अगर जख्म है तो पूरी गर्भावस्था और प्रसव के दौरान उसपर निगरानी रखी जाती है। गर्भाशय का फटना एक गंभीर लेकिन बहुत कम होनेवाली घटना है; ऐसा सिर्फ 0.5 प्रतिशत मामलों में ही होता है। जिन लक्षणों पर नजर रखी जाती है, वे हैं—योनि से ताजा और असामान्य रक्तस्राव एवं जख्म में दर्द का उभरना।

टाँकों के हटने से पहले के व्यायाम

नीचे कुछ हल्के व्यायाम बताए जा रहे हैं, जो शल्यक्रिया के बाद किए जा सकते हैं—

व्यायाम-1

पीठ के बल लेट जाएँ। धीरे-धीरे, लेकिन गहरी साँस लें; साँस छोड़ें। 5 बार करें। दिन में कम-से-कम दो बार करें।

व्यायाम-2

अपनी टाँगों को सीधा और थोड़ा अलग रखते हुए लेट जाएँ। अपनी टाँगों को घुटने के पास से मोड़ें और सीधा करें। अपने पैर की उँगलियों को मोड़ें और फैलाएँ। दोनों दिशाओं में अपने पैर को बारी-बारी से वृत्ताकार घुमाएँ (देखें पृ. 160)

व्यायाम-3

इसे बैठकर या लेटकर किया जा सकता है। साँस छोड़ें। जिस अंग से आपके बच्चे का जन्म हुआ, यानी अपनी योनि की मांसपेशियों को सख्त कर लें, अर्थात् पेशाब को रोकते समय अपनी योनि में जैसा संकुचन लाती हैं, वैसे ही संकुचित कर लें। 6 की गिनती तक इस संकुचन को

रोककर रखें। साँस छोड़ें। दुहराएँ। 5 बार करें। हर बार शुरू करने से पहले साँस छोड़ लें। (देखें पृ. 160)

टाँकों के हटने के बाद के व्यायाम

शल्यक्रिया के बाद, टाँकों के हटने के बाद 7वें और 8वें दिन एवं सामान्य प्रसव के भी इतने ही दिनों के बाद किए जानेवाले व्यायाम

व्यायाम-1

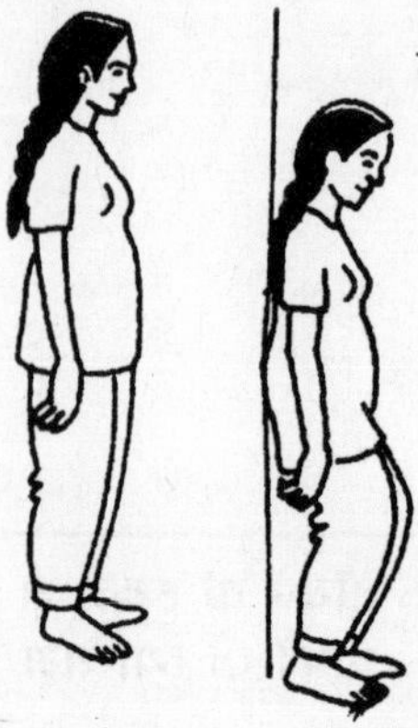

टाँगों को घुटनों के पास से क्रॉस करके खड़ी हो जाएँ। जाँघों को दबाएँ। पेशाब को रोकते समय जैसा करती हैं, वैसे ही टाँगों के बीच संकुचन लाएँ, पेट को अंदर की तरफ खींचें और चूतड़ एवं मलद्वार को भी सख्त कर लें। 4 की गिनती तक इसे रोककर रखें, फिर शिथिल हो जाएँ। 6 बार दुहराएँ। हर बार शुरू करने से पूर्व साँस छोड़ लें।

व्यायाम-2

पीठ को दीवार से टिकाकर खड़ी हो जाएँ। चूतड़ की मांसपेशियों को सख्त कर लें एवं पेट की दीवारों को खींच लें। कोशिश करें कि आपकी पीठ का निचला हिस्सा एवं पूरी रीढ़ की हड्डी दीवार से लगी रहे। (इस व्यायाम को बिस्तर पर लेटकर भी किया जा सकता है। सामान्य प्रसव के बाद किए जानेवाले व्यायाम-3 की तरह।)

6 बार दुहराएँ। हर बार शुरू करने से पूर्व साँस छोड़ लें।

व्यायाम-3

खड़ी हो जाएँ। एक टाँग को कूल्हे की ऊँचाई तक उठा लें, ताकि एक पैर दूसरे से छोटा हो जाए। ऐसा करते समय घुटने को सीधा रखें और पैर को जमीन से ऊपर उठाएँ। दूसरे पैर के साथ दुहराएँ। 4 बार करें। (इसे सामान्य प्रसव के बाद किए जानेवाले व्यायाम-5 की तरह लेटकर भी किया जा सकता है।)

व्यायाम-4

पैरों, घुटनों और जाँघों को साथ सटाकर खड़ी हो जाएँ।

जमीन पर छोटी-छोटी दूरी के लिए खिसकें और घूमें। एक बार करें।

प्रथम 40 दिनों तक अगर इन व्यायामों को किया जाए तो इससे आपकी काया इतनी सुडौल हो जाएगी कि बाद में किए जानेवाली देहतोड़ मेहनत भी उसका मुकाबला नहीं कर पाएगी।

व्यायाम-5

जब बच्चे को अपना दूध पिलाना बंद कर दिया हो या दिन में सिर्फ दो या तीन बार दूध पिला रही हों तो स्तनों को सुडौल बनाने वाले व्यायाम करें। (देखें पृ. 84)

रक्तस्राव/सेक्स

योनिमार्ग से या शल्यक्रिया के द्वारा बच्चे के जन्म के बाद आपका मासिक लंबा होगा। (लगभग 4 से 6 हफ्ते का) उसके बाद कुछ महीनों तक मासिक नहीं होगा, खासकर अगर आप बच्चे को अपना दूध पिला रही हों।

इसके बाद पहला मासिक आमतौर पर सामान्य मासिक के मुकाबले लंबा और भारी होता है। यह सात दिनों तक या उससे ज्यादा समय तक चल सकता है। उसके बाद आपका मासिक नियमित हो जाएगा। यह पहला मासिक कब होगा, इसका अनुमान लगाना बिलकुल असंभव है। बच्चे को दूध ा पिलाने की स्थिति में यह 3-4 महीनों से 6 से 9 महीनों में शुरू हो सकता है। जो महिलाएँ बच्चे को अपना दूध नहीं पिलातीं, उनका मासिक बच्चे के जन्म के 28वें दिन शुरू हो सकता है। प्रसव के बाद का स्राव भूरा/गुलाबी/कभी-कभार लाल भी (जब जोर लगाया गया हो) हो सकता है।

मासिक के नहीं होने का यह अर्थ नहीं कि आप गर्भवती हैं। इसका भी यह मतलब न निकालें कि चूँकि आपको मासिक नहीं हो रहा है, अतः गर्भवती भी नहीं होंगी। डॉक्टर की सलाह से आपको किसी गर्भनिरोधक का प्रयोग अवश्य करना चाहिए। जैसे ही आपको महसूस होने लगे कि आपका योनि स्वस्थ

हो गया है, संभोग शुरू कर सकती हैं। इसमें लगभग 10 दिनों का समय लग सकता है। कुछ महिलाएँ 40 दिनों या 6 हफ्तों तक इसके लिए इंतजार करना चाहती हैं। अगर जरूरत हो तो आप किसी पेट्रोलियम जेली का इस्तेमाल कर सकती हैं।

जब आप डॉक्टर के पास जाँच के लिए जाएँ तो आँतों की, पेशाब करते समय, संभोग, बवासीर इत्यादि से संबद्ध अगर कोई तकलीफ है तो उन्हें बताएँ। श्रोणीय सतह में होनेवाली तकलीफ की जाँच की आवश्यकता होगी।

आप सीढ़ियों से चढ़ या उतर सकती हैं, लेकिन जितना बहुत आवश्यक हो, उससे ज्यादा नहीं, यानी ऐसा कम-से-कम करें। जितना संभव हो, आराम करें। सुबह बच्चे को दूध पिलाने के बाद 5 से 6 बजे बिस्तर पर पुनः चली जाएँ।

जन्म के बाद अवसाद

बच्चे के जन्म के बाद मूड में उतार-चढ़ाव आना सामान्य बात है। कुछ महिलाएँ इस दौरान सकारात्मक महसूस करती हैं तो कुछ नकारात्मक भी।

जब महिला बहुत ज्यादा अवसादग्रस्त होती है तो इसे 'पोस्टमार्टम सायकोसिस' कहते हैं। पोस्टमार्टम डिप्रेशन की शिकार महिलाएँ आसानी से रोना शुरू कर देंगी, कठिनाई से नींद आएगी, थक जाएँगी, चिड़चिड़ी हो जाएँगी, डर लगेगा और उन्हें हीनता या अपर्याप्तता का भी अनुभव हो सकता है।

कई बार महिलाओं को इस बात का पछतावा होता है कि नाज-नखरे वाली गर्भवती महिला से अब वह एक जिम्मेदार माँ बन चुकी है। जन्म देने के दौरान होनेवाले अनुभव या अगर आपको बहुत काम करना पड़ रहा है और शारीरिक असमर्थता के इस समय में कोई हाथ बँटाने वाला नहीं है, तब भी आपमें अवसाद का प्रवेश हो सकता है।

कभी-कभी बच्चे की देखभाल की सच्चाई भी काफी कठिन लग सकता है। एक माता ने असमर्थता में कहा, 'लेकिन मेरे बच्चे की गंध मल और उल्टी जैसी है।' मन में एक बात बैठा लीजिए कि आपके बच्चे की सूरत और गंध विज्ञापन वाले बच्चे जैसी नहीं है। ज्यादा अच्छा होगा अगर आप इसकी चर्चा सहानुभूति रखनेवाले व्यक्तियों से न करें। लेकिन किसी

भरोसेमंद मित्र से इसकी चर्चा अवश्य करें। इन नकारात्मक भावनाओं को अगर बाहर निकाल देंगी तो अच्छा रहेगा। कार्यों को आराम से निबटाएँ और घरेलू काम का ज्यादा टेंशन न लें। अगर कुछ कार्य कुछ देर तक नहीं होगा तो पहाड़ नहीं गिर जाएगा।

अगर अवसाद की स्थिति जारी रहती है तो किसी सहानुभूतिपूर्ण डॉक्टर, आपका पारिवारिक चिकित्सक या होम्योपैथिक डॉक्टर की सलाह लें। इसके साथ-साथ आप किसी मनोचिकित्सक की सलाह भी ले सकती हैं। उनके साथ इसकी चर्चा करने से आपके मन की गाँठ को खोलने में काफी मदद मिलेगी, जिससे आपकी दबी हुई ऊर्जाओं का पुनः प्रवाह शुरू हो जाएगा और आप अच्छा महसूस करने लगेंगी।

पूरी तरह स्वस्थ महिलाओं में भी अवसाद के लक्षण आ सकते हैं। बच्चे के जन्म के बाद किसी हार्मोन के अचानक बंद होने से भी यह उभर सकता है। कुछ समय के लिए डॉक्टर आपको इसके लिए कृत्रिम हार्मोन लेने को कह सकती हैं, जिसकी खुराक वे धीरे-धीरे कम करती जाएँगी। या फिर डॉक्टर अवसाद को दूर करने की दवाइयाँ भी दे सकती हैं।

कई महिलाओं ने होम्योपैथ की दवाओं के प्रति भी काफी अच्छा रूझान दिखाया है। अगर बच्चे के जन्म के बाद अवसाद होता है तो जो महिलाएँ होम्योपैथ की दवाएँ लेती हैं, अवसाद से ज्यादा असरदार तरीके से और जल्द पार पा लेती हैं।

14

गर्भनिरोधक

गर्भनिरोधक को समझने के लिए यह महत्त्वपूर्ण है कि पहले यह समझा जाए कि कोई महिला गर्भवती किस प्रकार होती है। गर्भवती होने के लिए, महिला के शरीर के अंडाशय से अंडाणु निकलता है। जब यह शुक्राणु से निषेचित होता है तो गर्भावस्था की शुरुआत हो जाती है। महिला के शरीर में अंडाणु निकलने को अंडोत्सर्ग कहते हैं।

पुरुष के वीर्य, जो हल्का क्षारीय होता है, में शुक्राणु मौजूद होते हैं। स्खलित होने के 15 से 20 मिनट के अंदर अगर गर्भ-मुख या गर्भाशय-ग्रीवा तक शुक्राणु नहीं पहुँच पाता तो यह योनि में मौजूद अम्लीय माध्यम के द्वारा मार दिया जाता है। गर्भाशय-ग्रीवा का वातावरण क्षारीय होता है, ताकि शुक्राणु तेजी से तैर कर गर्भ तक पहुँच सके और फिर उसे पार करके फेलोपियन ट्यूब्स तक पहुँच सके। फेलोपियन ट्यूब में अंडाणु निषेचित होता है। इस यात्रा में 45 मिनट लगते हैं। शुक्राणु लगभग 2 दिनों तक जीवित रहकर अंडाणु को निषेचित कर सकते हैं। कभी-कभी वे 7 दिनों तक जीवित रह सकते हैं। निषेचित होने के बाद अंडाणु को फेलोपियन ट्यूब को पार कर गर्भ या गर्भाशय तक पहुँचने में 7 दिन लगते हैं।

संयम रखना

गर्भवती न होने का सबसे सटीक तरीका है संभोग न करना। हालाँकि इससे आपका पति के साथ संबंधों पर काफी बुरा प्रभाव पड़ सकता है।

क्वायट्स इंटेरप्टस या बाहर निकाल लेने का तरीका

इस तरीके में स्खलित होने से पूर्व ही शिश्न को बाहर निकाल लिया जाता है। इसमें पुरुष को अपने ऊपर अत्यधिक आत्मनियंत्रण की आवश्यकता होती है। इसके अलावे स्खलन से पूर्व जो एक-आध बूँद निकल जाते हैं और भग-क्षेत्र में कहीं जाकर टिक जाते हैं, उनमें भी शुक्राणु मौजूद होते हैं।

वहाँ से वे शिश्न के बिना अंदर गए भी योनि में प्रवेश कर सकते हैं। योनि से गर्भाशय तक पहुँचकर अंडाणु को निषेचित कर महिला को गर्भवती बना सकते हैं। इस तरीके पर निर्भर नहीं रहा जा सकता।

लय का तरीका

यह जन्म पर नियंत्रण रखने का नैसर्गिक तरीका है। इसके सफल होने के लिए अंडोत्सर्ग का सबसे सटीक समय जानना बहुत महत्त्वपूर्ण है। यानी अंडाशय से अंडाणु का निकलना और फिर निषेचित होना। आमतौर पर अगले मासिक के शुरू होने के 14 दिन पहले अंडोत्सर्ग होता है। अगर अंडाणु निषेचित नहीं होता है तो लगभग 18 घंटों में यह मर जाता है।

इस तरीके को अपनाने के लिए पहली जरूरत है, मासिक का नियमित और तय समय पर होना। अगला चरण होगा कि अगले मासिक से ठीक 14 दिन पहले का समय ज्ञात करना। अगर मासिक अनियमित है तो इस दिन का ठीक-ठीक पता लगाना मुश्किल होगा। अंडोत्सर्ग का बिलकुल ठीक समय थोड़ा इधर-उधर हो सकता है।

कभी-कभी आघात, तनाव और चिंता भी अंडोत्सर्ग के समय में हस्तक्षेप कर सकते हैं। इसके कारण अगले मासिक से 11 दिन पहले से लेकर 17 दिन पहले तक अंडोत्सर्ग हो सकता है। पूरी तरह से नियमित मासिक भी यात्रा, तनाव, बीमारी इत्यादि के कारण अनियमित हो सकता है। ऐसा ज्यादातर 30 से 40-50 साल की महिलाओं में और बच्चे को जन्म देने के बाद होता है। इन स्थितियों में यह तरीका भरोसेमंद नहीं है।

28 दिनों पर होनेवाले नियमित चक्र में, मासिक होने के पहले 8 दिनों में गर्भ ठहरने की कोई संभावना नहीं। मासिक स्राव के पहले दिन से इसे गिना जाता है। अतः अगर 5 दिनों तक रक्तस्राव होता है तो अगले 3 दिन सुरक्षित हैं। उसके बाद के 9वें दिन से लेकर 17वें दिन असुरक्षित होंगे, इनमें 9वाँ और 17वाँ दिन शामिल है। फिर 18वें से 28वें दिन सुरक्षित समय होंगे।

जिन महिलाओं का मासिक-चक्र 35 दिनों का है, उनमें 15वें दिन से 25वें दिन का समय असुरक्षित होगा। इसमें 15वाँ और 25वाँ दिन शामिल है।

लय वाले तरीके में मासिक को पूर्ण रूप से नियमित मानकर चला जाता है। इस तरीके की दूसरी गड़बड़ी है कि

कभी-कभी सेक्स के उत्तेजन से भी अंडोत्सर्ग हो सकता है। और ऐसे में मासिक-चक्र के सुरक्षित और असुरक्षित दिनों का कोई मतलब नहीं।

कुछ भाग्यशाली महिलाएँ इस तरीके को अपने लिए कारगर महसूस करती हैं। वे अपनी गणनाओं और आत्मनियंत्रण के प्रति काफी सख्त रवैया रखती हैं। लेकिन जिन महिलाओं के पति ज्यादातर टूर पर रहते हैं और महीने के गलत दिनों में घर आ जाते हैं, उनके लिए इस तरीके से समस्या हो सकती है। इसके अलावा यह कि यह हमेशा कारगर नहीं होता। ज्यादा अचूक होने के लिए लय वाले तरीके में, तापमान वाले तरीके को मिलाकर चला जा सकता है। अंडोत्सर्ग के पहले महिला के शरीर का तापमान थोड़ा कम हो जाता है और अंडोत्सर्ग के दौरान थोड़ा बढ़ जाता है। तापमान में कमी का अर्थ है कि अंडाणु निकलने के लिए तैयार है और तापमान में वृद्धि इस बात का सूचक है कि अंडोत्सर्ग हो चुका है।

तापमान वाला तरीका

फेरनहाइट थर्मामीटर में, शरीर के सामान्य तापमान से लगभग 1 डिग्री नीचे गिरता है या 1 डिग्री बढ़ जाता है। सेंटीग्रेड थर्मामीटर में यह 1/2 डिग्री चढ़ता है। इसलिए तापमान किसी संवेदनशील थर्मामीटर से ही लेना चाहिए। तापमान बढ़ने के बाद, अगले मासिक के शुरू होने तक या 2 हफ्तों तक यथावत् रहता है। इसका एक दैनिक रिकॉर्ड रखना चाहिए। इसकी अचूकता को जानने और अपनाने के लिए कम-से-कम 6 महीनों तक इसे परखा जाना चाहिए। अगर आप बुखार या संक्रमण से ग्रसित हैं तो तापमान का पठन अचूक नहीं होगा। आपके मासिक-चक्र के अनुसार तापमान का पठन अलग-अलग हो सकता है। सबसे छोटा चक्र 21 दिनों का और सबसे लंबा 45 दिनों का होता है। 28 दिन वाले मासिक-चक्र में मासिक-स्राव के पहले दिन से जोड़कर 14वें दिन में तापमान में वृद्धि होती है। 37 दिन वाले मासिक-चक्र में मासिक-स्राव के पहले दिन से जोड़कर 22वें दिन तापमान में वृद्धि होती है।

अगर आपके द्वारा लिया गया तापमान का पठन यहाँ बताए गए पठन से मेल नहीं खाता, तब भी इसका रिकॉर्ड रखती रहें। जब आप डॉक्टर के पास सलाह के लिए जाएँगी तो यह रिकॉर्ड उनकी मदद करेगा।

गर्भाशय-ग्रीवा के श्लेष्मा की जाँच या बिलिंग्स मेथड

आपके मासिक-चक्र के दौरान योनिस्राव बदलता रहता है। मासिक-स्राव की समाप्ति के कुछ दिनों के बाद आपको गाढ़ा, चिपचिपा श्लेष्मा (कफ जैसा) स्राव का पता चल सकता है। अंडोत्सर्ग के दौरान यह साफ और फैला हुआ अधिक मात्रा वाले कफ जैसे स्राव में बदल जाएगा। यह शुक्राणु को आकर्षित करता है और अंडे के निषेचन के लिए उसे आसानी से प्रवेश करने देता है। निषेचन की अवधि की समाप्ति के बाद यह पुनः गाढ़ा और शुक्राणु के लिए अजनबी बन जाता है।

योनिस्राव की जाँच करने के लिए सबसे पहले आपको अपने हाथ साबुन से अच्छी तरह धोने चाहिए। उसके बाद स्राव के नमूने को पाने के लिए योनि में अपनी उँगली डालें। अब स्राव कैसा है यह परखें! स्रावों को अचूकता के साथ समझने में आपको कुछ महीने लग जाएँगे। इसके अलावा, अगर योनि में वीर्य की मात्रा मौजूद है तो यह योनिस्रावों की सही प्रकृति को छद्म बनाकर आपको बरगला सकते हैं। यह विधि भी कारगर नहीं है, क्योंकि इससे योनि में संक्रमण हो सकता है और श्लेष्मा-युक्त स्रावों को सही तरीके से समझना किसी सामान्य महिला के बस की बात नहीं।

स्तनपान कराना

अगर आपका बच्चा 100 प्रतिशत आप ही के दूध पर पल रहा है तो यह आपके शरीर के हार्मोन स्तर में परिवर्तन लाता है और अंडोत्सर्ग को रोक देता है। यानी जब बच्चे को भूख लगे तब आप दूध पिला रही हैं और उसे कोई बोतल वगैरह का दूध या दूसरा खाना नहीं दिया जा रहा है तो आपके शरीर में प्रोलेक्टिन हार्मोन की बढ़ी मात्रा अंडोत्सर्ग को दबा देगी। स्तनपान आपके अगले मासिक की शुरुआत में भी देरी लाता है। अगर आप पहले कुछ महीने में पूर्ण स्तनपान करा रही हैं तो आपके मासिक के दुबारा शुरू होने में 6-8 महीने लग सकते हैं। अगर स्तनपान के साथ-साथ बच्चें को बोतल का दूध और दूसरा आहार भी दिया जा रहा है तो मासिक 2-4 महीनों में शुरू हो सकता है। दूसरी तरफ, अगर

बिना किसी रोक-रुकावट के स्तनपान जारी रहा तो मासिक के शुरू होने में एक साल या उससे ज्यादा समय भी लग सकता है।

अगर आपका मासिक नहीं शुरू हुआ है, तब भी आपके शरीर में अंडोत्सर्ग हो सकता है और आप गर्भवती हो सकती हैं। दूसरी तरफ, कुछ महिलाओं को अगर एक या दो मासिक-स्राव हुआ है, तब भी हो सकता है, वह एनोवूलर हो, यानी उसके साथ अंडा नहीं निकला है या अंडोत्सर्ग नहीं हुआ है। अतः स्तनपान और मासिक-चक्र इस बात का भरोसा नहीं दिला सकते कि आप गर्भवती हो सकती हैं या नहीं।

स्तनपान के साथ-साथ अगर आप सिर्फ प्रोजेस्टोजेन वाली गोली भी ले रही हैं तो यह गर्भधारण को रोकेगा; क्योंकि यह स्तनपान के द्वारा घटाई गई उर्वरता के साथ मिलकर ज्यादा असरदार हो जाएगा। आपको ओएस्ट्रोजेन-प्रोजेस्टोजेन की नियमित गोली नहीं लेनी चाहिए, क्योंकि यह दुग्ध-उत्पादन को घटाता है और इसके दूसरे अवांछित प्रभाव भी होते हैं। प्रसव के 6 हफ्ते बाद जब आप चेकअप के लिए जाती हैं तो डॉक्टर को बताएँ कि आप स्तनपान करा रही हैं और उनकी सलाह लें। अगर आप 6 हफ्ते की अवधि से पहले संभोग करती हैं तो आपको दूसरे गर्भनिरोधक, जैसे—कंडोम का इस्तेमाल अवश्य करना चाहिए।

गर्भनिरोधक गोली के कुछ नुकसान हैं। इसके हार्मोन दूध में चले जाते हैं। अभी इस बात का अध्ययन चल रहा है कि इसका बच्चे पर क्या दुष्परिणाम होता है। अगर आप पाती हैं कि गोली लेने के बाद आपका बच्चा चिड़चिड़ा हो गया है और पहले की तरह उसका वजन नहीं बढ़ रहा है तो गोली लेनी बंद कर दें एवं किसी दूसरे गर्भनिरोधक का प्रयोग करें।

किसी स्तनपान करा रही महिला को अपने बच्चे को दूसरे पूरक आहारों पर डालने से 21 दिन पूर्व गोली लेनी शुरू करनी चाहिए। अगर गोली के पहले कोर्स के खत्म होने के बाद मासिक-स्राव नहीं शुरू होता तो उसे 7 दिनों तक रुककर गोली का अगला कोर्स शुरू कर देना चाहिए। जब दुग्धपान का स्थानांतरण पूरा हो जाएगा तो मासिक भी शुरू हो जाएगा।

| गोलियाँ | गोलियाँ दो हार्मोन—ओएस्ट्रोजेन और प्रोजेस्टोजेन के संयोजन से बनी होती है। बीस साल पहले जो गोली प्रयोग में थी, उसके मुकाबले आधुनिक गर्भनिरोधक गोली में हार्मोन की लगभग 10 |

प्रतिशत मात्रा ही होती है। इसके परिणामस्वरूप इसकी तीक्ष्णता कम होती है और दूसरे प्रभाव भी कम होते हैं। अंडाशय के द्वारा अंडे के उत्पादन को गोली में मौजूद हार्मोन दबा देते हैं। ऐसा करने का उनका अपना तरीका है। वे अंडाशय को यह बताकर मूर्ख बनाते हैं कि तुम पहले से ही गर्भवती हो। यह गोली बाजार में अलग-अलग ब्रांड नामों ओवरल-एल, ट्राइक्विलर, माला डी, लिंडियॉल में आसानी से उपलब्ध है।

हार्मोन की खुराक को काफी कम कर दिए जाने के कारण, कभी-कभार होने वाले रक्तस्राव हार्मोन के असंतुलन के कारण होता है। गोली लेने के प्रथम कुछ चक्रों या प्रथम कुछ दिनों के पश्चात् रक्तस्राव होता है। चक्र के लगभग 17वें दिन आमतौर पर रक्तहीनता होती है और अगले कुछ दिनों तक जब तक कि दूसरा मासिक शुरू न हो जाए, चालू रहता है। यह धब्बे के रूप में होता है। फिर भी गोली चालू रखनी चाहिए। हालाँकि अगर यह फिर से होता है तो डॉक्टर को सूचित करें। ऐसी संभावना है कि डॉक्टर कोई ज्यादा हार्मोन स्तर की गोली देंगे, ताकि आगे रक्तस्राव को रोका जा सके।

युवा महिलाएँ, जिनकी हड्डी का विकास अभी पूरा नहीं हुआ है और जो अभी शारीरिक रूप से परिपक्व नहीं हुई हैं, उन्हें यह गोली नहीं लेनी चाहिए। जिन महिलाओं की उम्र 35 से ज्यादा हो चुकी है या जो महिलाएँ सिगरेट पीती हैं, जो सांघातिक बीमारी, जिगर के दोष, दिल की बीमारी, गुर्दे की तकलीफ, मधुमेह, मानसिक अवसाद, मिरगी इत्यादि से ग्रसित रही हैं या जिनका पहले थ्राम्बोफ्लेबिटिस (रक्त का थक्का बनने में गड़बड़ी), श्वास संबंधी अस्थमा या सिर में तेज दर्द का इतिहास रहा है, उन्हें भी इस गोली से परहेज करना चाहिए।

अगर यह गोली लेती हैं तो आवश्यक है कि इसे प्रतिदिन एक ही समय पर लिया जाए। इसका फायदा यह है कि यह गर्भनिरोध का सबसे कारगर तरीका है। इसकी असफलता की संभावना शून्य है। संभोग में इसका कोई हस्तक्षेप नहीं होता और इसमें किसी यांत्रिक उपकरण की आवश्यकता नहीं पड़ती। यह मासिक-स्राव को संतुलित कर 28 दिनों का कर देता है और स्राव की मात्रा को भी कम करता है। यह मासिक के समय होनेवाली तकलीफ को भी कम या लगभग खत्म कर देता है।

जिस प्रकार कुछ लोग कुछ दवाओं, जैसे एंटीबॉयोटिक के प्रति संवेदनशील होते हैं, उसी प्रकार कुछ महिलाएँ गर्भनिरोधक गोली के प्रति भी संवेदनशील होती हैं। गोली के संभावित गौण प्रभाव हैं—मितली, तरल जमाव, वजन में वृद्धि, वक्ष का बड़ा और तकलीफदेह हो जाना, संभोग की इच्छा में परिवर्तन, योनि में फंगस संक्रमण। अगर इनमें से कोई भी लक्षण उभरते हैं तो इसकी चर्चा आप डॉक्टर से कर सकती हैं कि आपको यह गोली लेती रहनी चाहिए या किसी दूसरे गर्भनिरोधक का इस्तेमाल शुरू करना चाहिए।

अगर गोली लेती हैं तो हर छह महीने बाद कुछ समय के लिए इसे छोड़ना अच्छी बात होगी। 2 महीने के लिए गोली छोड़कर किसी दूसरे गर्भनिरोधक का प्रयोग करें। गर्भवती होने से पहले 2-3 महीना गुजर जाने दें, ताकि आपके पूरे तंत्र से सारे हार्मोन निकल जाएँ और आप गर्भवती हो सकें। आप अपनी गर्भावस्था का समय भी ज्यादा सटीकता के साथ बता पाएँगी।

जैसा कि धारणा है कि गोली लेने से आपकी उर्वरता और गर्भवती होने की संभावना कम हो जाती है, ऐसी बात में कोई दम नहीं है। बात बस इतनी है कि अगर कोई महिला अनुर्वर है और गोली ले रही हो, और उसे इसका पता तभी चलता है, जब वह गोली लेनी बंद कर देती है।

गर्भनिरोधक गोली आपके शरीर में विटामिन बी$_6$, फॉलिक एसिड, कैल्शियम, मैगनीज, जिंक और एब्जार्बिक एसिड की मात्रा कम कर देती है। इसलिए इसके साथ मल्टी विटामिन लेना अच्छा रहता है।

| इन्ट्रा-यूटेराइन डिवाइस (IUD) | अंतर्गर्भाशयी उपकरण, ताँबे के तार का एक छोटा-सा उपकरण होता है, जिसे योनि की जाँच के दौरान गर्भाशय में डालकर वहीं छोड़ा जा सकता है। सामान्य प्रसव के द्वारा अगर बच्चे का जन्म हुआ है तो जन्म के छह हफ्ते बाद इसे डाला जा सकता है। इस उपकरण में प्रयुक्त ताँबा गर्भाशय-ग्रीवा की श्लेष्मा को गाढ़ा कर देता है। ताँबा निषेचित अंडाणु के गर्भाशय में प्रत्यारोपण को निषेधित कर देता है। |

हालाँकि IUD की सफलता का प्रतिशत काफी अधिक है, फिर भी यह 100 प्रतिशत भरोसेमंद नहीं है, क्योंकि यह गर्भधारण में यांत्रिक रूप से ही व्यवधान डालता है। अगर आप

गर्भवती हो जाती हैं और आप गर्भावस्था को जारी रखना चाहती हैं, तो IUD को अंदर ही छोड़ दिया जाएगा। संभावना यह भी है कि IUD वहाँ अब हो ही नहीं। हो सकता है कि आपको महसूस भी न हो और वह गायब भी हो गया हो। अगर वह वहाँ है भी तो खेड़ी में मिल गया होगा और बच्चे के जन्म के बाद निकल जाएगा या उसके बाद होनेवाले मासिक-स्राव जैसे स्राव के साथ निकल जाएगा। अगर आप गर्भ को समाप्त करना चाहती हैं तो पिछले मासिक-स्राव के पहले दिन के बाद जोड़ें तो 12 हफ्ते के अंदर गर्भ समाप्त करा लें। गर्भपात के बाद IUD भी निकाल दिया जाएगा।

IUD के कई ब्रांड उपलब्ध हैं, जैसे—कॉपरा, कॉपर-7 और म्यूटीलोड। अगर IUD को डालने से महिला को कोई तकलीफ होती है, जैसे—इससे रक्तस्राव और दर्द काफी बढ़ जाता है तो इसे हटाकर 2-3 महीने बाद फिर से डाला जा सकता है। इसको डालने के बाद के कुछ मासिक में काफी स्राव हो सकता है। कुछ स्थितियों में इसको कोई खास तवज्जो नहीं दी जाती। हालाँकि अगर किसी महिला को पहले से ही मासिक के दौरान काफी स्राव होता है या रक्तहीनता की शिकार है, तो इसकी सलाह नहीं दी जा सकती।

कॉपर टी

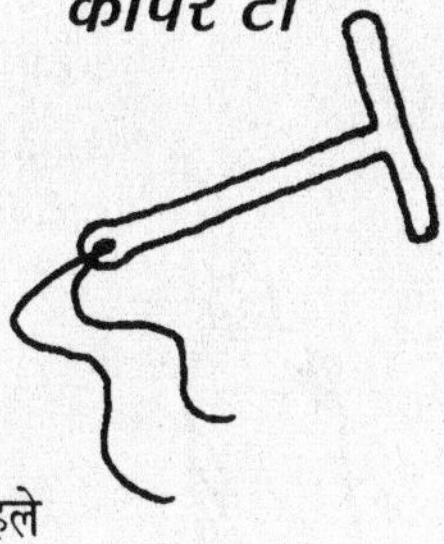

जिन महिलाओं के कोई बच्चा नहीं है, उन्हें IUD अपनाने की सलाह नहीं दी जा सकती। समझा जाता है कि IUD में छेद, सेप्टिक गर्भपात, श्रोणीय जलन या बाह्योन्मुख गर्भ इत्यादि का कारण बन सकता है। गर्भाशय में फ्रिब्रॉयड्स (रेशे) या भ्रांशित गर्भाशयवाली महिलाओं को भी IUD से परहेज रखना चाहिए।

सामान्य प्रसव के 6 हफ्ते बाद एवं शल्यक्रिया द्वारा जन्म के 3 महीने बाद इसे लगाया जा सकता है। सामान्य स्थिति में इसे मासिक खत्म होने के 2-3 दिनों बाद लगाया जा सकता है। इसे मासिक के दौरान भी लगाया जा सकता है और सामान्य रूप से या चिकित्सीय रूप से गर्भ खत्म करने के 6 हफ्ते बाद इसे लगाया जा सकता है।

कॉपर 7

एक बार लगा लेने के बाद यह 2-3 साल

तक प्रभावी रहता है और इतने समय के लिए गर्भधारण की संभावनाओं से आपको छुट्टी मिल जाएगी। अतः दो बच्चों के बीच अंतराल रखने के लिए यह एक अच्छा उपकरण है। अगर इस अवधि से पूर्व आप गर्भधारण करना चाहती हैं तो इसे उतनी ही आसानी से निकाला जा सकता है, जितनी आसानी से डाला गया था। यह न तो स्तनपान कराने में कोई व्यवधान डालता है और न ही महिला के शरीर में किसी प्रकार का हार्मोन ही बनाता है। जब गर्भधारण की इच्छा हो, इसे हटाया जा सकता है।

कंडोम

कंडोम रबड़ का आवरण है, जिसे उत्तेजित शिश्न पर योनि में डालने से पूर्व चढ़ा दिया जाता है। यह शुक्राणुओं को योनि में जाने से रोककर अपना कार्य करता है। बाजार में अलग-अलग ब्रांड, जैसे—कोहिनूर, मस्ती, निरोध के नाम से कंडोम उपलब्ध हैं। अगर यह चिकनाईयुक्त है और शिश्न पर लगाने से पहले अंदर की हवा निकाल दी जाती है तो योनि में इसके फटने की संभावना कम हो जाएगी।

कंडोम

कभी-कभी यह ज्यादा प्रभावकारी नहीं होता, जब कंडोम चढ़ाने के पूर्व ही शिश्न से रिसा हुआ शुक्राणु योनिमार्ग के बाहर जमा हो जाता है। इसका प्रभाव सावधानीपूर्वक इसके प्रयोग पर निर्भर करता है। अगर योनि में शुक्राणु को नष्ट करनेवाली घुलनशील पेसरी डालकर, साथ में कंडोम का प्रयोग किया जाए तो इसकी असफलता की दर काफी घट जाएगी।

कुछ पुरुष कंडोम का प्रयोग पसंद नहीं करते, क्योंकि थोड़ी तो यह सनसनी में कमी लाता है और सेक्स के दौरान इसके प्रयोग से उन्हें हस्तक्षेप जैसा भी जान पड़ता है। जब गर्भनिरोध के दूसरे उपाय मौजूद नहीं हों तो योनि में पेसरी डालकर इसका प्रयोग काफी मूल्यवान् साबित होता है। सेक्स के द्वारा फैलनेवाली बीमारियों, जिनमें सबसे गंभीर बीमारी AIDS भी शामिल है, से भी इसके प्रयोग से बचाव होता है।

डायफ्राम या सर्विकल कैप

यह रबड़ से बना शंकु के आकार का उपकरण है, जिसके रिम में धातु लगा होता है। इसे सेक्स करने के पहले श्रोणि के ऊपर, योनि के द्वार में महिला द्वारा स्वयं लगाया जाता है और संभोग करने के बाद 6-8 घंटे बाद निकाला जा सकता है। इसके साथ शुक्राणुओं को नष्ट करनेवाली क्रीम का भी प्रयोग किया जाता

है। सही साईज आदि के लिए इसे चिकित्सीय लोगों द्वारा ही लगाया जाना चाहिए। संक्रमणों से बचने के लिए इसे साफ रखना चाहिए। डायफ्राम, सर्विकल कैप और शुक्राणुओं को नष्ट करनेवाली क्रीम भारत में आसानी से उपलब्ध नहीं हैं।

शुक्राणुनाशक पेसरी

'टुडे' नामक ब्रांड से शुक्राणुनाशक पेसरी भारत में आसानी से उपलब्ध है। इसे संभोग से 4-5 मिनट पूर्व योनि में डाल लेना चाहिए। इसका गर्भनिरोधक-प्रस्राव एक घंटे तक रहता है। इसे अकेले या फिर कंडोम के साथ प्रयोग किया जा सकता है। अगर कंडोम के साथ इसका प्रयोग किया जाए तो ज्यादा प्रभावकारी होगा, क्योंकि जब शुक्राणु गर्भ-मुख तक पहुँचता है तो इसका सिर्फ योनि में होना पर्याप्त नहीं है, बल्कि इसे श्रोणि के पास होना चाहिए। निर्माता-कंपनी के निर्देशों का सावधानीपूर्वक पालन किया जाना चाहिए। कुछ महिलाएँ इसके भींगेपन को पसंद नहीं करतीं।

गर्भनिरोधक के प्रयोग के बाद की सुबह

इसे नियमित रूप से नहीं करना चाहिए। इसका प्रयोग सिर्फ आपातकाल में ही किया जाना चाहिए। संभोग-क्रिया के 7 दिन बाद IUD को लगाने से यह निषेचित अंडे के गर्भ में प्रत्यारोपण को रोकता है। हालाँकि इससे गर्भवती होना तो टल जाएगा, लेकिन इससे महिलाएँ अक्सर दर्द और रक्तस्राव की शिकायत करती हैं।

हाइडोज की अगली सुबह लेनेवाली गोली भी डॉक्टर या परिवार-नियोजन क्लीनिक की सलाह पर ही लेनी चाहिए। यह गोली सामान्य संयोजन की ओएस्ट्रोजेन-प्रोस्टोजेन वाली गोली ही होती है। महिला को इसमें से दो गोली तो तुरंत ले लेनी चाहिए और दूसरी ढाई घंटे बाद। इन गोलियों को संभोग के 3 दिन या 72 घंटे के अंदर ही ले लेनी चाहिए। सामान्यतः इसके बाद मितली और उल्टी होती है। कुछ महिलाएँ सिरदर्द, सुस्ती और स्तनों में नाजुकी भी महसूस करती हैं।

शल्यक्रिया द्वारा बंध्याकरण : महिला

महिला के शल्यक्रिया द्वारा बंध्याकरण को ट्यूबल लिगेशन या ट्यूबेक्टॉमी कहते हैं। शल्यक्रिया के दौरान अंडाशय से गर्भ की ओर अंडे को ले जानेवाली फेलोपियन ट्यूब को गाँठ लगाकर काट दिया जाता है। या फिर अंडाशय से गर्भाशय की ओर अंडे को ले जानेवाली फेलोपियन ट्यूब में क्लिप लगाकर रास्ते को बंद कर दिया जाता है। इसके लिए संवेदनाशून्य

करने की आवश्यकता होती है और अस्पताल में 2-3 दिन रुकना पड़ता है। अगर आपके फेलोपियन ट्यूब में क्लिप लगाया गया है तो पुनः शल्यक्रिया के द्वारा उसे हटाया जा सकता है। हालाँकि एक बार करा लेने के बाद यह मानकर ही चलना चाहिए कि अब कुछ नहीं हो सकता। अगर शल्यक्रिया के दौरान ट्यूब जख्मी हो जाता है और उससे अनियंत्रित रक्तस्राव होने लगता है तो ट्यूब को काट दिया जाएगा। जब एक बार ट्यूब काट दिया जाएगा तो शल्यक्रिया को निरस्त करने के लिए इसका पुनर्निर्माण असंभव होगा। इसलिए इसे कराने से पूर्व अच्छी तरह सोच-विचार कर लेना आवश्यक है।

शल्यक्रिया के बाद आराम करने के अलावा इसका कोई और अतिरिक्त प्रभाव नहीं होता है। मासिक, संभोग, मेनापॉज, संभोग की इच्छा इत्यादि अपरिवर्तित रहते हैं। बहुत ही विरले किसी महिला को इस ऑपरेशन के बाद गर्भ ठहरने की संभावना है।

शल्यक्रिया द्वारा बंध्याकरण : पुरुष

पुरुषों के शल्यक्रिया द्वारा बंध्याकरण को वेसेक्टॉपी कहते हैं। यह एक साधारण ऑपरेशन है। जिस नली से होकर शुक्राणु अंडग्रंथि से शिश्न तक जाते हैं, उन्हें बाँधकर काट दिया जाता है। यह एक साधारण ऑपरेशन है, जिसमें सिर्फ 15-30 मिनट लगते हैं और लोकल एनेस्थीसिया देकर किया जा सकता है। अगर इसे जेनरल एनेस्थीसिया देकर किया जाता है तो मरीज को एक दिन अस्पताल में रुकना पड़ेगा।

महिला बंध्याकरण की तुलना में यह एक बहुत ही साधारण ऑपरेशन है। इसका और भी फायदा यह है कि इसको निरस्त करने की संभावना भी लगभग 70 प्रतिशत है। हालाँकि महिला बंध्याकरण की तरह इसे भी निरस्त न होने जैसा ही समझना चाहिए।

ऑपरेशन के बाद कोई साइड इफेक्ट नहीं है। सेक्स की इच्छा, शक्ति या संभोग में कोई परिवर्तन नहीं होता। अगर सेक्स संबंधी भावनाओं में पुरुष को कोई परिवर्तन मालूम होता है तो वह पूर्णतः मनोवैज्ञानिक ही होगा। पहले की ही तरह वीर्य निकलता है, फर्क बस इतना है कि उस वीर्य में शुक्राणु नहीं होते। पुरुष बंध्याकरण क़े बाद कुछ हफ्तों तक वीर्य में शुक्राणु मौजूद होते हैं। जब तक वीर्य शुक्राणुमुक्त न हो जाए, किसी गर्भनिरोधक का प्रयोग करना चाहिए। इसके लिए वीर्य की जाँच की आवश्यकता होगी। जब लगातार दो बार की जाँच वीर्य को

शुक्राणुमुक्त घोषित कर दें, तभी पुरुष बिना किसी गर्भनिरोधक के इस्तेमाल के संभोग कर सकता है।

गर्भपात की दवा

हाल ही में सरकार ने गर्भपात के लिए एक दवा को मंजूरी दी है। इसे दवाई की दुकान से सीधे नहीं खरीदा जा सकता। यह महिला-रोग-विशेषज्ञों के पास उपलब्ध है। इसे गर्भावस्था के 49 दिनों या 7 हफ्ते के अंदर लेना होता है यानी मासिक के न होने के समय से 19-20 दिनों के बाद। दवा देने से पूर्व डॉक्टर बाह्योन्मुख गर्भ की संभावना का पता लगाकर उसे खारिज करेंगे। यह दवा दो दवाइयों से मिलकर बनी है, एक है—गर्भावस्था-विरोधी (एंटी प्रोजेस्टेरॉन) और दूसरा है—बहिष्कारक दवा (प्रोस्टोग्लैंडिन)। इस दवा को देने के बाद रक्तस्राव शुरू होकर 7 से 10 दिनों तक जारी रह सकता है। रक्तस्राव के रुकने के बाद अल्ट्रासाउंड किया जाता है, यह जाँच करने के लिए कि गर्भपात की प्रक्रिया पूरी हो चुकी है। अगर यह प्रक्रिया पूरी नहीं हुई है तो एक छोटा ऑपरेशन (D & C) किया जाएगा। अतः इस दवा को तभी लेनी चाहिए, जब किसी भी आनेवाले खतरे से निबटने के लिए चिकित्सीय सहायता और व्यवस्था उपलब्ध हों। इसकी सफलता की संभावना 95 प्रतिशत है। 5 प्रतिशत मामलों में D & C के द्वारा इसे सफल किया जाता है।

भविष्य के गर्भनिरोधक

अभी कई तरह के गर्भनिरोधकों पर अनुसंधान चल रहा है। हालाँकि अब तक कोई आदर्श समाधान नहीं निकल पाया है।

अभी गर्भावस्था रोकने के लिए वैक्सीन और इंजेक्शन के प्रयोग पर अनुसंधान चल रहा है, त्वचा के अंदर हार्मोन लगाने पर, गर्भनिरोधकों के उद्देश्य पर, हार्मोनों का संयोजन जिसे सूँघकर प्रयोग किया जा सकता हो, बेहतर क्वालिटी के कंडोम पर, अंडोत्सर्ग के सही समय को बतानेवाले प्रभावी तरीकों पर, ताकि जो लय का तरीका इस्तेमाल करना चाहते हों, उन्हें मदद मिल सके; इन सब पर अभी अनुसंधान चल रहा है। पुरुष के द्वारा प्रयोग की जानेवाली गोली में कई साइड इफेक्ट पाए गए हैं। पुरुष और महिला के ट्यूब को काटने की बजाय उसमें वाल्ब लगाने पर भी अनुसंधान चल रहा है, ताकि जरूरत होने पर बाद में उसे हटाया जा सके। कौन जानता है, भविष्य के गर्भनिरोधकों की क्या दिशा होगी!

15

स्तनपान

मुझे स्तनपान क्यों कराना चाहिए?

इसके लिए आपको किसी और चीज की आवश्यकता नहीं। माता का दूध पोषक-तत्त्वों से भरपूर और आसानी से उपलब्ध है। यह बच्चे में रोगों की रोकथाम भी करता है और सबसे बढ़कर इसमें पैसा नहीं लगता और उपभोक्ता की माँग के अनुसार दिया जा सकता है। यह रोगाणुहीन होकर ही आता है और उपयुक्त तापमान में होता है।

स्तनपान माता को वजन कम करने में मदद करने के साथ-साथ उसके गर्भाशय को भी सामान्य आकार में लाने में मदद करता है। जो महिलाएँ स्तनपान कराती हैं, उनमें छाती और गर्भाशय का कैंसर, एनीमिया और ओस्टियोपोरोसिस की संभावना भी कम होती है।

स्तनपान बच्चे को स्नेहिल और सुरक्षित महसूस कराने में मदद करता है। इससे माता और बच्चे के बीच का बंधन मजबूत बनता है।

माता, बच्चे और पूरे परिवार को बेहतर पोषण मिल सकता है, जबकि बोतल से दूध पिलाने में काफी पैसा और ऊर्जा खर्च होती है।

जिन बच्चों को स्तनपान कराया जाता है, वे ज्यादा क्रियाशील होते हैं।

बच्चे के समुचित विकास के लिए माता का दूध सर्वोत्तम होता है। यह बच्चे के मस्तिष्क के विकास में भी सहायता करता है। गर्भावस्था के दौरान माता के शरीर में चर्बी इकट्ठी होती रहती है, जो बच्चे को स्तनपान कराने के दौरान प्रयोग में आता है। माता के दूध में चर्बी और लैक्टोज (कार्बोहाइड्रेट) होता है, अतः बोतल से दूध पिलानेवाली महिलाओं के मुकाबले ज्यादा तेजी से आपका वजन कम होगा।

माता का दूध बच्चे को एलर्जी और दूसरी बीमारियों से भी बचाता है। माता का दूध हमेशा शुद्ध होता है, अतः स्तनपान करनेवाले बच्चों को पेट की तकलीफ कम होती है।

स्तनपान करानेवाले दिनों में अगर आप सही नाप का ब्रा पहनेंगी तो आपके वक्ष नहीं लटकेंगे। और यह भी याद रखना चाहिए कि बिना बच्चे को दूध पिलाए भी मोटापे और उम्र के कारण वक्ष तो लटक ही जाएँगे।

बच्चा कैसे स्तनपान करता है?

बच्चे के मसूड़े एरिओला, जो चूचक के पीछे का गहरे रंग का हिस्सा है, को दबाते हैं। चूचक तब बच्चे की ग्रसिका या गले की तरफ बढ़ जाता है और फिर बच्चा इसे अपने मुँह की छत या तालु से दबाकर जीभ से दूध निकालने लगता है।

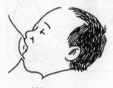

Wrong

अगर बच्चा एरिओला की बजाय माता के चूचक को ही चूसता रहेगा तो इससे माता को दर्द होगा। इस स्थिति में एरिओला का ज्यादातर हिस्सा दिखता रहेगा और बच्चा असंतुष्ट रहेगा, क्योंकि उसके मुँह में ज्यादा दूध नहीं जा पा रहा है।

Right

दूध की हर घूँट के लिए बच्चे को चूसना पड़ता है, इसलिए इससे जबड़े मजबूत होते हैं। और इससे बच्चे को दो घूँट के बीच में रुककर साँस लेने या इधर-उधर देखने का मौका भी मिल जाता है।

इसके विपरीत जो बच्चा बोतल से दूध पीता है, उसके मुँह में बोतल के निपल से लगातार दूध जाता रहता है और इसलिए वह जरूरत से ज्यादा पी लेता है। अतः मोटापे का बीज तो शुरुआत में ही बो दिया जाता है।

स्तनपान कैसे कराएँ?

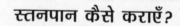

जब बच्चा दूध पीने के लिए पकड़ बनाता है और इससे आपको दर्द होता हो तो इसका मतलब यह है कि उसने ठीक ढंग से नहीं पकड़ा है। अगर बच्चे का मसूड़ा निपल पर दबाव बनाता है तो दर्द होगा। अगर बच्चे का मसूड़ा सही ढंग से निपल के पीछे के हिस्से को दबाता है तो फिर उसके चूसने से कोई तकलीफ नहीं होगी। चूसने की सही स्थिति दूध का निकलना भी जारी रखता है। अगर स्तन ज्यादा दूध के कारण कड़े हो गए हों तो

इस बात के संकेत कि बच्चे ने पकड़ बना ली है

1. जब बच्चा दूध चूसता और उसे निगलता है तो उसके कान के नीचे की मांसपेशियाँ हिलती हैं।
2. बच्चे की ठुड्ढी माँ की छाती को छूती है।
3. निचला होंठ बाहर की तरफ मुड़ा है।
4. एरिओला का ज्यादातर हिस्सा बच्चे के ऊपर के होंठ के ऊपर दिख रहा है और नीचे

माता को भी सुकून मिलता है।

दूध के निकलने के साथ स्तनों में एक घनघनाहट जैसी अनुभूति भी होती है।

अगर बच्चे को स्तनपान कराते समय दर्द हो रहा है तो उसका दूध पीना रोकने के लिए बच्चे के मुँह के अंदर दोनों मसूड़ों के बीच उँगली डाल दें। और फिर बच्चे के मसूड़ों का दबाव निपल पर न पड़े, उसके लिए उसके मुँह में स्तन का ज्यादा हिस्सा डालें, ताकि निपल के पीछे के काले हिस्से यानी एरिओला पर उसके मसूड़े का दवाब पड़े और सही पकड़ बन सके।

ऐसा करने के लिए जिस तरफ से दूध पिलाना चाहती हैं, उस तरफ बच्चे का गाल थपथपाएँ। बच्चा मुँह खोलकर उस तरफ घूम जाएगा। अब तेजी से बच्चे को अपने नजदीक सटा लें, ताकि वह सही पकड़ बना सके।

कोलोस्ट्रम पिलाने से बच्चा चूसने का ढंग सीखता है, ताकि जब दूध उतरने लगे तो चूसने से माँ को सुकून मिल सके।

अगर बच्चे को कोलोस्ट्रम नहीं पिलाया जाता है, और इसके बजाय उसे लगातार चीनी मिला हुआ पानी या बोतल से दूध पिलाया जाता है तो बच्चे को बोतल के निपल से बिना ज्यादा चूसे ही लगातार दूध मिलता रहेगा।

कुछ दिनों बाद जब दूध उतर आएगा तो स्तन नाजुक हो जाएँगे और दर्द होने लगेगा। जिस बच्चे ने कोलोस्ट्रम पी थी, वह दूध को चूसकर स्तन खाली कर देगा और आपको पीड़ामुक्त करेगा। लेकिन जिस बच्चे ने पहले स्तनपान नहीं किया है, उसे सीखने में समय लगेगा और इस सीखने के दौरान माँ को अच्छी-खासी तकलीफ देगा।

अगर बच्चा एक समय में पूरी तरह से एक स्तन से और दूसरे समय में दूसरे स्तन से दूध पीता है तो उसे चर्बी से भरपूर दूध मिलेगा। इससे माता

का वजन कम होगा और बच्चे का वजन बढ़ेगा। इससे दोनों स्तनों का दूध भी पूरी तरह खाली होता रहेगा। बच्चा एक स्तन को खाली करने में 20 से 30 मिनट का समय लेता है। अगर बच्चा अभी भी भूखा है तो आप थोड़ी देर के लिए उसे दूसरे स्तन से पिला सकती हैं। अगली बार उसी तरफ से शुरू करें, जिस तरफ से थोड़ी देर पिलाई थी।

स्तन का आकार

स्तन का आकार किसी भी तरह से दूध पिलाने में सफलता या असफलता को निर्धारित नहीं करता है। कभी छोटे स्तनों वाली महिला भी बड़े स्तनों वाली महिला की तरह ही कुशलतापूर्वक दूध पिला सकती है।

गर्भावस्था के दौरान आपके वक्ष का वजन 1½ किलो तक बढ़ जाएगा और जैसे-जैसे गर्भावस्था आगे बढ़ेगी, आपको बड़े साइज के ब्रा की आवश्यकता होगी। आपके ब्रा का साइज, 2 साइज बड़ा हो जा सकता है। यानी अगर आप 34 साइज का ब्रा पहनती हैं तो छठे महीने के बाद आपको 38 साइज की आवश्यकता पड़ सकती है।

बच्चे के जन्म के कुछ दिनों के बाद जब स्तनों में दूध आता है, तो वक्ष बड़े, भारी और तकलीफदेह हो जाते हैं। पहले 2-3 महीनों तक वक्ष बड़े ही रहेंगे। जब बच्चा कभी दूध नहीं पिएगा तो आपको भरे हुए या सख्त भी महसूस होंगे।

8-12 हफ्तों के बाद वक्ष पूर्ववत् अपने सामान्य आकार के हो जाएँगे और उसी प्रकार मुलायम महसूस होंगे जैसा गर्भावस्था के पहले थे। लेकिन इसका यह अर्थ नहीं कि अब आपमें दूध बनना बंद हो गया है। आप अभी भी बच्चे को दूध पिला रही हैं, तो बात सिर्फ इतनी-सी है कि अब माँग और पूर्ति में संतुलन स्थापित हो गया है और अब जरूरत से ज्यादा दूध-उत्पादन या स्तनों को ज्यादा भरने की आवश्यकता नहीं है।

जब कई महीनों तक स्तनपान कराना जारी रहता है तो कुछ महिलाओं को महसूस होता है कि उनके वक्ष गर्भावस्था के पहले के आकार से भी छोटे हो गए हैं। उन्हें फिर से अपना प्रारंभिक आकार पाने के लिए चर्बी चढ़ाने में समय लगेगा।

सपाट निपल

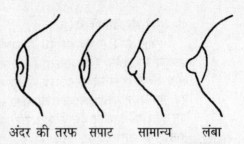

अगर आपके निपल वैसे नहीं हैं, जैसे आमतौर पर होते हैं और वे सपाट या गड्ढे जैसे हैं तो उन्हें हम सपाट या अंदर की तरफ मुड़े निपल कहते हैं। अगर आपके निपल सपाट हैं तो ठंड लगने पर, कामोन्मत्त होने पर या बच्चे को स्तनपान कराते समय निकल सकते हैं। सपाट निपल को अब कोई समस्या नहीं समझा जाता है। जैसे ही बच्चा चूसना शुरू करता है तो एरिओला के कुछ भाग और निपल के कुछ भाग से निपल की तरह का एक आकार बन जाता है। निपल में कम उभार होने से बच्चे को इसे चूसने के लिए मुँह में पकड़ने में कठिनाई हो सकती है।

अंदर की तरफ
सपाट
सामान्य
लंबा

उस स्थिति में निपल का उभार बढ़ाने के लिए सीरिंज वाला तरीका अपनाया जा सकता है।

जब उभार आ जाए तो सीरिंज को हटाकर, तुरंत बच्चे को स्तन से लगा लें। स्तन को दबाकर थोड़ा दूध निकाल देने से भी बच्चे के लिए एरिओला को पकड़ने में थोड़ी आसानी होगी।

अगर दूध पिलाते समय बच्चे को निपल चूसने में कठिनाई हो रही है तो पहले स्तनों को दबाकर थोड़ा दूध निकाल दें, जिससे कि स्तन मुलायम हो जाएँ और बच्चे

सीरिंज का तरीका

(निर्मला केसरी का तरीका)

आपको चाहिए एक 10 मि.ली. का सीटिंग और एक ब्लेड

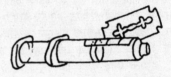

सीरिंज का दबाने वाला हिस्सा निकाल लें। जिस सिरे पर सूई लगाई जाती है, उसे ब्लेड से काटकर निकाल दें।

अब कटे हुए सिरे की तरफ दबाने वाले हिस्से को लगा दें।

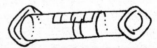

अब खुले हुए हिस्से को स्तन से लगाएँ। दबाने वाले हिस्से को आहिस्ता-आहिस्ता खींचते हुए निपल को उभारें।

को चूसने में आसानी हो।

आप हाथ से दबाकर दूध निकाल सकती हैं और उसके लिए ब्रेस्टपंप भी इस्तेमाल कर सकती हैं। स्तन मुँह से लगाते समय निपल और एरिओला अच्छी तरह बच्चे के मुँह में डाला जाना चाहिए। जब एक बार बच्चा पकड़ बना लेगा तो बाकी समय निपल उठा हुआ रहेगा। जब स्तन को दबाकर दूध निकाल रही हों, तो एक-दो बूँद निपल पर लगा हुआ छोड़ दें, यह बच्चे को दूध पीने को ललचाएगा।

जन्म के समय स्तनपान

अगर जन्म के 30 मिनट के अंदर बच्चे को आरामपूर्ण मुद्रा में रखकर माता के स्तन से लगा दिया जाए तो यह स्तन को पकड़ लेगा और चूसने लगेगा। क्योंकि बच्चा जन्म के साथ ही तीन अभिव्यक्तियाँ लेकर आता है–

- होमिंग इन रिफ्लेक्स–बच्चा एरिओला की तरफ बढ़ता है।
- रूटिंग रिफ्लेक्स–दूध पीने के लिए बच्चा माता के वक्ष के साथ स्वयं को जोड़ लेता है।
- सकिंग रिफ्लेक्स–बच्चा स्तन को चूसने लगता है।

अगर बच्चे को जन्म के बाद सही समय पर स्तनपान कराया जाए तो वह तुरंत वक्ष से जुड़ जाता है, नहीं तो बाद में इसे स्तनों में दूध भर जाने के कारण पीने में संघर्ष करना पड़ता है। इसके अलावा उस समय दूध पिलाने से कोलोस्ट्रम भी मिलता है, जो भले ही अल्पमात्रा में हो, लेकिन संक्रमण से उसकी रक्षा करता है।

जन्म के समय स्तनपान कराने से माता और बच्चे के बीच का जुड़ाव भी दृढ़ होता है। जे.सी.

शिशु-अनुकूल अस्पताल

अगर उनकी नीतियाँ स्तनपान को बढ़ावा देती हैं तो ऐसे कुछ अस्पतालों को शिशु-अनुकूल अस्पताल के रूप में चिह्नित किया जाता है। ऐसे अस्पतालों में वहाँ के डॉक्टर, सहायक और प्रसवकक्ष के स्टाफ, सामान्य प्रसव के 1 घंटे के अंदर और शल्यक्रिया से हुए जन्म के 4 से 6 घंटे के अंदर बच्चे को स्तनपान के लिए प्रवृत्त करते हैं। ऐसे अस्पताल सुलाने और पीड़ा दूर करनेवाली दवाइयों के सामान्य प्रयोग से भी परहेज करते हैं, क्योंकि ये बच्चे में अवसाद की स्थिति और जन्म के बाद उसके सकिंग रिफ्लेक्स को प्रभावित करते हैं।

इन अस्पतालों में स्वास्थ्य की देख-रेख के लिए नियुक्त स्टाफ को पूर्ण स्तनपान से होनेवाले फायदे और कृत्रिम दुग्धपान कराने से होनेवाले नुकसान के बारे में भी माता को बताना चाहिए। ऐसे अस्पतालों में बच्चे को नियमित रूप से 24 घंटे बच्चे को माता के पास रखा जाता है। इसलिए बच्चे का बिस्तर माता के कमरे में बिस्तर से सटा रहेगा।

शिशु-अनुकूल अस्पतालों को उनकी स्तनपान की नीतियों से संबद्ध पोस्टर ऐंटीनेटल क्लीनिक, मैटरनिटी वाड और स्पेशल केयर नर्सरी में लगाते हैं।

पियर्स की किताब 'मैजिकल चाइल्ड' (1980) के अनुसार, 'जुड़ाव के लिए समय का महत्त्व होता है। प्रकृति ने जन्म के तुरंत बाद के कुछ घूँटें बच्चे और माता के बीच जुड़ाव के लिए बनाया हुआ है।...जिस प्रकार साँस लेना सीखने की प्रक्रिया है। यह जुड़ाव के लिए महत्त्वपूर्ण समय है।'

जे.सी. पियर्स आगे बताते हैं कि जब माता बच्चे को जन्म के समय दूध पिलाती हैं, तो वह बच्चे की पाँचों इंद्रिय को प्रेरित कर देती हैं। पाँचों इंद्रियाँ यानी स्पर्श, सूँघने की शक्ति, दृष्टि (जन्म के एक घंटे बाद से बच्चा खुद से 6-12 इंच तक दूर व्यक्ति को निहारते रह सकता है), स्वाद और श्रवण (क्योंकि अधिकतर माताएँ दूध पिलाते समय बच्चे से बात करती हैं)। बदले में यह मस्तिष्क की जाल जैसे निर्माण (मस्तिष्क का वह भाग जो पाँचों इंद्रिय से संवाद ग्रहण करता है) को प्रेरित करता है। यह बच्चे को उसके पूरे जीवन के लिए मस्तिष्क और पाँचों इंद्रिय के बीच बेहतर तालमेल प्रदान करता है।

जब ऐसा होता है, तो एड्रोलिन स्टेरॉयड का सारा उत्पादन छोटी अवधि में ही गायब हो जाता है और बच्चा इसके परिणामस्वरूप सबकुछ जान-बूझकर आरामपूर्ण रहता है। फिर वह सबकुछ जागरूकता और शांतिपूर्ण दिमाग के साथ सीखता है।

साथ रहना

माँ के लिए सबसे अच्छा होता है कि उसका बच्चा उसके पास उसके कमरे में ही रहे और बच्चे को जब भूख लगे, उसे स्तनपान करा दिया जाए। शुरू-शुरू में जब स्तनों में दूध नहीं उतरा है, और कोलोस्ट्रम क्योंकि भारी होता है, इसलिए बच्चा उस दौरान बिना दूध माँगे भी लंबे समय तक सोता रहता है। इससे माता को जरूरी आराम मिल जाता है। इससे बढ़कर, कोलोस्ट्रम और माता के दूध से एक सुरक्षा-कवच मिल जाता है, जो इसे अस्पताल और मिलने के लिए आनेवालों से संक्रमित होने से बचाता है।

हममें से हर किसी के शरीर में कुछ-न-कुछ बैक्टीरिया और रोगाणु होते हैं। जब बच्चा माता के पास होता है, तो

इसमें माता के समान ही बैक्टीरियाई वनस्पति विकसित हो जाता है। जब वह नर्सरी में होता है, तो वह उस नर्स के बैक्टीरियाई वनस्पति को ग्रहण कर सकता है, जो हो सकता है, किसी संक्रमण से ग्रसित हो और बच्चे को छूने से पहले हाथ नहीं धोएँ हों। और हो सकता है, बच्चे ने माँ का रोगों, संक्रमण इत्यादि से लड़ने वाला कोलोस्ट्रम लेने की बजाय बोतल से दूध लिया हो, जो उसके संक्रमित होने के प्रति और संवेदनशील बना देगा। इसलिए बेहतर यही होगा कि बच्चा माँ के साथ रहे। ग्लूकोज मिला पानी या बोतल का दूध, जाँच करने के उद्देश्य से कभी-कभार दिया जा सकता है। अगर यह जाँच-आहार बच्चे के फेफड़ों में महाप्राणित हो जाता है तो यह बच्चे के फेफड़े को उत्तेजित कर सकता है। दूसरी तरफ कोलोस्ट्रम अगर फेफड़ों में महाप्राणित हो भी जाता है तो इससे फेफड़े उत्तेजित नहीं होंगे, बल्कि इसे आत्मसात् कर लिया जाएगा।

आपको अगर घर में काफी मेहमानों के आने की उम्मीद है तो आप बच्चे के झूले में एक सूचना चिपका सकती हैं, 'कृपया मुझे न छूएँ।' या फिर बच्चे को माँ के पास लिटा दें और कहें कि डॉक्टर ने बच्चे को माँ के पास ही रखने को कहा है। अगर छोटे बच्चों के साथ ऐसा करें तो यह काफी अच्छी बात होगी, क्योंकि बच्चा का माँ के शरीर की गर्मी से ही काम चल जाएगा और उसे अपने तापमान-नियंत्रण-यांत्रिकी का ज्यादा प्रयोग नहीं करना पड़ेगा। या फिर आप यह निर्देश चिपका सकती हैं, 'कृपया मुझे गोद लेने से पहले अपने हाथ धो लें' या 'अगर आप अस्वस्थ हैं तो मुझे गोद न लें।'

सिर्फ स्तनपान

छह महीनों तक सिर्फ स्तनपान ही करवाने की सलाह दी जाती है। यानी दूसरा दूध, पानी या मसला हुआ भोजन देने की आवश्यकता नहीं है। माता के दूध में बच्चे के लायक पर्याप्त जल होता है। जब माता स्तनपान करा रही है, तो उसे खूब पानी पीना चाहिए और पोषक आहार खाने चाहिए।

लगातार स्तनपान की चाह

कुछ बच्चे चाहते हैं कि वे हमेशा माता के स्तनों से चिपके

रहें। एक माता के अनुसार, हर 10-15 मिनट में उनका बच्चा दूध पीना चाहता है। लेकिन जब उसे स्तन से लगाया जाता है तो ठीक से दूध नहीं पीता, इसलिए उन्होंने उसे बोतल पकड़ा दिया। जब जाँच की गई तो पता चला कि वह बच्चे को सिर्फ दूध पिलाते समय ही गोद लेती थीं। इसलिए बच्चा दूध नहीं चाहता था, बल्कि वह माता के स्तनों में प्यार और आराम ढूँढ़ रहा था। अगर कोई बच्चा लगातार पीते रहना चाहता है तो वह पोषक दूध नहीं, बल्कि प्यार और आराम चाहता है। बच्चे को खूब प्यार करने और दुलारने से उसके छद्म भूख में कमी आएगी, क्योंकि वह सिर्फ यही चाहता है कि माँ के पास रहे और सुरक्षित महसूस करे।

दूसरा समय, जब बच्चा लगातार पीना चाहता है, वह है उसके विकास का समय। जब बच्चा बढ़ता है तो उसे ज्यादा दूध चाहिए। ज्यादा दूध पिलाने से दूध ज्यादा बनता भी है। अतः अगर बच्चा ज्यादा दूध की माँग करने लगा है तो काम से एक-दो दिन की छुट्टी लें, बिस्तर में रहें, खूब खाए-पिएँ और जब बच्चा चाहे उसे दूध पिलाएँ। जब ज्यादा दूध बनने लगेगा तो बच्चा भी ज्यादा बार नहीं पीएगा।

स्तनों से रिसाव

जब एक बार स्तनपान व्यवस्थित हो जाता है, तो हो सकता है कि नहाने के बाद स्तनों से दूध रिसने लगे। या फिर आप एक तरफ से पिला रही हैं तो दूसरी तरफ से रिसने लगे। कभी-कभी दूध पिलाने का समय हो जाने पर भी या माँ अगर सिर्फ बच्चे के बारे में प्यार से कुछ सोच रही है, तब भी दूध रिसना शुरू हो सकता है। इस दौरान 'वाटरप्रूफ' ब्रा ना ही पहनें, क्योंकि इससे निपल तर-बतर रहता है और सूज जाता है। जब दूध की माँग और पूर्ति में संतुलन आ जाएगा तो स्तनों से रिसाव में भी कमी आएगी। जब कुछ लोगों के बीच जाना हो तो पुरुषों के द्वारा इस्तेमाल किए जानेवाले रूमाल को तह करके उसके ऊपर रूई रखकर ब्रा के अंदर डाल सकती हैं, ताकि रिसाव से आपके वस्त्र नहीं भींगें। आप बच्चे को सूखा रखने वाली नैपी पैड या ब्लॉटिंग पेपर को भी रूमाल और ब्रा के बीच रखकर उन्हें सूजन से बचा सकती हैं।

लेट डाउन रिफ्लेक्स

यह ऐसी क्रिया है, जिसके कारण बच्चों को स्तनपान कराते समय छातियों में दूध उतरकर प्रवाहित होने लगता है। अगर माता घबरायी हुई, तनावपूर्ण, अत्यधिक आत्म-चिंतित इत्यादि है तो इससे दूध प्रवाहित होने में बाधा उत्पन्न हो सकती है। अतः यह महत्त्वपूर्ण है कि स्तनपान करा रही महिला आरामपूर्ण हो, ताकि उसके दूध का सतत प्रवाह होता रहे। अगर तनाव 'लेट डाउन रिफ्लेक्स' को रोक देता है या उसमें बाधा उत्पन्न करता है तो स्वयं को शिथिल करने के लिए माँ एक गिलास वाईन या बीयर ले सकता है। वाईन और बीयर, दोनों में अल्कोहल कम मात्रा में होता है, जो माता को शिथिल करने के लिए पर्याप्त होता है। बीयर स्तनस्रवन में मददगार माना जाता है।

बच्चे की बीमारी के समय स्तनपान

सर्दी, फ्लू या बुखार के कारण आपको स्तनपान कराना बंद नहीं करना चाहिए। हालाँकि जब डॉक्टर आपको दवाई लिखें तो उन्हें यह अवश्य बताएँ कि आप स्तनपान करा रही हैं। जब तक संभव हो स्तनपान कराते रहना चाहिए, ताकि माता के दूध में मौजूद रोधक्षमता का बच्चे को सर्वाधिक फायदा मिल सके। संक्रमित माता अपने संक्रमण से लड़ने के लिए अपने शरीर में रोगप्रतिरोधी पैदा करती है। फिर यह माता के दूध से स्रावित होता है। उसके बाद यह बच्चे के लिए उपलब्ध होता है और संक्रमणों से इसकी रक्षा करता है।

जब स्तनपान करा रही हों, टेट्रासाइक्लिन और स्ट्रेप्टोमाइसिन, स्टेरॉयड और सल्फा ड्रग्स जैसे रोगप्रतिकारकों के इस्तेमाल से बचना चाहिए। कुछ मृदुविरेचकों से बच्चे को उदरशूल या दस्त लग सकते हैं। थायरॉयड-प्रतिरोधी दवाओं से घेंघा रोग हो सकता है। स्कंदरोधी और एस्पिरिन की ज्यादा खुराक से बच्चे में रक्तस्राव की समस्या हो सकती है।

नींद लाने वाली दवाइयाँ, जैसे—वैलियम, अनिद्रा और स्तनपान कराने में समस्या का कारण बन सकती हैं।

स्तनपान अचानक बंद करना

अगर किन्हीं कारणों से आपको स्तनपान कराना अचानक बंद करना पड़ता है तो ऐसा अपने डॉक्टर की देख-रेख में ही करें। डॉक्टर आपको एक सुरक्षित दवाई, ब्रोमोक्रिप्टिन देंगे, जो दूध को सुखा देगा। अगर आप अपने आप ही स्तनपान कराना बंद कर देती हैं तो इससे आपको काफी तकलीफ हो सकती है। स्तनपान धीरे-धीरे बंद कराना बेहतर रहेगा।

दूध पिलाने के लिए स्तनों की तैयारी

दूध पिलाने के लिए स्तनों और निपल को तैयार करने के लिए गर्भावस्था के छठे महीने से स्तनों की तैयारी की कुछ तकनीक अपनानी होगी।

बच्चे के चूसने के ढंग को ध्यान में रखते हुए माता के निपल को सख्त करना आवश्यक है, ताकि उनमें दरारें और सूजन न आएँ। एक सूखे तौलिए से निपल की नोंक को साफ करें। आप पाएँगी कि सूखी पपड़ी गिर रही है। इससे घबराएँ नहीं। कभी-कभी कोलोस्ट्रम की बूँद अनजाने में ही निकलकर निपल की नोंक के ऊपर सूख जाती हैं, उनपर पपड़ी पड़ जाती है।

दोनों निपल को सिगरेट की तरह यानी अँगूठे के बाद वाली और बीच की उँगली के बीच पकड़ लें। अब से 50 बार अंदर और बाहर की ओर या आगे और पीछे की ओर खींचें। निपल को हल्के से ही पकड़ें। अगर आप निपल पर उँगलियों से दबाव डालेंगी तो दर्द हो सकता है।

सावधानी

अगर आपको समयपूर्ण संकुचन, रक्तस्राव या फिर वैसा होने की प्रवृत्ति है या उसके लिए दवाइयाँ ले रही हैं, तो छठे महीने से स्तनों की तैयारी ना करें। इसके बजाय प्रसव के निर्धारित समय से 15 दिन पूर्व ऐसा करें।

हर बार जब बच्चा चूसता है, तो इसके मसूड़े निपल के पीछे के हिस्से पर दबाव डालता है और निपल और भी बच्चे के मुँह के अंदर गले की तरफ चला जाता है, जहाँ से दूध सीधा अंदर चला जाता है। इस प्रकार आप अपने स्तनों को दूध पिलाने के लिए तैयार कर रही हैं।

अगर आपको अच्छा लगे तो इसे प्यार करते समय भी कर सकती हैं। यानी प्यार करते समय स्तनों को चूसने का काम पति कर सकते हैं। एरिओला अर्थात् निपल के पीछे के काले हिस्से को अँगूठे और उसके बाद वाली उँगली से पकड़कर दबाएँ। ऐसा दो बार करें। आप देखेंगी कि तरल बूँदें निपल की नोंक पर आ गई हैं। अगर बूँदें न भी आएँ तो परेशान न हों। धीरे-धीरे, कुछ हफ्तों में बूँदें आने लगेंगी।

तरल बूँदों को पोंछ दें और कोई प्राकृतिक तेल निपल और एरिओला पर आहिस्ता से लगा दें। आप नारियल तेल, घी या बादाम का तेल लगा सकती हैं। सिंथेटिक या पेट्रोलियम के आधार वाली तेल के प्रयोग से अगर बच सकें तो ज्यादा अच्छा। सुगंधित और विटामिनयुक्त तेल के प्रयोग से भी बचें।

स्तनपान कराते समय

मोंटगोमरी ट्यूबरकल्स (एरिओला के चारों तरफ के नन्हे उभार) के द्वारा चिकनाई स्रावित करने का शरीर का अपना ही तंत्र है, जिससे निपल मुलायम और तैलीय रहते हैं। हालाँकि नहाते वक्त साबुन के प्रयोग से यह धुल जाता है, इसलिए महिलाएँ इसपर तेल लगाना उपयोगी मानती हैं। स्तनपान कराने के दौरान नारियल तेल का प्रयोग करती रहें। यानी दूध पिलाने के बाद निपल और एरिओला के ऊपर तेल की एक हल्की परत लगा लें। अगला स्तनपान कराने से पहले उबले हुए पानी में रूई भिंगोकर निचोड़ लें और उससे निपल और एरिओला को साफ कर लें। अतः एक ढक्कन वाले बर्तन में उबले हुए पानी में रूई के छोटे-छोटे टुकड़े डुबोकर रखे रहें। दोनों स्तनों के लिए अलग रूई के टुकड़े का प्रयोग करें। इससे सिर्फ आप तेल ही नहीं पोंछेंगी, बल्कि जमे हुए दूध, पसीना और कपड़ों के धागे या रोओं को भी साफ कर पाएँगी।

अगर दूध पिलाते समय आपको हल्के संकुचन का अनुभव हो तो प्रसव के समय करनेवाले शिथिलता के व्यायाम से इससे निबटें। दूध पिलाने के दौरान ऑक्सीटोसिन हार्मोन निकलता है, जो गर्भाशय में संकुचन लाकर इसे वापस इसके सामान्य आकार में आने में मदद करता है। अतः दुग्धपान कराते समय आपका गर्भाशय ज्यादा आसानी से अपने प्रारंभिक आकार में आता है।

दूध से पहले

गर्भावस्था के उत्तरार्द्ध में यानी आखिरी तीन महीनों में महिलाएँ अपने स्तनों से एक पीले स्राव को निकलता पाती हैं। अगर यह उनकी नजर में नहीं भी आता, तब भी कुछ बूँदें निकलकर निपल की नोंक पर ठहर जाती हैं और सूखकर पपड़ी बन जाती हैं।

इसे कोलोस्ट्रम या दूध से पहले का स्राव कहते हैं। स्तनों में दूध उतरने से पहले यह बच्चे को पिलाया जाता है। दूध उतरने में दो से चार दिन लग सकते हैं। लगभग 10 दिनों तक दूध में कोलोस्ट्रम मिला रहता है, जिसके कारण यह गाढ़ा और क्रीमी दिखता है। पहले कोलोस्ट्रम को अशुद्ध दूध माना जाता था और महिलाओं को इसे बच्चे को पिलाने से मना किया जाता था। यह दादी माँ की कहानियों में से एक है, जिसे नजरअंदाज ही करना चाहिए। बच्चे को कोलोस्ट्रम पिलाना फायदों से भरपूर है। इसे बच्चे को जरूर पिलाया जाना चाहिए।

कोलोस्ट्रम

इसमें माता के बाद के दूध के मुकाबले ज्यादा प्रोटीन; लेकिन कार्बोहाइड्रेट और चर्बी कम होती है। प्रोटीन बच्चे को भरेपन का एहसास दिलाती है, इसलिए जीवन के शुरुआती दिनों में बच्चा स्तनपान के बाद ज्यादा देर तक संतुष्ट और सोया रहता है। साथ-ही-साथ इससे माता को भी आराम का मौका मिल जाता है।

माता के बाद के दूध में भी रोगप्रतिरोधी मौजूद होते हैं, लेकिन कोलोस्ट्रम में ये ज्यादा मात्रा में होते हैं। बाद

में बच्चे के शरीर में ही रोगप्रतिरोधी बनने लगेगा; लेकिन शुरुआती महीनों में यह स्वयं ऐसा नहीं कर सकता और इसके लिए माता पर आश्रित रहता है। कई बैक्टीरियाई और वायरल, जिससे या तो माता ग्रसित थी या जिन बीमारियों के टीके उसे दिए गए हों, इनसे बच्चे को ये रोगरोधी बचाते हैं। इनमें निमोनिया, कुकुरखाँसी, ई-कोलाई, गैस्ट्रोएनट्राइटिस, टायफाइड, फ्लू, दस्त, टेटनस इत्यादि शामिल हैं। हालाँकि बच्चे की रक्षा कभी-कभी तो पूरी होती है या कभी आंशिक तौर पर ही होती है, लेकिन कोलोस्ट्रम और माता के दूध से बच्चे को ये रोगरोधी दिए जाने आवश्यक हैं, जब तक कि बच्चे का शरीर अपना रोगरोधी बनाना न शुरू कर दे। इस अवधि को इक्यूनिटी गैप कहते हैं।

कोलोस्ट्रम में जिंक और कैल्शियम जैसे खनिज और विटामिन A, B_6, B_{12} और E भी होते हैं। इसमें मृदुविरेचक भी होता है, जो बच्चे को पहला पाखाना करवाने में मदद करता है। यह पाखाना काला और चिपचिपा होता है। इसमें दूध के मुकाबले ज्यादा कोलेस्ट्रॉल होता है, जो इस समय तंत्रिका-तंत्र के विकास के लिए और जीवन के बाद के दिनों में कोलेस्ट्रॉल से लड़ने के लिए महत्त्वपूर्ण है।

पूर्ण विकसित दूध

शुरुआती कुछ दिनों के अंदर ही कोलोस्ट्रम धीरे-धीरे पूर्ण विकसित दूध में बदल जाता है। इसमें अचानक बदलाव नहीं आता। जितना ज्यादा बच्चा दूध पिएगा, उतनी ही जल्द दूध बड़ी मात्रा में बनने लगेगा। अगर माता बच्चे को लगातार दूध नहीं पिला रही है तो इसे आने में 4-5 दिन भी लग सकते हैं।

इस दौरान स्तनों से दूध जैसा ही दिखने वाला कोलोस्ट्रम निकलता है। बाद में यह पूर्ण विकसित दूध में बदल जाता है।

पूर्ण विकसित दूध पतला, सफेद या सफेद में हल्का नीलापन जैसा दिखता है। स्तनपान के प्रथम वर्ष में, दूध में मौजूद प्रोटीन की मात्रा में धीरे-धीरे कमी आती है, भले इस दौरान माता का आहार कैसा भी हो। इसका कारण यह है कि पहले छह महीनों में जब दूध में प्रोटीन की मात्रा सर्वाधिक होती है तो उस दौरान बच्चे की वृद्धि भी काफी तेजी से होती है।

एनगॉर्जमेंट

प्रसव के कुछ दिनों के पश्चात् जब स्तनों में दूध उतरता हैं तो उसमें नाटकीय परिवर्तन होता है। उस दौरान स्तन काफी बड़े, सख्त, संवेदनशील, भरे हुए और तकलीफदेह हो जाते हैं। यह परिवर्तन स्तनों में रक्त-प्रवाह में वृद्धि और समुचित दूध-उत्पादन के कारण होता है। इस भारी और असुविधाजनक अवधि को 'एनगॉर्जमेंट' कहते हैं। यह प्रायः 24-48 घंटे तक रहता है।

एनगॉर्जमेंट से कैसे निबटें

अगर एनगॉर्जमेंट होता है तो स्तनों को खाली कर देने से तकलीफ से आराम मिलेगा। ऐसा करने के लिए पहले स्तनों में थोड़ा तेल लगाएँ। फिर अपने दोनों हाथों को छाती और स्तनों से लगाकर, निपल की तरफ धीरे-धीरे सरकाएँ। जब उँगलियाँ एरिओला के पास पहुँचे तो उसे दबाकर थोड़ा दूध निकाल दें। ऊपर और नीचे से एरिओला पर दबाव बनाने के बाद अब दूसरी तरफ से ऐसा ही करें। एक स्तन पर कई बार ऐसा करें। फिर ऐसा दूसरे स्तन के साथ भी करें। इन बूँदों को तौलिए पर इकट्ठा कर सकती हैं।

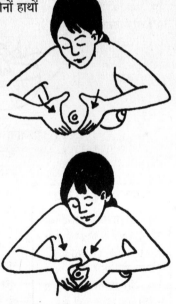

कभी-कभी एनगॉर्जमेंट के कारण बच्चे को निपल और एरिओला को पकड़ने में कठिनाई हो सकती है। उस स्थिति में माँ, एरिओला को दबाकर थोड़ा दूध निकाल सकती है। ऐसे में स्तन थोड़ा खाली हो जाएगा और फिर बच्चे को पकड़ने में आसानी होगी।

स्तनपान के तुरंत बाद के ठंडे दबाव से रक्त-वाहिकाओं में संकुचन आता है, जो एनगॉर्जमेंट को रोकता है। दूसरी तरह से, स्तनपान कराने से पहले हल्के गर्म जल से स्नान करने से भी वक्ष मुलायम और निपल खड़े हो जाते हैं।

दूध निकालना

हाथों से दूध निकालकर, बाद में बच्चे को पिलाने के लिए इकट्ठा करने के लिए ऐसा समय चुनें जब आप ज्यादा हड़बड़ी में न हों। अपने हाथों को साबुन से धोकर, अलग रखे हुए तौलिए से पोंछ लें। एक बार जब दूध प्रवाहित होने लगे तो एरिओला के दोनों तरफ चित्र में दर्शाए गए तरीके से दबाव डालें। बच्चे को एक तरफ से पिलाने के बाद आप दूसरे स्तन से भी दूध निकाल सकती हैं। दूध निकालना शुरू करने के पहले आप एक गर्मागर्म तौलिया वक्ष को सुकून पहुँचाने के लिए उसपर डाल सकती हैं। हाथों से निकालते समय दूध धीरे-धीरे बाहर आता है। जब बच्चा पीता है, तब उसका प्रवाह ज्यादा होता है।

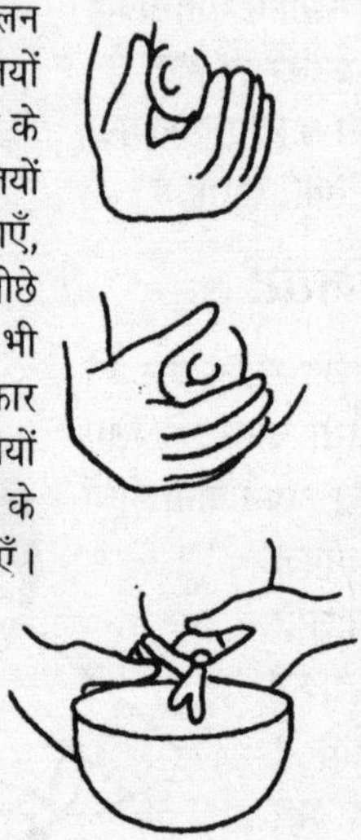

दूध निकालने के लिए एरिओला और स्तन के मुलायम मिलन स्थान पर अँगूठे और उँगलियों से दबाएँ। कुछ बार दबाने के बाद, अपने अँगूठे और उँगलियों को पीछे वक्ष की ओर ले जाएँ, ताकि आप एरिओला से पीछे स्थित दुग्ध-वाहिकाओं पर भी दबाव डाल सकें। इस प्रकार दबाते हुए अपनी उँगलियों और अँगूठे को एरिओला के चारों तरफ वृत्ताकार घुमाएँ।

इस दूध को पिलाने से पहले उबाला नहीं जाना चाहिए। बस दूध को किसी बोतल में डालकर, बोतल को गर्म पानी में डाल दें, ताकि दूध हल्का गर्म हो जाए, फिर पिला दें। फ्रिज में रखने पर हो सकता है कि दूध का पानी और चर्बी अलग-अलग हो जाएँ, लेकिन इसका यह मतलब नहीं कि दूध खराब हो गया है। अगर दूध बर्फ जैसा ठंडा नहीं है तो हल्का ठंड दूध बच्चे को पिलाने में कोई हर्ज नहीं। अगर दूध रात में पिलाना है तो सुबह ही दूध निकाल लें, क्योंकि उस समय रात के आराम के बाद दूध का उत्पादन ज्यादा होता है। या फिर रात में दूध निकाल लें, ताकि अगले दिन दोपहर को पिला सकें। आप निकाले गए दूध को बिस्तर के पास भी रख सकती हैं। इससे यह फायदा होगा कि अगर आप सोची हुई हैं या फिर नहा रही हैं या फिर कुछ देर के लिए बाहर गई हैं, और इस

निकाला हुआ दूध

कमरे के तापमान पर गर्मियों में भी, स्तनों से निकाला गया दूध 6-8 घंटों तक खराब नहीं होता। यह फ्रिज में 24 घंटों तक और फ्रिजर में 1 से 3 महीने तक खराब नहीं होगा।

बीच बच्चा उठ जाए तो उसे यह दूध पिलाया जा सकता है। हर 8 घंटे बाद बचा हुआ दूध फेंक दें और फिर से बर्तन को कीटाणुरोधित कर उसमें दूध इकट्ठा करें।

ब्रेस्ट पंप से भी स्तनों से दूध निकाला जा सकता है।

बल्ब टाइप

इसमें ऊपर रबड़ का एक बल्ब लगा होता है और

बाकी हिस्सा काँच का होता है। पहले रबड़ बल्ब को दबाकर फिर काँच वाले हिस्से को निपल और एरिओला के ऊपर रख दिया जाता है। फिर रबड़ बल्ब के ऊपर से दबाव हटाया जाता है। इससे दूध स्तनों से खिंचकर बाहर निकल आता है। इस पंप की बुरी बात यह है कि रबड़ बल्ब को उबालकर कीटाणुरोधित नहीं किया जा सकता। अगर इससे दूध निकालती हैं, तो उसे फेंक दें।

ब्रेस्ट पंप के द्वारा स्तनों से दूध निकालना

सीरिंज टाइप

यह एक आयातित ब्रेस्ट पंप किट है, जो सीरिंज की कार्यपद्धति के अनुसार ही कार्य करता है। यह बड़े शहरों के कुछ खास दवा की दुकानों पर उपलब्ध है।

सावधानी

दूध निकालने में प्रयुक्त सारे उपकरणों को पहले उबालकर कीटाणुरोधित कर लेना चाहिए। अगर उन्हें कीटाणुरोधी घोल में डालकर ऐसा किया गया है तो प्रयोग करने से पहले उसे उबले पानी से धो लेना चाहिए। कीटाणुरोधी घोल में कोई धातु नहीं डालनी चाहिए।

बैटरी से चलनेवाला

यह संस्करण घरेलू उपयोग के लिए उपलब्ध है। यह सर्वाधिक उपयोगी तब होता है, जब स्तन पूरी तरह से भरे हों। यह हाथों से चलाए जानेवालों पंपों से बिलकुल विपरीत होता है।

विद्युत् से चलनेवाला

यह आमतौर पर अस्पतालों में प्रयोग किया जाता है।

स्तनों से निकाले गए दूध को पिलाना

निकाले हुए दूध को गिलास से या फिर कटोरे और चम्मच से पिलाया जा सकता है।

हिचकी

कुछ बच्चों को स्तनपान के बाद हिचकियाँ आती हैं। इसमें घबराने वाली कोई बात नहीं, लेकिन कुछ माता-पिता बच्चे को जोर से हिचकी लेता देख चिंतित हो जाते हैं। यह सामान्य है और ठीक हो जाएगा।

अगर गिलास का प्रयोग कर रही हों तो गोल और मुड़े हुए किनारे वाला गिलास अच्छा रहेगा। इसमें तेज धार नहीं होनी चाहिए। मुड़े हुए किनारे वाली कटोरी का भी प्रयोग किया जा सकता है। निकाला गया दूध गिलास, कप या कटोरे में लें। अपनी गोद में बच्चे को लिटाएँ और उसका सिर थोड़ा उठाएँ। कटोरे का किनारा बच्चे के निचले होंठों से लगाएँ और कटोरे को थोड़ा उठाएँ, ताकि दूध बच्चे के होंठों तक पहुँच जाए।

बच्चा दूध की उपस्थिति को महसूस कर अपनी जीभ से उसी तरह पीना शुरू कर देगा जैसे एक छोटा कुत्ता पीता है। जब दूध का स्तर नीचा हो जाए तो कटोरे को थोड़ा और ऊपर उठाएँ। अगर किसी बच्चे को पहले बोतल से दूध दिया जा रहा था, अब अगर उसे कटोरे से पिलाना शुरू करेंगी तो शुरू-शुरू में वह अपनी बाँहें फेंककर थोड़ा विरोध करेगा। इससे थोड़ा दूध इधर-उधर गिर सकता है, अतः बच्चे को दूध पिलाने से पहले उसे या तो बिब पहना दें या फिर किसी से कहें कि वह बच्चे का हाथ पकड़े। दूसरा तरीका यह होगा कि दूध पिलाने से पहले बच्चे को कपड़े के एक टुकड़े में लपेट लें, ताकि वह हाथ न फेंक पाएँ। धीरे-धीरे वह इसे अपना लेगा।

दूध पिलाने का परंपरागत
कप या पलादी

आप बच्चे को ऊपर बताए गए तरीके से गोद में लिटाकर चम्मच से भी पिला सकती हैं। पलादी या परंपरागत कप का भी इस्तेमाल किया जा सकता है।

जब बच्चा बड़ा होने लगे तो स्तन के दूध के अलावा उसे सूप, जूस, पानी, दूध या दूसरा कोई तरल भी इसी प्रकार पिलाया जा सकता है।

अगर बच्चे का नाक अवरुद्ध हो जाए

अगर एनगॉर्जमेंट के कारण स्तन काफी भर जाता है, जिसके कारण वक्ष के मुलायम उत्तक बच्चे की नाक को दबाते हैं और बच्चा

घबराहट में स्तन से मुँह हटा लेता है, तो बच्चे की नाक छुड़ाने के लिए स्तनों को न दबाएँ। इससे निपल ऊपर की तरफ उठ जाएगा और इसके परिणामस्वरूप यह बच्चे के मुँह के छत से टकराएगा। इससे निपल की नोंक पर स्थित दुग्धवाहिनी अवरुद्ध हो जाएगी और इससे निपल में दरारें आ जाएँगी या सूज जाएँगी।

स्तनों को नीचे की तरफ दबाने की बजाय, अपनी सारी उँगलियों को स्तन के नीचे ले जाएँ और उसे ऊपर की ओर उठाएँ। अँगूठे को शिथिल रहने दें। इससे स्तन के समुचित भाग छाती की ओर झुक जाएगा। इससे बच्चे को दुग्धपान के लिए निपल सही कोण पर भी मिल पाएगा।

अगर सर्दी-जुकाम के कारण बच्चे का नाक अवरुद्ध हो गया है तो दूध निकालकर चम्मच या कप से पिला सकती हैं। दूसरी तरफ आप नाक को साफ करने के लिए लवणीय घोल (सेलाइन सॉल्यूशन) की बूँदें भी उसके नाक में डाल सकती हैं।

स्तनपान का समय

बच्चा जब-जब दूध की माँग करे, उसे तब-तब पिलाया जाना चाहिए। अस्पताल की समय-सारिणी, घड़ी देखकर बच्चे को दूध पिलाने को बढ़ावा देती है। यह नियमित समय-सारिणी बोतल के दूध के हिसाब से तय की गई है और इसका स्तनपान कराने से कोई लेना-देना नहीं है।

स्तनों में दूध उतरने और उसका प्रवाह स्थापित होने में कुछ मिनट लग सकते हैं। यह देख-रेख में हुई घबराहट, असुविधा होने के डर, पिलाते समय होनेवाले संकुचन इत्यादि के कारण हो सकता है। अतः अगर बच्चे को जल्दी से स्तनों से हटा दिया जाता है तो प्रवाह उतना ही मद्धम होगा।

पहले कुछ दिनों में जब तक बच्चा पीना चाहे, उसे स्तनों से लगाकर रखना चाहिए। यह समय एक बार में 20-30 मिनट का हो सकता है। जितना ज्यादा दूध खाली होगा, दूध बनने की प्रक्रिया भी उतनी ही सफल होगी।

स्तनपान कराते समय शिथिल रहें

स्तनपान कराते समय शिथिलतापूर्वक रहना महत्त्वपूर्ण है। अगर आप शिथिलतापूर्वक नहीं रहेंगी तो स्तनों में दूध उतरने में कठिनाई होगी, यानी अगर आप तनाव में हैं तो दूध का प्रवाह नहीं होगा।

अतः दूध पिलाने के समय ऐसी शांत जगह चले जाना अच्छी बात होगी, जहाँ कोई डिस्टर्ब न करे। आप अपने साथ दूध पिलाते समय कोई पेय रख सकती हैं।

अगर आप दूध पिलाते समय तनावपूर्ण हैं तो बच्चा तुरंत इस बात को भाँप लेगा और हो सकता है, स्तनों से अलग ही न होना चाहे। इसका यह मतलब नहीं कि यह भूखा है, बल्कि यह आराम और सुरक्षा के लिए वक्ष से लगा हुआ है। अतः आरामपूर्ण रहना महत्त्वपूर्ण है।

अगर आपके घर में ऐसी जगह की कमी है तो निजता के लिए अपने बिस्तर के सामने पर्दा डाल सकती हैं। या आप स्वयं को और बच्चे को ढकने के लिए हल्के स्कार्फ, नेट या जार्जेट इस्तेमाल कर सकती हैं।

रात्रि में स्तनपान कराना

नए जनमे बच्चों को उनके वजन और तेज वृद्धि के कारण लगातार पिलाते रहने की आवश्यकता होती है। जब तक बच्चे का वजन 10 पाउंड न हो जाए यह रात में दूध पीने के लिए उठता रहेगा। एक बार जब वह 10 पाउंड का हो जाएगा तो भूख से उठे बिना 5 घंटे तक आराम से सो सकता है।

जब रात में आप सोने के लिए बिस्तर पर जाएँ तो बच्चे को एक दुग्धपान कराने का प्रयास करें। जब बच्चा रात को दूध पीने के लिए उठे तो उसे बिस्तर में ही दूध पिलाकर अपने साथ फिर से सुला लें। अपने पास एक नैपी पैड और एक टॉर्च रखकर सोएँ। आप रातभर जीरो वॉट का एक बल्ब भी जलाए रख सकती हैं। बच्चा भूख के मारे गला फाड़कर रोने लगे, तब

तक दूध पिलाने का इंतजार न करें। अगर बच्चा चिल्लाता रहेगा तो आपको भी गुस्सा दिलाएगा और इसके अलावा अगर तब उसे स्तन से लगाएँगी तो थकान के कारण थोड़ा-बहुत पीकर सो जाएगा और एक-आध घंटे में फिर भूख लगने के कारण उठ जाएगा।

अतः अगर बच्चा दुग्धपान के लिए रात में उठता है तो उसे उठा लें या पति से कहें कि उठाकर गोद में दे दें। पति इस प्रकार से हफ्ते में कम-से-कम तीन दिन मदद कर सकते हैं। बच्चे को सुनानेवाला ऐसा कोई गीत गुनगुनाएँ, जो रात को ही गाए जाते हों। बच्चा रात में कम-से-कम खेल-कूद करे, ऐसा उसे सीखने दें।

अगर आपका बच्चा लगातार रात में उठ जाता है तो हफ्ते में कम-से-कम तीन बार समय से पहले सोने के लिए चली जाएँ। प्यास लगने पर पीने के लिए पानी पास ही रखें। अगर दूध पिलाने के बाद फिर से नींद आने में दिक्कत होती है तो पूरे शरीर को ढीला छोड़कर शिथिल होने का प्रयास करें। ध्यान रखें कि आप आराम से हैं। गुस्सा होने से कुछ नहीं होगा। अगर आप बहुत थकी हुई हैं तो हाथों से दूध निकालकर रख दें, जिसे पति कप या चम्मच से बच्चे को पिला सकते हैं। इससे एक बार पिला देने के बाद आपको 4-5 घंटे की अच्छी नींद मिल जाएगी। ऐसा नियमित रूप से करने की सलाह दी जाती है, क्योंकि जो माँ समुचित आराम कर पाएगी, वही मातृत्व की माँगों को निभा भी पाएगी। अगर बच्चा पाएगा कि माँ को कोई तनाव नहीं है तो वह भी शांति से रहेगा।

पहले का और बाद का दूध

शुरू-शुरू का जो दूध होता है, उसमें चर्बी कम होती है और बाद के दूध में 4 से 5 गुना ज्यादा चर्बी और डेढ़ गुणा ज्यादा प्रोटीन होता है। अतः पहले का दूध पतला और बाद का गाढ़ा होता है। बहुत-से भूखे बच्चे की माँओं को लगता है कि उनकी छाती में पर्याप्त दूध नहीं आ रहा है और पतला, कम कैलोरीवाला दूध आ

रहा है, वे बच्चे को दूध पिलाना बंद कर देती हैं और एक बार दूध गाढ़ा हो जाने के बाद ही फिर से पिलाती हैं। परिणामस्वरूप, वास्तव में बच्चे का वजन कम हो जाता है और फिर से वजन बढ़ने में कठिनाई होती है। और इस प्रकार उसे गाय का या पाउडर वाला दूध देना शुरू कर दिया जाता है।

क्या मेरा दूध पर्याप्त होगा?

क्योंकि हमें यह पता नहीं चल पाता कि वास्तव में कितनी आउंस दूध बच्चे ने पिया है, इसलिए अधिकतर माँओं को ऐसा लगता रहता है कि यह पर्याप्त है या नहीं। एक बात याद रखें कि यह बच्चे के लिए प्राकृतिक आहार है, वैसे ही जैसे वह गर्भ के अंदर बच्चे के पोषण का ध्यान रखती हैं और इसे एक नन्हा प्राणी बनाती हैं। आपका दूध आपके बच्चे के लिए उसी प्रकार सर्वोत्तम है, जिस प्रकार गाय का दूध बछड़े के लिए सर्वोत्तम है।

जब आप डॉक्टर के पास जाँच के लिए जाएँगी, तो यह जानने के लिए कि बच्चे को पर्याप्त रूप से पोषण मिल रहा है या नहीं, उसके वजन की जाँच की जाएगी। अगर डॉक्टर यह कहती हैं कि आपके बच्चे का वजन सामान्य रूप से बढ़ रहा है तो बात साफ है कि आपका दूध बच्चे के लिए पर्याप्त है।

> ### कैसे बताएँ कि बच्चे को पर्याप्त दूध मिल रहा है
>
> अगर 24 घंटे में बच्चा छह बार पेशाब करता है तो वह पर्याप्त दुग्धपान कर रहा है। इसके अलावा, बोतल के दूध के मुकाबले, कम मात्रा में स्तन के दूध की आवश्यकता पड़ती है, क्योंकि यह दूध पूरा-का-पूरा समायोजित हो जाता है।

कम दूध

अगर आपको लगता है कि आपके स्तनों में दूध कम आ रहा है तो आपको बस इतना करना है कि अब उसे ज्यादा बार पिलाएँ। हर बार जब आप पिलाती हैं, तो शरीर में प्रोलेक्टिन हार्मोन निकलता है, जो दूध बनाता है।

अगर आप किसी समय यह सोचकर नहीं पिलातीं कि थोड़ा इकट्ठा हो जाएगा तो अगली बार पिला दूँगी, इससे कोई फायदा नहीं होनेवाला, क्योंकि जितना कम आप पिलाएँगी, दूध का बनना उतना ही कम होता जाएगा। बच्चे ने एक बार में कितना दूध पिया है, यह जानने के लिए बिना बच्चे का कपड़ा बदले, दूध पिलाने से पहले और पिलाने के बाद उसका

वजन कर सकती हैं। अगर आपको लगता है कि दूध पर्याप्त नहीं है तो ज्यादा बार पिलाना शुरू करें। अगर आप घबराकर, स्तनपान कराने की बजाय, बोतल का दूध देना शुरू कर देती हैं, तो लड़ाई वहीं हार जाएँगी। ऐसा कहा जाता है कि जीरा और मेथी खाने से दूध का उत्पादन बढ़ता है। एक गिलास बीयर या वाइन प्रतिदिन लेने से भी दूध बढ़ता है।

बच्चे को डकार दिलाना

पिलाने के दौरान बच्चे को एक या दो बार डकार दिलाना चाहिए। बच्चा एक बार दूध पीते समय और दूसरी बार स्तनपान के अंत में डकार लेता है। डकार के साथ बच्चे के मुँह से दूध या दही जैसा कुछ निकल सकता है।

पिलाने के दौरान अगर बच्चा थोड़ी हवा पी लेता है या दूध पीने से पहले अगर रो रहा हो तो डकार से वह हवा निकल जाती है और बच्चे को आराम मिलता है। हर बच्चे की हवा पीने की मात्रा अलग-अलग होती है, इसलिए कुछ तो तुरंत डकार ले लेते हैं और कुछ को डकार लेने में समय लग जाता है। बोतल से पीनेवाले बच्चे स्तनपान करनेवाले बच्चे से ज्यादा हवा पी जाते हैं। स्तनपान करनेवाले बच्चों में भी जो जल्दी-जल्दी पीते हैं या पीते वक्त रोते हैं, ज्यादा हवा निगल जाते हैं। अगर डकार नहीं दिलवाई गई तो बच्चा असहज और  तकलीफ में दिखाई पड़ता है। हालाँकि अगर बच्चे को डकार दिलवाने के लिए सीधा रखा गया है और डकार नहीं लेता है, लेकिन खुश और संतुष्ट दिखाई पड़ता है तो डकार दिलवाने के लिए ज्यादा परेशान न हों। इसे जाने दें। शायद उसने ज्यादा हवा नहीं पी है, और उसे डकार लेने की जरूरत नहीं।

अगर बच्चा दूध पीते-पीते ही सो जाता है तो उसे जगाकर डकार दिलवाने की जरूरत नहीं। इसे करवट में लिटा दें। इस स्थिति में हवा अपने आप निकल जाएगी। डकार के साथ कुछ दूध भी मुँह से निकल आएगा, इससे उसे कुछ नहीं होगा।

बच्चे की मुद्रा कैसी हो

बच्चे को दूध पिलाने की सबसे सामान्य मुद्रा है—माँ बैठकर, बच्चे को गोद में लिटा लेती है और बच्चे का सिर माँ की कुहनी से मुड़ी हुई बाँह पर होता है। गोद में एक तकिया रख लेने से जिस बाँह पर बच्चा लेटा है उसे आराम मिलेगा। बच्चे को माँ की तरफ मोड़ दें, यानी बच्चे का पेट माँ के पेट से सटा हुआ हो। माता को अपनी पीठ किसी चीज से टिकाकर, पीठ को सीधा रखना चाहिए। हो सकता है कि बच्चे के जन्म के बाद उसके लिए अभी सीधा बैठना संभव नहीं हो, क्योंकि उसकी श्रोणीय सतह अभी भी टाँकों के कारण तकलीफ दे रही होगी। उस स्थिति में उसे रबड़ के फुलाए हुए रिंग (दवाई की दुकान पर बवासीर के मरीजों के लिए उपलब्ध है।) का प्रयोग बैठने के लिए कर सकती हैं।

दूसरी तरह से, अगर माता रात में थकावट महसूस कर रही हो तो वह करवट के बल लेटकर बच्चे को दूध पिला सकती है। माता जिस मुद्रा को चाहे अपना सकती है, महत्त्वपूर्ण बात सिर्फ इतनी-सी है कि वह मुद्रा उसके लिए आरामदेह हो। दूसरा, स्तन का झुकाव बच्चे की तरफ होना चाहिए। अगर स्तन बच्चे से दूर है तो बच्चे को निपल खींचना पड़ेगा, जिससे निपल में दरारें और सूजन आ सकती हैं।

शल्यक्रिया से जन्म के बाद की मुद्रा

अगर बच्चे का जन्म संवेदनाशून्य करनेवाली दवा से हुआ है तो संभव है कि माता कुछ देर अचेत रहेगी। जैसे ही माँ को कुछ कहने पर वैसा करने लगे, जैसे अगर उसे बाएँ या दाएँ मुड़ने को कहें, और वह मुड़ जाए, तो उस समय से वह स्तनपान शुरू करा सकती हैं।

24 घंटे के अंदर या बच्चे के जन्म के पहले दिन से बच्चे को माँ के ऊपर स्तनपान के लिए रखा जा सकता है। अगले 24 घंटे

में या दूसरे दिन से माता करवट के बल लेटकर स्तनपान करा सकती हैं।

उसी प्रकार जन्म के तीसरे दिन से माता उठकर बैठ सकती है। एक तरफ तकिया लगाया जा सकता है। बच्चे का शरीर, माता के शरीर की तरफ घूमकर, उसकी बाँह के नीचे होना चाहिए और पैर माँ की कमर की तरफ निकला हुआ हो।

जुड़वाँ बच्चे

जुड़वाँ बच्चे होने की स्थिति में एक को एक समय में पिलाएँ, या फिर दोनों को एक साथ भी पिला सकती हैं। जब दो बच्चे एक साथ दूध पीते हैं तो स्तनों में दोनों के लिए पर्याप्त दूध आता है।

जुड़वाँ बच्चों को माँगने पर पिलाने की बजाय हर तीन घंटे पर दूध पिलाएँ। शुरुआत में दोनों बच्चों को अलग-अलग दूध पिलाएँ, ताकि आप उन्हें व्यक्तिगत तौर पर जान सकें। आप एक के बाद दूसरे को भी पिला सकती हैं। जो बच्चा जगा हुआ है, उसे पहले पिलाकर, फिर दूसरे बच्चे को जगाएँ। कई जुड़वाँ बच्चे अपना स्तन भी चुन लेते हैं कि इसी से दूध पीना है। एक बच्चा दूध पीने में ज्यादा तेज हो सकता है तो दूसरा सुस्त हो सकता है।

जुड़वाँ बच्चों को दूध पिलाने की मुद्रा

वक्ष के नीचे गोद में एक तकिया रख लें। बच्चे को अपनी ओर कर लें और सिर को स्तन पर रख लें। बच्चे के शरीर को थोड़ा बगल की तरफ कर लें और उसकी टाँगों को आपकी बाँह के नीचे कमर की तरफ जाने दें। दूसरे बच्चे को इसी प्रकार रखकर उसे दूसरे स्तन से लगा लें।

या फिर आप बच्चे को आम ढंग से भी स्तनों से लगा सकती हैं। यानी सिर एक स्तन से लगाकर उसका शरीर दूसरे स्तन की ओर होगा, जबकि दूसरे बच्चे का शरीर आपके बगल की तरफ जाएगा।

बंधन/जुड़ाव

स्तनपान करते समय आपका बच्चा आपसे सटकर रहने का जितना आनंद उठाएगा, उतना ही अधिक आपके और बच्चे के बीच का बंधन विकसित होगा। दूध पिलाते समय आपको अपने बच्चे को अपने अंग से सटा होना चाहिए और आपके और बच्चे के बीच किसी भी कपड़े की दीवार न हो।

अगर जन्म के समय आपमें मातृत्व की भावना बहुत विकसित नहीं भी हुई हो तो स्तनपान करते समय जब बच्चा लगातार मुस्कुराकर आपकी ओर देखेगा तो आपमें भावना का ज्वार जैसा उठने लगेगा। अगर बच्चे का जन्म शल्यक्रिया के परिणामस्वरूप हुआ है तो यह आपके लिए खासतौर पर महत्त्वपूर्ण होगा।

बच्चे दूध पीते समय उँगली पकड़ लेते हैं और थोड़ा बड़े होने पर स्तनों को खरोंचते हैं। जब वे स्तन से आरामपूर्ण और संतुष्ट होकर लगे होते हैं तो माँ की चेन या हार से खेलने लगते हैं।

गर्भनिरोधकों का स्तनपान पर प्रभाव

अगर माता बच्चे की जरूरत के अनुसार उसे सिर्फ अपना दूध ही पिला रही है तो स्तनपान का गर्भनिरोधक के रूप में भी प्रभाव पड़ता है। इसका मतलब यह कि वह बच्चे को कोई भी दूसरा दूध या पानी नहीं पिला रही है।

अगर माता इस तरीके से स्तनपान करा रही है तो उसे मासिक भी शुरू होने की कम संभावना है।

ऊपर की दोनों स्थितियाँ, बच्चे के जीवन के शुरुआती छह महीनों में ज्यादा संभव है। अतः अगर माँ बच्चे को छह महीने तक सिर्फ स्तनपान ही करा रही है और उसे मासिक शुरू नहीं हुआ है, तो उसके गर्भवती होने की संभावना काफी कम, 2 प्रतिशत ही है। हर बार जब वह बच्चे को दूध पिलाती है, तो उसके शरीर में प्रोलेक्टिन हार्मोन निकलता है, जो अंडोत्सर्ग को दबाती है।

स्तनपान या बोतल का दूध?

निःसंदेह बोतल से दूध पिलाने के मुकाबले स्तनपान के कई फायदे हैं। कभी-कभी कुछ कारणों से बोतल का दूध पिलाना शुरू करना पड़ता है। अगर वैसी बात है तो किसी प्रकार का अपराध-बोध पालने की जरूरत नहीं। आखिर दोनों का उद्देश्य तो एक ही है, यानी अच्छी तरह पोषित, खुश और क्रियाशील बच्चा।

कभी-कभार माता के कामकाजी होने की स्थिति में बच्चे को बोतल से दूध पिलाना पड़ता है। ऐसी स्थिति में भी बच्चे को सुबह और रात में, एक-दो बार स्तनपान कराया जा सकता है।

अगर बच्चे का वजन पर्याप्त रूप से नहीं बढ़ता है तो अक्सर लोग बोतल से दूध पिलाना शुरू कर देते हैं। हालाँकि माँओं को यह याद दिला देना चाहिए कि बाद के दूध या स्तन के अंतिम दूध में काफी चर्बी होती है। अगर शुरू के पानी जैसे दूध में 20 प्रतिशत चर्बी होती है, तो बाद के दूध में यह 50 प्रतिशत होती है। जिन बच्चों को बाद का दूध पिलाया जाता है, उन्हें अच्छी नींद आती है और वे स्वस्थ रूप से विकास करते हैं। स्तनपान के आखिर में चर्बी की मात्रा बढ़ती जाती है। अगर माता एक स्तन से एक ही बार में 20 से 30 मिनट तक पिलाती हैं तो बच्चे को चर्बी से भरपूर दूध मिलेगा।

कभी-कभी स्तनों में सूजन, दरार और शल्यक्रिया के कारण भी बोतल का चुनाव करना पड़ता है।

एक थकी हुई माता, जो बच्चे के आहार की जरूरतों और घर के दूसरे कामकाज एक साथ नहीं कर पा रहीं, इतनी चिंतित और थकान महसूस कर सकती हैं कि उसके दूध बनने की प्रक्रिया भी अवरोधित हो सकती है। अतः इस समय अतिरिक्त सहायता की व्यवस्था कर लेनी चाहिए।

किसी महिला के सास-ससुर, दोस्त या पति हो सकता है कि उसके स्तनपान कराने को लेकर बहुत उत्साहित न हों। दूसरी तरफ कुछ महिलाएँ सुनी-सुनाई बातों और गलत सलाह के कारण भी स्तनपान कराना बंद कर सकती हैं। जैसे, कुछ

स्तन के दूध में कैलोरी की मात्रा

पहले का दूध—1.5 कैलोरी/आउंस

बाद का दूध—25-30 कैलोरी/आउंस

स्रोत : डॉ. रिचर्ड एपलबाम, नर्सिंग योअर बेबी

महिलाओं का मानना है कि स्तनपान कराने से उनकी काया खराब हो जाएगी। इस बात में कोई दम नहीं है, क्योंकि चिकित्सीय अनुभवों से यह साबित हो चुका है कि बहुत-सी महिलाओं ने, जिन्होंने कई बच्चों को जन्म दिया है, और सभी को स्तनपान कराने के बावजूद उनके शरीर पर कोई प्रतिकूल प्रभाव नहीं पड़ा है, बल्कि उनका शरीर और भी बेहतर हो गया। ऊपर बताए गए कारणों से कम ही महिला स्तनपान नहीं कराती हैं। खास बात तो यह है कि जो माँ स्तनपान कराने का निश्चय कर लेती हैं, वह सफल होती ही हैं। अधिकतर माताएँ यह सोचकर स्तनपान कराना बंद कर देती हैं कि अब काफी समय ऐसा करते बीत गया या जितने दिनों तक सोचा था, उतने दिन तो अब हो गए।

स्तनपान करनेवाले बच्चों को एलर्जी कम होती है। इन बच्चों को हैजा, एक्जीमा, खाँसी, जुकाम और अस्थमा भी कम ही होता है।

कुछ औरतों को डर लगता है कि स्तनपान कराने से वे कम सेक्सी हो जाएँगी। यह सच नहीं है, क्योंकि सेक्स, बच्चे का जन्म और स्तनपान, सभी एक ही हार्मोन से जुड़े हैं। कई महिलाएँ स्तनपान कराने के दौरान सेक्सी महसूस करती हैं।

अगर आप यात्रा पर हैं तो स्तनपान कराना ज्यादा आसान है। क्योंकि फिर आपको बोतल को कीटानुरोधित करने और दूध बनाने के लिए भागा-भागी नहीं करनी पड़ती। बस आपको वहाँ होने की और एक शॉल या स्कार्फ की जरूरत होगी।

कब तक स्तनपान कराना चाहिए?

एक कामकाजी माँ स्तनपान के साथ-साथ बोतल का दूध भी पिला सकती है। आदर्श स्थिति तो यह होगी कि बच्चे को 2 वर्ष की उम्र तक स्तनपान कराना चाहिए, लेकिन 6 महीने तो कम-से-कम पिलाना ही चाहिए।

कुछ माताएँ 8 महीने या 1 साल तक स्तनपान कराती हैं।

2 साल तक स्तनपान कराने की सलाह क्यों दी जाती है, इसका कारण यह है कि इससे बच्चे की दाँत निकलने के दौरान संक्रमण से लड़ने के लिए प्रतिरोध-क्षमता ज्यादा विकसित हो जाती है। उस समय बच्चा दूसरा आहार भी लेता रहेगा और स्तनपान दिन में एक या दो बार कराया जा सकता है। लेकिन अगर माँ एयर हॉस्टेस या डॉक्टर है तो उसकी कार्य-अवधि 24 घंटे या उससे ज्यादा की हो सकती है, ऐसे में बोतल का दूध शुरू कराया जा सकता है।

स्तनपान और कामकाजी महिलाएँ

स्तनपान से बोतलपान

अगर आप जानती हैं कि आपको काम पर जाना है तो बुद्धिमानी यही होगी कि स्तनपान और बोतलपान को मिलाकर चला जाए। शुरुआत में बच्चे की माँग के अनुसार उसे स्तनपान कराएँ। सिर्फ सुबह 10 बजे एक बार बोतल से दूध पिला दें। जब बच्चा 2 महीने का हो जाए तो एक समय-सारिणी बनाकर, उसके अनुसार स्तनपान कराने की संख्या में कमी लाते हुए उसकी जगह बोतल का दूध देना शुरू करें।

उस समय का स्तनपान बंद करें, जिस समय आपको काम के लिए बाहर रहना पड़ेगा। 3 महीने का होते-होते आपको तीन से चार बार स्तनपान कराना पड़ेगा। एक बार सुबह और दो बार शाम में या फिर दो बार सुबह और दो बार शाम में। आप थोड़ा ज्यादा पके हुए केले को मसलकर, खिचड़ी/खीर/हलवा/उपमा या फिर बिना तड़के की दाल, जिसमें थोड़ी घी डली हुई हो और आलू देना शुरू कर सकती हैं।

> **फटाफट तैयार**
>
> खिलाने से पहले बनाने में कम समय लगे, इसके लिए या फिर यात्रा के समय ले जाने के लिए नीचे लिखे बने-बनाए पाउडर उपयोगी होंगे। कुछ चावल लेकर उन्हें तवे के ऊपर भून लें। फिर उसे ठंडा करके सुखा लें और मिक्सी में पीस लें, ताकि आपको बना-बनाया चावल का पाउडर मिल जाए। इसे बोतल में रख लें। जब भी जरूरत हो, आप उसमें पानी, दूध, पतली दाल या और कोई तरल मिलाकर बच्चे को दे सकती हैं। आप गेहूँ के दानों से भी ऐसा पाउडर तैयार कर सकती हैं।

अगर आपको काम के कारण कुछ दिनों के लिए बाहर आते-जाते रहना पड़ता है तो तीसरे महीने से पूरी तरह बोतल का दूध देना शुरू करें।

बोतल के दूध से स्तनपान

अगर आप स्तनपान कराने की संख्या बढ़ाना चाहती हैं तो बोतल से दूध पिलाने की संख्या कम कर दें। अक्सर स्तनपान कराने

स्तनपान • 209

से शरीर में प्रोलेक्टिन हार्मोन निकलता है और दूध भी ज्यादा बनता है।

हर बार जब आपको बोतल से दूध पिलाना हो तो बच्चे को पहले स्तन से लगाएँ, फिर उसे दूसरा दूध बोतल से न पिलाकर चम्मच से पिलाएँ। धीरे-धीरे कुछ दिनों में आपकी अपनी दूध की आपूर्ति बढ़ जाएगी और फिर दूसरे दूध की आपको जरूरत भी नहीं होगी।

बोतल के खिलाफ कुछ बातें

बोतल से दूध पिलाने के खतरे को ध्यान में रखते हुए, इसे तभी शुरू किया जाना चाहिए, जब यह बहुत आवश्यक हो। बोतल से दूध पिलाने के लिए काफी मेहनत भी करनी पड़ती है, क्योंकि इसके लिए बोतल और निपल को पहले कीटाणुरोधी करना पड़ता है, फिर दूध तैयार करना पड़ता है। यह बहुत महत्त्वपूर्ण है, क्योंकि अगर सही ढंग से कीटाणुरोधी नहीं किया गया तो बच्चे को हैजा और उसके शरीर में जल की कमी हो सकती है। अगर दूध भी सही तरीके से तैयार नहीं किया गया है तो इसका सीधा मतलब है बीमार बच्चा।

एक बार अगर आप बोतल से पिलाना शुरू कर देंगी तो फिर बच्चा इसे ही पसंद करने लगेगा। यह आपके अपने दूध की आपूर्ति को असंतुलित कर सकता है, क्योंकि यह आपूर्ति काफी कम हो जाएगी। स्तनपान से गर्भनिरोध के होनेवाले फायदे भी घट जाएँगे।

अगर रात में आपको बोतल से दूध पिलाना पड़े तो फिर पूरी तरह से जगकर, किचन में जाकर दूध बनानी पड़ेगी और बच्चे को पिलाने के लिए इसे सही तापमान पर लाना पड़ेगा। उधर इस दौरान बच्चा भूख से रोता रहेगा। इस समय सबसे आसान यही होगा कि बच्चे को स्तनपान करा दिया जाए।

बोतल और निपल का संशय

बच्चे को बोतल से दूध पिलाने से निपल-संशय शुरू होता है, जिससे परहेज ही किया जाना चाहिए। स्तन से पीने के लिए बच्चे को जबड़े से काफी मेहनत करनी पड़ती है। दूसरी तरफ बोतल से पीते समय बच्चा कुछ करे न करे, उसके

मुँह में दूध जाता रहेगा। बच्चा बोतल के निपल से निकलने वाले सतत प्रवाह का आदी हो जाता है और स्तन के निपल पर करनेवाली कड़ी मेहनत को पसंद नहीं करता। बोतल के निपल से दूध लगातार निकलने का नुकसान यह है कि इससे बच्चे को जल्दी-जल्दी चूसना और निगलना पड़ता है। इससे बच्चे के श्वसन-तंत्र पर अतिरिक्त भार पड़ जाता है। छोटे बच्चे और समय-पूर्व जनमे बच्चे के लिए इसकी सलाह कतई नहीं दी जा सकती। यह ऐसे ही होगा जैसे आपसे कहा जाए कि पानी या कोला की पूरी बोतल बिना रुके गटक जाएँ। इससे आप हाँफने लगेंगे।

दूसरी तरफ अगर बच्चा बोतल से पीता है तो उसे ज्यादा पी लेने की आदत पड़ जाती है। जरूरत से ज्यादा खाने और मोटापे का बीज यहीं बो दिया जाता है।

दूध का पाउडर

पाउडर से दूध बनाने के लिए, डब्बे पर लिखे निर्देशों को निश्चित तौर पर पालन करें। कुछ महिलाएँ दूध बनाते समय ज्यादा पाउडर डाल देती हैं, क्योंकि उन्हें लगता है कि दूध पतला दिख रहा है। यह खतरनाक हो सकता है। इसके कारण बच्चे के रक्त-प्रवाह में खनिज इकट्ठा हो सकता है और उसके परिणामस्वरूप बच्चा बीमार पड़ सकता है और उसके शरीर में जल की कमी हो सकती है।

दूसरी तरफ कुछ महिलाएँ डिब्बे पर लिखे निर्देशों पर न चलकर कम पाउडर मिलाती हैं और इस प्रकार बच्चे को अपर्याप्त पोषण का खतरा होता है।

कौन-सा दूध बच्चे को देना सर्वोत्तम होगा, इसकी चर्चा डॉक्टर से अवश्य करें। अगर आप ज्यादा दिनों की यात्रा कर रही हैं तो अपने साथ पाउडर वाला दूध ले जाना ही अच्छा रहेगा, क्योंकि इससे स्थान-परिवर्तन होने पर भी बच्चे को वही दूध पिला पाएँगी। इसके अलावा यह कीटाणुरोधित होता है और आसानी से संक्रमित नहीं होता। जिस ब्रांड का दूध आप प्रयोग कर रही हैं, उसी ब्रांड का इस्तेमाल करते रहना अच्छा रहेगा।

जब दूध तैयार कर रही हैं तो थोड़ा ज्यादा ही तैयार कर लें, ताकि अगर बच्चा और पीना चाहे तो उसे दे सकें। अगर

बच्चा और नहीं पीना चाहता तो बाद में उसे फेंक दें।

दूध बड़े से जग में बनाकर फ्रिज में रखा जा सकता है, लेकिन उसे 24 घंटे से ज्यादा नहीं रखना चाहिए। जरूरत पड़ने पर इसमें से दूध निकालकर छोटे कीटाणुरोधित बोतल में डाल लें। या फिर पहले से दूध को कीटाणुरोधित बोतल में डालकर फ्रिज में रख सकती हैं। जरूरत पड़ने पर इसे निकालकर गर्म किया जा सकता है या बॉटल वार्मर का प्रयोग किया जा सकता है अथवा बोतल को गर्म पानी से भरे मग में थोड़ी देर डालकर दूध को गर्म किया जा सकता है। दूसरों को दूध बनाने के लिए कहने से अच्छा है कि इस नियम पर चला जाए।

गाय का दूध

गाय के दूध में माँ के दूध से ज्यादा प्रोटीन होता है। असामान्य रूप से इतना अधिक प्रोटीन लेने से बच्चे के गुर्दे पर ज्यादा भार पड़ता है। इसलिए गाय का दूध पिलाने से पहले तीन भाग दूध में एक भाग पानी मिला देना चाहिए। प्रोटीन एवं सोडियम जैसे खनिजों और नाइट्रोजन को पानी पतला कर देता है।

दूध में थोड़ी चीनी मिलानी चाहिए, क्योंकि माँ के दूध में गाय के दूध से ज्यादा लैक्टोज होता है।

बोतलों को कीटाणुरोधित करना

आपको किचेन में बोतलों को उबालने के लिए अलग से एक बड़ा बर्तन रखना चाहिए। आप ढक्कन वाला एक बर्तन खरीद सकती हैं, क्योंकि ढक्कन लगा रहने से ईंधन की खपत कम होती है। आपको बोतल साफ करनेवाले एक ब्रश की भी आवश्यकता होगी, जिसे ध्यान देकर साफ रखा करें।

बोतलों के ढक्कन खोल लें। निपल को उनसे अलग कर लें। निपल से चिपचिपी गंदगी को हटाने के लिए पहले उन्हें पानी से धो लें, फिर उसपर अंदर और बाहर की ओर नमक लगाकर किसी प्लेट पर रखकर धूप में डाल दें।

बोतलों के रिम और ढक्कनों को अच्छी तरह धोएँ। आप लिक्विड सोप, टीपोल या डिब्बे डिटर्जेंट पाउडर का घोल बनाकर प्रयोग कर सकती हैं। उन्हें अच्छी तरह ब्रश से रगड़कर साफ करें, ताकि दूध की जो चिपचिपी गंदगी रह जाती है,

तरह निकल जाए। अगर छोड़ दिया जाए तो यह गंदगी कीटाणुओं के पनपने का आधार तैयार कर देती है। आप पिलाने के बाद बोतलों में पानी भरकर छोड़ सकती हैं, ताकि उसमें मौजूद दूध की बूँदें सूखे नहीं। जब बोतल को अच्छी तरह रगड़कर साफ कर लें तो उन्हें उबालने से पहले उसमें पानी भर दें, ताकि बोतल में हवा की बूँदें कम रह जाएँ और बोतल पानी में डूबा रहे।

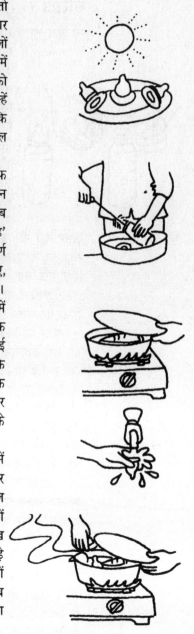

जब बोतल के सारे हिस्से रगड़कर साफ करने के बाद पानी में डुबो दिए जाएँ, तो बर्तन को ढक्कन लगाकर आग पर चढ़ा दें। जब पानी उबलने लगेगा तो उसमें से 'गुड़-गुड़' की आवाज आनी शुरू होगी। यह महत्त्वपूर्ण है कि इस समय तक पानी को उबाला जाए, ताकि उसमें मौजूद कीटाणु नष्ट हो जाएँ।

अब निपल को धूप से लाकर पानी में अच्छी तरह धोएँ, ताकि नमक का हर एक कण निकल जाए। निपल में नमक का कोई भी कण न छूटे, इसका खास ध्यान रखें, ताकि बच्चे को प्रतिदिन नमक की अतिरिक्त खुराक न मिलती रहे। अब बर्तन का ढक्कन खोलकर उसमें निपल डाल दें और एक-दो मिनट के बाद चूल्हा बंद कर दें।

जब पानी इतना ठंडा हो जाए कि उसमें अपने हाथ डाल सकें तो साबुन से हाथ धोकर बोतल और उसके बाकी हिस्से बाहर निकाल लें। निपल को रिम पर लगा दें और फिर बोतलों में ढक्कन लगाकर प्रयोग के लिए अलग रख दें। अगर आपको काम से बाहर जाना पड़े तो आप दूध बनाकर उसे अलग-अलग बोतलों में भरकर फ्रिज में रख सकती हैं, ताकि जब आप बाहर हों, तो बच्चे को दूध पिलाया जा सके।

बोतल से किस प्रकार पिलाएँ

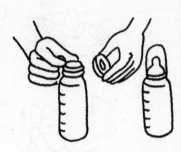

स्तनपान कराते समय जिस प्रकार बच्चे को नजदीक सटाकर रखा जाता है, बोतल से पिलाते समय भी उसे उसी प्रकार सटाकर रखें। बच्चे को बिस्तर पर सुलाकर इस तरह न पिलाएँ जैसे किसी निर्जीव खिलौने को पिला रही हों। बोतल से पिलाने पर बच्चे को सिर्फ पोषण ही न मिले, बल्कि उसे स्नेह और सुरक्षा भी महसूस हो। आप अपने और बच्चे के बीच कोई कपड़ा न रखकर उसे सटाकर रख सकती हैं। यह खासकर तब और महत्त्वपूर्ण हो जाता है, जब बीमारी, समय-पूर्व प्रसव या किसी और कारण से आप बच्चे से अलग रही हों। इस समय आप और आपके बच्चे के बीच स्नेह का जो परस्पर आदान-प्रदान होता है, वह आप दोनों के बीच एक नया रिश्ता और बंधन बनाएगा।

बच्चे के मुँह से बोतल लगाने के पूर्व अपने हाथ के पिछले हिस्से पर बोतल से कुछ बूँदें टपकाकर दूध का तापमान जाँच लें। अगर यह हल्का गर्म है और आपको अच्छा लग रहा है तो यह सही तापमान है। अगर गर्म है तो थोड़ी देर ठहरकर उसे ठंडी होने दें या फिर बोतल को ठंडे पानी में डालकर ठंडी कर लें। अगर दूध बनाकर बोतलों में भरकर फ्रिज में रखा गया है तो बच्चे को ठंडा दूध देने में कोई हर्ज नहीं। लेकिन सर्दियों में अगर फ्रिज से निकाली गई बोतल काफी ठंडी मालूम पड़ती है तो बच्चे को पिलाने से पहले बोतल को गर्म पानी से भरे मग में डुबोकर उसका तापमान सामान्य कर सकती हैं।

अगर पिलाने के दौरान आपको कुछ देर के लिए बोतल हटाकर रखना पड़ता है तो बोतल के साथ मिलनेवाला खास ढक्कन उसपर लगा दें। बोतल को मक्खियों के लिए खुला न छोड़ें और न ही उसे रूमाल या तौलिये से ढँकें। निपल को उँगलियों से छूने से परहेज करें। पिलाते समय बच्चे को सीधा रखें, यानी सिर को शरीर के बाकी हिस्से से थोड़ा ऊपर रखें। बोतल को अच्छे से पकड़कर निपल को बच्चे के मुँह में अंदर तक जाने दें। निपल में हमेशा दूध भरा हुआ होना चाहिए, नहीं तो बच्चा काफी हवा निगल लेगा। अगर निपल

पिचक जाता है और दूध अंदर नहीं जा रहा तो बोतल को धीरे से बाहर की ओर खींचकर उस खालीपन को निकल जाने दें।

यह भी देख लें कि निपल का छेद पर्याप्त रूप से बड़ा है या नहीं। जब बोतल को नीचे झुकाया जाए तो एक सेकेंड के अंदर उसमें से कुछ बूँदें गिर जानी चाहिए। अगर आपको लगता है कि प्रवाह कम है तो एक सूई को गर्म करके छेद को बड़ा कर सकती हैं। सूई की नोंक को लाल होने तक आग पर गर्म करें और फिर इससे निपल की नोंक पर छेद करें।

दूध पिलाने के दौरान थोड़ी-थोड़ी देर पर बच्चे को रुककर साँस ले लेने दें और डकार दिलवाएँ।

स्तनपान कराने के दौरान होनेवाली समस्याएँ

जब बच्चे का गला अवरुद्ध हो जाए

अगर माता के स्तनों में काफी दूध है और वह निकलता भी तेजी से है तो इससे बच्चे का गला अवरुद्ध हो सकता है। ऐसा होने पर पिलाने से पहले माँ को हाथों से दबाकर थोड़ा दूध निकाल देना चाहिए।

कभी-कभी माता का निपल बड़ा और लंबा होने से यह बच्चे के कड़े तालु को पार कर मृदु तालु को छूने लगता है, जिससे बच्चे का गला अवरुद्ध हो सकता है। फिर बच्चा स्तनों से अलग होकर हाथ-पैर फेंककर रोने लगता है। इस स्थिति में माँ को चाहिए कि बच्चे को स्तनों से थोड़ा दूर रखकर पिलाए।

निपल में सूजन

जब आप स्तनपान कराना रोकना चाहती हैं और इसके लिए बच्चे को स्तन से दूर खींचती हैं, तो इसके परिणामस्वरूप स्तनों में सूजन आ सकती है। अतः इसके बजाय आप ऐसा करें कि अपनी उँगली के छोर को मसूड़ों के बीच डालें, फिर बच्चे को स्तन से हटा लें।

स्तनपान कराने के लिए ब्रा

स्तनपान कराने के लिए बाजार में अलग तरह के ब्रा उपलब्ध हैं, उसे पहनें, ताकि अतिरिक्त भार से वक्ष न लटकें। वक्ष के अतिरिक्त वजन को सँभालने के लिए सही फिटिंग वाली कॉटन ब्रा पहनें, क्योंकि वक्ष का साइज बढ़ने से ये ब्रा नहीं फैलती और इस तरह वक्ष को अच्छा सहारा देती हैं। इसमें सोखने और हवा के पास होने के गुण होते हैं, अतः निपल के सूजन की संभावना भी कम हो जाती है। गर्भावस्था के दौरान अगर ब्रा सही फिटिंग की है, लेकिन वक्ष के नीचे टाइट है, तो आप कुछ अतिरिक्त हुक खरीदकर उन्हें पीछे लगा दें, ताकि ब्रा ज्यादा आरामदेह हो जाए।

ब्रा काफी टाइट न हो। इसमें स्तनों के कप के ऊपर पट्टी न लगी हो, क्योंकि स्तनपान कराने के लिए सामने के कप को खोलने पर ऊपर की त्वचा में धँस सकती है। इससे दुग्ध-वाहिकाएँ अवरुद्ध हो सकती हैं। रात को आप ब्रा उतारकर सो सकती हैं।

या फिर बच्चे की ठुड्डी को नीचे की तरफ हल्के से खींच लें। अगर आप स्तन को नीचे की तरफ उँगलियों से दबाती हैं, ताकि बच्चे की नाक को अवरुद्ध न होने दें तो स्तन के ऊपर गड्ढा पड़ जाता है और इससे निपल ऊपर की ओर उठ जाता है और बच्चे के मुँह की तालु से टकरा जाता है। निपल के बच्चे के सख्त तालु से बार-बार टकराने पर निपल में सूजन आ जाती है। इसके अलावा, इसके कारण निपल की नोंक से दूध का प्रवाह भी अवरुद्ध हो जाएगा।

कभी-कभी निपल को बार-बार साबुन से धोने पर भी उसमें सूजन आ जाती है। सिर्फ पानी से निपल को साफ कर लेना भी पर्याप्त होगा। बार-बार एक ही स्थान पर दबाव डालते रहने से भी स्तनों में सूजन आ जाएगी। अतः स्तनपान कराने के दौरान मुद्रा बदल लेने से और अलग-अलग समय में अलग मुद्रा अपनाने से आराम मिलेगा, क्योंकि इससे स्तनों के अलग हिस्से में दबाव पड़ेगा।

अगर स्तनों के खाली हो जाने के बाद भी बच्चा उसे चूसता रहे तो इससे भी सूजन आ सकती है। बच्चे को एक स्तन को पूरी तरह खाली कर देने में लगभग 20 मिनट लगता है। उसके बाद वह सिर्फ आराम के लिए चूसता रहता है। उसकी इस आदत पर लगाम लगाएँ।

निपल में सूजन का उपचार

फूले हुए निपल, यानी जो निपल ज्यादा देर तक गीले रहते हैं, उनमें सूजन की संभावना बढ़ जाती है। अतः जितना हो सके, आपके निपल में धूप और हवा का लगना अच्छा है, ताकि आपकी सूजन दूर हो। बिना ब्रा पहने, आप कोई ढीला कपड़ा पहन सकती हैं। या फिर बिना हैंडिल की चाय-छननी ब्रा के अंदर डाल लें, इससे आराम मिलेगा।

दरार पड़ी हुई निपल पर क्रीम के प्रयोग से बचें। उसके बजाय उसके ऊपर सूखा कॉनेफ्लोर डाल सकती हैं। स्तनपान करा लेने के बाद हाथों से दबाकर दूध निकालने में भी यह सहायक है। इसे सूजे हुए निपल पर मलकर सूखने दें। इससे जल्द आराम मिलता है। वाटरप्रूफ पैड वाले ब्रा के प्रयोग से बचें। अगर निपल पर पपड़ी दिख रही है तो उसे न खुरचें। यह उपचार की ही प्रक्रिया है।

हमेशा उस स्तन से दूध पहले पिलाएँ, जो कम सूजा हुआ हो। इससे दूसरे स्तन का प्रवाह सुचारु हो जाएगा और जब बच्चा उस तरफ से पीना शुरू करेगा तो दर्द कम होगा। दर्द से निबटने के लिए प्रसव के लिए करनेवाली श्वासक्रिया करें। एस्पिरिन या वाईन या फिर बीयर की घूँट दूध पिलाने से पहले लेने से भी दर्द कम होगा। अगर दर्द दूध के उतरने और प्रवाह में व्यवधान डाल रहा है तो इसे ले सकती हैं।

आप स्तनपान कराने से पहले निपल के ऊपर ठंडे दबाव का भी प्रयोग कर सकती हैं। तौलिए या रूमाल में आइस क्यूब को लपेटकर निपल पर रखें। इस समय स्तनों को सूखा रखने के लिए ब्रा के अंदर ब्लॉटिंग पेपर या नैपी पैड डाल सकती हैं। कभी-कभी सूजे हुए निपल से खून भी निकल आता है। अगर बच्चा दूध के साथ थोड़ा खून भी निगल लेता है तो इसमें हर्ज नहीं। यह आपको काफी डरानेवाली बात लग सकती है कि बच्चे को डकार दिलाते समय दही जैसी चीज के साथ अगर खून भी निकल आए। जो भी हो, यह बच्चे के लिए खतरनाक नहीं है।

घरेलू उपचार

पानी में होम्योपैथिक दवा कैलेंडुला की कुछ बूँदें डालकर उसमें रूई भिंगो लें। फिर सूजे हुए हिस्से को रूई से हल्की थपकी दें और सूखने दें।

स्तनों से दबाकर निकाले गए दूध का अंतिम भाग सूजे हुए निपल पर लगाने से यह जल्दी ठीक होता है।

अपने सूजे हुए निपल का उपचार जारी रखें और स्तनपान भी कराती रहें।

अगर बच्चे की जीभ पर जमी सफेद पदार्थ को पोंछकर साफ नहीं करती रहेंगी तो सूजन वाले निपल में संक्रमण होने का खतरा बढ़ जाएगा। मुँहपाक का दवा से उपचार किया जाना चाहिए। जब तक निपल नीरोग न हो जाए, बच्चे का स्तनपान रोक सकती हैं। इस दौरान स्वयं स्तनों से दूध निकालकर बच्चे को चम्मच से पिलाएँ। बच्चे की जीभ को भी नीरोग करने के लिए उसपर जेन्टेन वॉयलेट लगाएँ।

निपल पर एक कवच का इस्तेमाल भी कर सकती हैं। यह रबड़ का बना होता है, जो निपल और एरिओला पर बिठाकर निपल को सीधे-सीधे चूसे जाने से रोकता है।

अवरुद्ध वाहिकाएँ

स्तनों और एरिओला पर लाल दिखनेवाले सूजन के रूप में अवरुद्ध वाहिकाएँ उभर आती हैं। यह सूजा हुआ होगा और इसके साथ गर्म और सिहराने वाला अनुभव भी होगा।

यह स्तनों के ऊपर पड़नेवाले दबाव के कारण हो सकता है, जैसे—टाइट ब्रा के प्रयोग से। या हो सकता है कि आप बच्चे को स्तनों से बहुत अधिक सटाकर लगाती हों। या फिर किसी असुविधाजनक स्थिति में अगर लेटी हुई हों तो आपकी बाँह का दबाव स्तनों पर पड़ रहा हो।

यह एनगॉर्जमेंट के कारण या किसी एक वाहिका में मौजूद दूध के खाली न हो पाने के कारण भी हो सकता है। ऊपर लिखे किसी भी कारण से दुग्ध वाहिकाएँ अवरुद्ध हो सकती हैं और इसके परिणामस्वरूप स्तनों के ऊपर सूजन दिखाई पड़ सकती है।

अवरुद्ध वाहिकाओं से कैसे निबटें

अगर स्तनपान कराने के दौरान और उसके बाद हाथों को सूजन की ओर से निपल की ओर ले जाते हुए मालिश करें तो आराम मिलेगा। गर्म पानी की थैली की सेंक और हर घंटे गर्म पानी में रुई भिंगोकर उन स्थानों पर सेंकने से भी आराम मिलेगा। इस दौरान स्तनपान कराना बंद न करें। जिस वक्ष में सूजन है, पहले उससे कुछ बार

स्तनपान कराएँ, ताकि बच्चा लगातार चूसकर उस अवरुद्ध वाहिका को सुचारु कर दे। स्तनपान थोड़ा आगे की तरफ झुककर कराएँ, ताकि गुरुत्वाकर्षण की शक्ति भी अपना काम करे। बच्चों को एक-दो बार अतिरिक्त स्तनपान कराएँ। स्तनपान के बाद बचे हुए दूध को स्वयं ही निकाल दें।

टाइट ब्रा न पहनें। खासकर अगर आपकी ब्रा में ऊपर पट्टी लगी हुई है तो सामने का कप खोलने के बाद विशेष ध्यान दें।

पर्याप्त आराम करें। इस समय एक दिन तो पूरा आराम करें, इससे आपको काफी अच्छा महसूस होगा और इस बात पर पर्याप्त ध्यान दें कि अवरुद्ध वाहिकाएँ आगे चलकर थनेली या स्तनों की सूजन में न बदल जाएँ।

असंक्रमणकारी थनेली

इसके लक्षण भी अवरुद्ध वाहिकाओं की ही तरह होते हैं। प्रभावित भाग की त्वचा चमकदार, लाल, सूजी हुई, गर्म और तकलीफदेह होता है। माता को फ्लू की ही तरह मितली और सिहरन भी महसूस हो सकता है।

अवरुद्ध वाहिका से दूध रिसकर आसपास के उत्तकों और रक्त-प्रवाह में चले जाने के कारण भी यह हो सकता है। एक एंटीबॉयोटिक जोड़कर इसका भी इलाज अवरुद्ध वाहिकाओं के इलाज की तरह ही किया जा सकता है।

इस तरह की स्तनों के संक्रमण के लिए जिम्मेदार जैविकी से कोई खतरा नहीं होता और विरले ही ये दूध में मौजूद होते हैं, इसलिए इस दौरान स्तनपान कराते रहने में कोई नुकसान नहीं।

इस तरह की छिटपुट थनेली अक्सर कुछ हफ्तों के स्तनपान के बाद और कभी-कभी बिना किसी वाहिका के अवरुद्ध हुए भी हो जाता है।

संक्रमणकारी थनेली

यह साधारणतः पहले दो हफ्ते स्तनपान कराने के दौरान होता है। इसके लक्षण हैं—पूरे वक्ष का लाल, गर्म, नाजुक और सूज जाना। इससे माता को बुखार जैसा और बीमार होने जैसा महसूस होता है। बच्चे नाक में अस्पताल से ही कीटाणु लेकर आता है और फिर माता के दूध को संक्रमित कर देता है। इससे दुग्ध-वाहिकाएँ संक्रमित हो जाती हैं।

अगर दूध संक्रमित हो जाता है तो बच्चे को संक्रमित स्तन से कुछ समय के लिए हटाकर ही रखना चाहिए। बच्चे को दूसरे असंक्रमित स्तन से पिलाया जा सकता है या फिर उसे पाउडर का दूध या गाय का दूध दिया जा सकता है। स्तनों को बराबर खाली करके दूध को फेंक देना चाहिए, जब तक कि दूध में बैक्टीरिया का स्तर सुरक्षित स्तर तक न आ जाए।

इस बीच पर्याप्त आराम करें और काफी तरल लें। अपनी बाँह को कुहनी से मोड़कर आगे-पीछे झुलाने से भी फायदा होगा।

| थनेली की रोकथाम | थनेली की रोकथाम के लिए माता को प्रतिदिन स्तनों में अवरुद्ध वाहिकाओं की जाँच करनी चाहिए। जब वक्ष तुलनात्मक रूप से मुलायम और खाली हों, उस दौरान जाँच करनी चाहिए। यह भी जाँच करनी चाहिए कि स्तनों पर लाल चकत्ते तो नहीं हैं। अपनी उँगलियों को धीरे-धीरे पूरे स्तन पर फिराएँ, ताकि पता चल सके कि कोई हिस्सा असामान्य रूप से सख्त तो नहीं। यह कड़ापन भरे हुए पूरे स्तन में होनेवाले कड़ेपन से अलग होगा। |

लाल चकत्ते का उभरना या वक्ष पर किसी जगह सख्त महसूस होना इस बात का लक्षण है कि कोई वाहिका अवरुद्ध होनेवाली है। जिस क्षण भी आपको अवरुद्ध वाहिका के लक्षण दिखाई दें, तो बच्चे को उस स्तन से जितना जल्दी हो पिलाएँ। जब बच्चा पी रहा हो, उस समय निपल की तरफ जाते हुए स्तन की सूजन पर मालिश करने से वाहिका को सुचारु करने में मदद मिलेगी।

कभी-कभार माता को सर्दी लग जाने से भी वाहिकाएँ अवरुद्ध हो जाती हैं, क्योंकि इससे वक्षों में प्रावाहिक बदलाव आ जाता है या फिर मेमरी ग्लैंड्स में इसके कारण तापमान में परिवर्तन होने से इसका बैक्टीरियाई संतुलन डगमगा जाता है। अतः स्तनपान करानेवाली माताओं को सुखद गर्मी के वातावरण में रहना चाहिए और लंबे समय तक तैराकी नहीं करनी चाहिए।

स्तनों में फोड़े

थनेली के उपचार में असफलता और थनेली होने के बाद गैर-जरूरी रूप से दूध छुड़ाने पर स्तनों में फोड़े हो सकते हैं। अगर थनेली से पीड़ित हों, तब भी महिला को स्तनपान कराना बंद नहीं करना चाहिए और दूध को बाहर निकालते रहना चाहिए। स्तनों पर होनेवाले फोड़े लाल और कड़े होते हैं और वे दर्द देते हैं।

इसका उपचार एंटी-बॉडी के द्वारा या फिर चीड़ा लगाकर किया जाता है। बच्चे को प्रभावित स्तन से अलग किया जा सकता है। जब तक पूर्ण रूप से उस स्तन का उपचार न हो जाए, दूसरे स्तन से दूध पिलाना चाहिए।

अगर आपको स्तनों पर फोड़े के साथ-साथ निपल में सूजन की भी समस्या हैं तो डॉक्टर आपको निपल कवच लगाने की सलाह दे सकती हैं। निपल-कवच निपल के ऊपर बैठ जाता है और उसपर सीधा दबाव पड़ने से रोकता है। लेकिन अगर फोड़ा निपल के पास है और निपल-कवच भी फोड़े को ढक लेता है तो यह काफी दर्दनाक स्थिति हो सकती है। इसलिए अगर फोड़ा निपल के काफी नजदीक है तो निपल-कवच पहनने से परहेज करें।

प्रभावित स्तन से अस्थायी तौर पर दूध निकालकर उसे फेंकती रहें। हालाँकि अगर डॉक्टर को लगता है कि फोड़े का संक्रमण दूध में नहीं है तो वे आपको स्तनपान जारी रखने की सलाह दे सकती हैं।

बच्चे, जिन्हें समस्या है

इनक्यूबेटर में स्तनपान

जन्म के तुरंत बाद अगर बच्चे को विशेष देख-रेख के लिए इनक्यूबेटर में डाल दिया जाता है और स्तनपान के लिए आपके पास नहीं आने दिया जाता है तो आप पंप करके कोलोस्ट्रम निकाल सकती हैं। इस कोलोस्ट्रम को नर्स चम्मच, ड्रॉपर या ट्यूब के द्वारा अथवा रूई की बत्ती बनाकर उसमें कोलोस्ट्रम डालकर बूँद-बूँद करके उसके मुँह में पिला सकती है। अगर कोलोस्ट्रम की मात्रा आपको काफी कम लगती है तो इसके लिए परेशान न हों। याद रखें कि शुरुआत में यह कम मात्रा में ही होता है, लेकिन अगर आप उन फायदों को देखें,

जो आपके बच्चे को इससे मिलेगा तो लगेगा, जैसे हर बूँद सोने जितना मूल्यवान् है।

उसी प्रकार बाद में स्तनों से दूध निकालकर भी बच्चे को इनक्यूबेटर में पिलाया जा सकता है। या और भी अच्छा होगा, अगर माँ स्वयं स्तनपान कराने के समय नर्सरी में जाकर बच्चे को स्तनपान करा दे।

जॉन्डिस

जॉन्डिस तीन प्रकार के होते हैं :

जॉन्डिस के प्रकार	होने का समय
दैहिक (शारीरिक) जॉन्डिस	दूसरे या चौथे दिन होता है और लगभग एक हफ्ते तक रहता है।
असामान्य जॉन्डिस	जन्म के पहले 24 घंटे में हो जाता है
माता के दूध से होनेवाला जॉन्डिस	बच्चे के जीवन के पहले हफ्ते के अंत में होता है। दूसरे और तीसरे हफ्ते में गंभीर होता है। यह 2 महीने तक भी रह सकता है।

दैहिक जॉन्डिस

दैहिक जॉन्डिस का होना काफी आम है। यह हल्का होता है और इससे नुकसान नहीं होता। गर्भाशय के अंदर बच्चे में काफी लाल रक्त कोशिकाएँ होती हैं। जब एक बार बच्चे का जन्म हो जाता है और वह साँस लेने लगता है तो इतनी मात्रा में लाल रक्त कोशिकाओं की आवश्यकता नहीं रह जाती और बच्चे की जरूरत के हिसाब से टूटने लगती है। रक्त कोशिकाओं के इस टूटन का ही एक अतिरिक्त-उत्पाद बिलिरुबिन है, जो त्वचा और आँखों के सफेद भाग में जमा होकर उसे पीला कर देता है।

शारीरिक जॉन्डिस लगभग 30 घंटे बाद उभरता है। चौथे और पाँचवें दिन बिलिरुबिन अपने चरम स्तर पर पहुँच जाता है। 7वें दिन आँखों का रंग सामान्य हो जाता है। शारीरिक जॉन्डिस में सामान्यतः बिलिरुबिन का स्तर 10 मि.ग्रा./100 मि.ली को पार नहीं करता।

असामान्य जॉन्डिस

आजकल यह जॉन्डिस बीते समय की बात हो गई है। गर्भावस्था की शुरुआत में किए गए रक्त की जाँच से महिला में बेमेल रक्त-समूह का पता चलता है। (देखें पृ. 60) ऐसी महिलाओं को, बच्चे में असामान्य जॉन्डिस को रोकने के लिए एंटी-डी इम्यूनोग्लोब्यूलिन का इंजेक्शन दिया जाता है। अगर यह इंजेक्शन न दिया जाए तो इससे रक्त-समूह की बेमेलता होती है।

यानी इसका परिणाम होता है—जॉन्डिस, जो पहले 24 घंटों में होती है। यह ज्यादा कठिन और चिंताजनक होता है। इसे 'हेमोलाइटिक जॉन्डिस' कहते हैं। यह माता और बच्चे के रक्त-समूह के बेमेल होने के कारण हो सकती है। बच्चे के मस्तिष्क को क्षतिग्रस्त होने से बचाने के लिए तुरंत उपचार किया जाना आवश्यक है। ऐसे बच्चे का इलाज अस्पताल में होना जरूरी है। इसमें पूर्ण रक्त-आधान (ब्लड ट्रान्सफ्यूजन) की आवश्यकता पड़ सकती है, जिसके बाद सामान्य रूप से स्तनपान कराया जा सकता है।

अगर आपका रक्त-समूह रिअस-निगेटिव और बच्चे का रिअस-पॉजिटिव है, तब भी स्तनपान कराना बिलकुल सुरक्षित है। अगर माता के रक्त में रिअस-एंटी-बॉडी मौजूद हैं तो ये उसके दूध में भी मौजूद होंगे, लेकिन बच्चे के द्वारा उसे पचा लेने के बाद वे अक्रियाशील हो जाते हैं, अतः स्तनपान कराना सुरक्षित होता है। एंटी-डी इम्यूनोग्लोब्यूलिन के बाद भी स्तनपान कराना सुरक्षित है।

माता के दूध से होनेवाला जॉन्डिस

यह विरले ही होनेवाला जॉन्डिस है, जो जन्म के एक हफ्ते बाद होता है और 2 महीने तक रह सकता है। हालाँकि यह जॉन्डिस काफी तीव्र, लगभग 20 मि.ग्रा./100 मि.ली. हो सकता है, लेकिन फिर भी यह बच्चे के मस्तिष्क को नुकसान नहीं पहुँचाता, क्योंकि यह जन्म के एक हफ्ते बाद होता है, और तब तक रक्त और मस्तिष्क के बीच की दीवार अच्छी तरह विकसित हो चुका होता है। लेकिन आप स्तनपान कराना जारी रख सकती हैं।

हालाँकि अगर आपके बच्चे का बिलिरुबिन स्तर काफी बढ़ गया है तो शिशु-रोग-विशेषज्ञ कुछ समय या कहें 6 से 12 घंटे के लिए स्तनपान रोकने की सलाह दे सकते हैं। अगर इस समय के अंत में बिलिरुबिन का स्तर गिरकर 2 मि.ग्रा./100 मि.ली. रह गया है तो स्तनपान कराना फिर से शुरू किया जा सकता है। आमतौर पर बिलिरुबिन का स्तर गिरने के पहले थोड़ा बढ़ जाता है और फिर धीरे-धीरे कम होता जाता है। अगर स्तनपान रोकने के दौरान भी बिलरुबिन का स्तर बढ़ जाता है तो यह माता के द्वारा स्तनपान कराने के कारण नहीं हो रहा है। हमें इसके दूसरे कारणों का पता लगाने की आवश्यकता होगी।

लंबे समय के जॉन्डिस के दूसरे कारण संक्रमण, उपापचयी स्थितियाँ, जैसे—ब्लड शुगर का कम होना या फिर गर्भावस्था के दौरान माता को दी गई कुछ दवाइयाँ हो सकती हैं।

जब तक आपका बच्चा स्तनपान नहीं कर रहा है, तो स्तनों से दूध को निकालकर बराबर फेंकती रहें, ताकि दूध की आपूर्ति व्यवस्थित रहे।

सामान्यतः जॉन्डिस के कारण स्तनपान बंद नहीं कराया जाता है। कुछ लोगों की यह गलत धारणा है कि स्तन के दूध से होनेवाले जॉन्डिस के कारण स्तनपान बिलकुल ही बंद करा देना चाहिए। ऐसा नहीं है। समय के साथ, स्तन के दूध का बच्चे पर बिना कोई प्रतिकूल प्रभाव पड़े ही स्थिति अपने आप ठीक हो जाती है।

कब स्तनपान न कराएँ

जिन माताओं को ट्यूबरकुलोसिस, क्रॉनिक नेफ्रेटिस (गुर्दे की तकलीफ) या गंभीर मनोवैज्ञानिक समस्या है, या फिर वे माताएँ, जो सांघातिक बीमारियों से पीड़ित रही हैं, उन्हें स्तनपान न कराने की सलाह दी जाती है। कुछ मरीज, जिनका मिरगी का ऐसी स्थिति में वह उपचार चल रहा है, और ऐसी कोई दवा चल रही है तो स्तनों के दूध में आ जाती है, तो उन्हें भी स्तनपान न कराने की सलाह दी जाती है।

उपचार

जिन बच्चों का बिलिरुबिन का स्तर हल्का बढ़ गया है, उन्हें बिस्तर पर नंगे लिटा दिया जाता है। फिर उनके शरीर से 16 इंच ऊपर घरों में आमतौर पर प्रयोग में आनेवाली ट्यूब लाईट लगा दी जाती है और बच्चे की आँखें ढक दी जाती हैं। इसे फोटोथेरेपी कहते हैं। बच्चों को ट्यूब से हर दो घंटे बाद हटाकर स्तनपान कराने में कोई समस्या नहीं है। या फिर बच्चे को ज्यादा दूध चाहिए तो ज्यादा बार दूध पिलाने ले जा सकती हैं। स्तनपान कराते समय आँखों पर रखी पट्टी हटा दें।

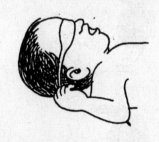

फोटोथेरेपी

बिलिरूबिन के ऊँचे स्तर के उपचार के लिए बच्चे को नियंत्रित मात्रा में अल्ट्रा-वायलेट प्रकाश के नीचे रखा जाता है। यह प्रकाश बच्चे की त्वचा के पिंगमेंट स्तर को तोड़ता है। पट्टी बच्चे को प्रकाश से बचाती है।

अगर आपका बच्चे के साथ बाकी सब ठीक है तो शिशुरोग-विशेषज्ञ बच्चे को घर ले जाने की अनुमति दे सकते हैं। वहाँ आपको बच्चे को थोड़ी देर धूप में रखना होगा। आप बच्चे को खिड़की के पास नंगे लिटा सकती हैं, लेकिन ध्यान दें कि वह बहुत ज्यादा ठंडा या बहुत ज्यादा गर्म न हो गया हो। अगर सूरज की रोशनी काफी तीखी है तो बच्चे की आँखों पर पट्टी बाँध सकती हैं, ताकि इससे उसकी नजरों पर प्रभाव न पड़े। आपको बच्चे के खून की जाँच के लिए दुबारा अस्पताल जाना पड़ सकता है।

कटे हुए तालु

कटे हुए तालु का अर्थ है, बच्चे के मुँह की छत खुली हुई है। कभी-कभी इसके साथ-साथ बच्चे के होंठ भी कटे होते हैं। कभी-कभार इसके कटने का कारण बच्चे के गर्भ के अंदर विकास के 3 महीने के अंदर ही हो जाता है। आप इसके लिए ज्यादा कुछ नहीं कर सकती थीं, इसलिए घबराने और चिंता करने की आवश्यकता नहीं। इसके अलावा इस बात को लेकर अपने जीवनसाथी के साथ भी मनमुटाव न पालें कि दूसरे के कारण यह समस्या उत्पन्न हुई। बच्चे को स्वीकार कर उसे प्यार दें। स्वयं को दोष न दें।

अगर बच्चे के तालु और होंठ कटे हुए हैं तो वह चूस

नहीं सकता। फिर भी आप उसे कप से, आसानी से पिला सकती हैं। (देखें पृ. 198) इस तरह के बच्चे को कप से पिलाने का एक और फायदा है। इससे उसके ऊपर के होंठ की मांसपेशियाँ कार्य करने लगती हैं।

कटे हुए तालु वाले बच्चे को स्तनपान कराना काफी मुश्किल हो सकता है। बच्चे को स्तनों से ठीक ढंग से लगाना होगा, ताकि यह अच्छी तरह चूस सके। कटे हुए तालु वाले बच्चे के लिए सबसे अच्छी स्थिति होगी कि उसकी नाक और गला स्तन से ऊपर रहें। अतः सीधी मुद्रा सबसे अच्छी रहेगी।

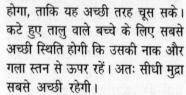

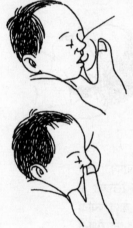

बच्चे का शरीर सीधी मुद्रा में माता के शरीर से लगा होना चाहिए। इस मुद्रा में बच्चे के तालु के खुले हिस्से से बहकर दूध नाक में जाने से बच सकेगा। अगर दूध बच्चे की नाक में चला जाता है तो इससे बच्चे को साँस लेने में तकलीफ हो सकती है। जब बच्चा अच्छी तरह स्तन से लगा होता है, तो स्तन के उत्तक कटे हुए भाग से सटकर बच्चे को अच्छी तरह चूस सकने में मदद करते हैं।

जिन बच्चों के तालु कटे होते हैं, उनकी जीभ का पीछे चले जाने के प्रति रुझान होता है। अतः ऐसे बच्चों को स्तनपान कराने का दूसरा तरीका होगा कि माता पीठ के बल लेट जाए और बच्चा उसके पेट पर अपने पेट के बल लेटकर स्तनपान करे। इस स्थिति में बच्चे की जीभ आगे रहती है और इस प्रकार बच्चे के लिए अच्छी तरह चूस पाना संभव हो पाता है।

इन मुद्राओं के अलावा माँ अपना दूध स्वयं पंप करके निकाल सकती है और फिर उसे बच्चे को गोद में लिटाकर और सिर थोड़ा ऊँचा रखकर चम्मच से पिला सकती है।

बच्चे को इस तरह तब तक पिलाना पड़ेगा, जब तक कि शल्यक्रिया द्वारा उसकी तालु ठीक नहीं कर दी जाती। सामान्यतः इसके लिए दो या तीन

शल्यक्रिया की आवश्यकता होती है। शिशुरोग-विशेषज्ञ के अलावा, माता-पिता को, प्लास्टिक सर्जन, डेंटिस्ट, प्रोस्थोडोंटिस्ट और स्पीच थेरापिस्ट की भी मदद लेनी पड़ सकती है।

एक प्रमुख शिशुरोग-विशेषज्ञ के अनुसार, बच्चे के मुँह की छत के खुले हिस्से को कृत्रिम तालु से पाटने के लिए डेंटिस्ट (प्रोस्थोडोंटिस्ट) से संपर्क किया जा सकता है, ताकि बच्चे को स्तनपान कराया जा सके। कुछ डॉक्टरों को लगता है कि कृत्रिम तालु लगाने से उस जगह संक्रमण हो सकता है। लेकिन स्तनपान करने से बच्चा संक्रमणों से लड़ने के गुण प्राप्त करेगा और उसका वजन बढ़ेगा। इसके अलावा, इस प्रक्रिया से होनेवाला जख्म, एक या दो दिनों में भर जाएगा, क्योंकि मुँह में होनेवाले जख्म वैसे ही जल्द भर जाते हैं।

भले ही माता उसे स्तनों से पिलाए या चम्मच से पिलाए, उसे बच्चे को स्तनों से सटाकर दुलारते रहना चाहिए। बगैर स्तनपान के इस मिलन से माता और बच्चे का जुड़ाव मजबूत होता है।

बच्चे के बोलना शुरू करने से पहले यानी एक साल के अंदर ही कटे हुए तालु/होंठ की शल्यक्रिया हो जानी चाहिए। कभी-कभार कटे हुए तालु वाले बच्चे को कान में संक्रमण की भी संभावना होती है।

इस स्थिति में माता-पिता को काफी धैर्य रखने की आवश्यकता होती है। हालाँकि एक दिन आपका सारी प्रयास बीते जमाने की बात होगी। आपके बच्चे की स्थिति ठीक हो जाएगी और उसमें कोई भी दिखनेवाली या व्यावहारिक समस्या नहीं रह जाएगी। इस समय अगर आपके बच्चे में ऐसी कोई समस्या नहीं है तो उस दंपति से मिलें, जिन्होंने इन सारी परिस्थितियों को हाल ही में झेला है। ऐसी दंपति कोई दूर का रिश्तेदार या जान-पहचान की भी हो सकती है। उन्हें ढूँढ़ें, क्योंकि इससे आपको व्यावहारिक रूप से काफी सहारा मिल सकता है। अगर आप ऐसे किसी दंपति को नहीं जानतीं तो अपने शिशुरोग-विशेषज्ञ या प्लास्टिक सर्जन से इसके बारे में मालूम करें।

16

जन्म के समय शल्यक्रिया की आवश्यकता पड़नेवाली स्थितियाँ

जब बच्चे का जन्म होता है तो माहौल काफी खुशनुमा होता है और लोग चैन की साँस लेते हैं। माता थकी हुई, लेकिन प्रसन्न होती है। वहाँ के डॉक्टर बच्चे की देख-रेख करती हैं। अब तो हर बड़े शहर के अस्पतालों में प्रसव के समय शिशुरोग-विशेषज्ञ मौजूद रहते हैं, जो बच्चे के सामान्य हाव-भाव, उसकी सामान्य श्वास-प्रक्रिया और जन्मजात दोष की जाँच करते हैं।

जन्म के बाद की स्थितियों की जानकारी माता-पिता को भी होती है कि किन स्थितियों में शल्यक्रिया की आवश्यकता होगी और यह बात अब काफी आम है। जब ऐसी स्थितियाँ उत्पन्न होती हैं, तो यह सहज ही है कि माता-पिता शिशुरोग-शल्यचिकित्सक के संपर्क में रहें, ताकि उन्हें समस्या के बारे में सही सलाह मिलती रहे। यह महत्त्वपूर्ण है, क्योंकि अक्सर समस्या का पूरी तरह से समाधान संभव होता है और विरले ही इससे जीवन को खतरा होता है। कुछ भी हो, इसके लिए परिवार के लोगों का मानसिक तौर पर तैयार रहना अच्छा रहता है।

कुछ स्थितियाँ, जिनसे डॉक्टर बच्चे की तुरंत शल्यक्रिया की सलाह देती हैं :

गैस्ट्रॉसचिसिस	पेट के खुले हिस्से से आँतों का बाहर आ जाना।
ओम्फेलोकॉल	बाहर की ओर निकाले गए आँतों का एक थैली से घिरा होना।
ओएसोफेगल एट्रीसिया और ट्रेचो-ओएसोफंगल फिस्ट्यूला	बच्चे के मुख पर काफी झाग बनता है और कोई भी तरल नहीं ले रहा। एयर पाइप और फूड पाइप के बीच संवाद के कारण ऐसा होता है।

बच्चे को श्वास लेने में तकलीफ है। पेट सपाट है और आँतें एवं फेफड़े छाती पर पड़े हैं। छाती पर आँतों की आवाज सुनाई देने से इसका पता चला है और छाती के एक्सरे से भी आँतों की छाया दिखाई दी है।	**डायफेगमेटिक हर्निया**
कोई मलद्वार नहीं है।	**इंपरफोरेट एनस**
दूसरी स्थितियाँ, जिनमें शल्यक्रिया की आवश्यकता होती है :	
बच्चा पाखाना नहीं करता और उल्टियाँ कर देता है और उसका पेट बड़ा हो जाता है।	**इंटेस्टाइनल एट्रीसिया**
जन्म के समय पाखाना का गहरा भूरा या काले रंग का होना। उल्टियाँ होना और मिकोनियम का देर से निकलना।	**हिर्सप्रुंग्स डिजीज**
कुछ स्थितियाँ, जो जन्म के समय तो मौजूद होती हैं, लेकिन उनके लिए योजनाबद्ध शल्यक्रिया की आवश्यकता है, यानी आपातकालीन शल्यक्रिया की जरूरत नहीं।	
अक्सर इंतजार और देख-रेख से हर्निया के प्रभाव को साथ-ही-साथ समाप्त करने का मौका मिल जाता है।	**अंबिलिकल हर्निया**
मूत्रमार्ग सामने की बजाय शिश्न के ऊपर है और शिश्न छोटा दिखता है।	**हाइपोस्पेडियस**
ब्लाडर और मूत्रमार्ग खुले हैं।	**एक्सट्रॉफी ब्लाडर**
2-3 महीने में इनकी शल्यक्रिया होना सबसे अच्छा रहता है। काफी दिनों के बाद हाइड्रोसील्स अक्सर अपने आप ठीक हो जाते हैं। अगर एक साल के अंदर चोल अंडकोश में नहीं उतरते तो शल्यक्रिया की आवश्यकता पड़ती है। (अनडेसेन्डेड टेस्टेस)	**हर्निया हाइड्रोसील, इन्ग्यूनल हर्नियास, अनडेसेन्डेड टेस्टेस**
दूसरी समस्या जो परेशानी में डाल देती है, वह है–एम्बीग्यूअस जेनिटेलिया यानी लड़का या लड़की? माँ-बाप परेशान हो जाते हैं और डॉक्टर के पास भी तुरंत कोई जवाब नहीं होता। माता का इतिहास जानने से मदद मिलता है–अगर उसमें गर्भावस्था के दौरान	**एम्बीग्यूअस जेनिटेलिया**

कोई एंड्रोजेनिक हार्मोन मौजूद था या उसकी दूसरी संतान लड़की है, जिसका बड़ा शिश्न है। बाद की स्थिति अगर है तो इससे 'कॉनजेनिटल एड्रेनल हाइपरप्लासिया' का पता चलता है, एक स्थिति—जिसमें लड़की का क्लिटोरिस काफी बड़ा होता है। खास एक्स-रे से हमें पता चलता है.कि यह लड़का है, जिसका चोल अभी नहीं उतरा है और उसका शिश्न छोटा है।

कभी-कभी बच्चा सचमुच उभयलिंगी होता है और हार्मोन एवं क्रोमोसोम संबंधी अध्ययन के बाद परिस्थितियों के अनुरूप बच्चे को लड़का या लड़की बना सकते हैं। बच्चे को शिशुरोग-विशेषज्ञ एवं शिशुरोग-शल्यचिकित्सक के पास आगे की योजना की चर्चा के लिए ले जाना चाहिए।

—डॉ. मीरा लूथरा
एम.एस., एम.सी-एच., डी.एन.बी. (पाएड्रेटिक सर्जरी)
सीनियर कन्सलटेंट सर्जन
अपोलो इंद्रप्रस्थ हॉस्पीटल, नई दिल्ली

17

विरूपता-उत्पत्ति

टेरेटोजेनेसिस (विरूपता-उत्पत्ति) का अर्थ है—बच्चे के गर्भाशयी जीवन के दौरान उसमें असामान्यता का आ जाना। इन असामान्यता के बनने के जो कारण हैं, उन्हें हम टेरेटोजेन्स कहते हैं। बच्चे के जन्म के बाद ये विरूपताएँ दिखाई पड़ सकती हैं या हो सकता है कि जन्म के काफी समय बाद भी उनका पता न चले। बच्चे की जीन-संबंधी संरचना, गर्भावस्था की अवधि, टेरेटोजेन से संपर्क में आने के समय माता का स्वास्थ्य, और टेरेटोजेन के संपर्क में आने की तीव्रता और अवधि जैसी विरूपताएँ हैं।

टेरेटोजेनेसिस के कारक

संक्रमण

माता का संक्रमित होना, जैसे—वायरस के द्वारा होनेवाला संक्रमण, बैक्टीरिया के द्वारा होनेवाला संक्रमण, कुछ फंगस के कारण संक्रमण। इन संक्रमणों के द्वारा निष्कासित किसी भी सूक्ष्मजीवी या टॉक्सिन, जो खेड़ी को पार कर बच्चे तक पहुँचते हैं, ये बच्चे के विकास और वृद्धि को बाधित कर सकते हैं। और इस प्रकार बच्चे में विरूपता पैदा करते हैं।

लत

माता में ड्रग्स, शराब, धूम्रपान या दूसरी लतें, जैसे—तंबाकू चबाना आदि का होना, विरूपता पैदा करते हैं। ये खेड़ी की बाधा को पार करके बच्चे को नुकसान पहुँचा सकते हैं। अगर नुकसान गहरा होगा तो इससे गर्भपात भी हो सकता है। अगर नुकसान कम तीव्रता का होगा तो बच्चा जन्म के साथ ही इनमें से किसी चीज का लती हो सकता है।

रासायनिक कारक

- लंबे समय तक एंटीबॉयोटिक, अवसाद से छुटकारे के लिए दवाइयाँ, मूड को ऊपर उठानेवाली दवाएँ, नींद की गोली इत्यादि का प्रयोग।
- कैंसर और हार्मोन के इलाज के लिए दी जानेवाली दवाइयों

का उपचार के लिए अगर गर्भवती माता पर प्रयोग हुआ हो तो इसका टेरेटोजेनिक प्रभाव पड़ेगा। माता के जीवन की रक्षा के लिए ऐसे गर्भ को समाप्त किया जा सकता है।

शारीरिक कारक	• उड़ान के दौरान माता के रक्त में ऑक्सीजन के दबाव का कम होना। आजकल के आधुनिक वायुयानों में इसके होने की संभावना कम है, जब तक कि केबिन दबाव में कमी न आ जाए। इस स्थिति में गर्भवती महिला को ऑक्सीजन मास्क लेकर गहरी साँसें लेनी चाहिए। इसी के कारण उन्हें अधिक ऊँचाई या उन्नतांश वाली जगहों, जैसे—लेह, लद्दाख इत्यादि जगहों पर भी नहीं जाना चाहिए। • एक्स-रे, शारीरिक हिंसा, मानसिक आघात, परमाणु बम से होनेवाला विकिरण, सूर्यग्रहण इत्यादि, माता और बच्चे दोनों के लिए नुकसानदेह हो सकते हैं। खराब सड़क यात्राओं, घुड़सवारी जैसे खेल, पर्वतारोहण या फिर सेक्स संबंधी गतिविधियों के दौरान कलाबाजी दिखाने से शारीरिक आघात पहुँच सकता है।
औद्योगिक प्रदूषण	यह खासकर उन महिलाओं के लिए है, जो विविध औद्योगिक संयंत्रों में कार्यरत हैं। कभी-कभार औद्योगिक प्रदूषण से गुजरने में कोई खास प्रभाव नहीं पड़ता।
कुपोषण	विटामिनों और खनिजों की कमी बच्चे में अपर्याप्त या अविकसित होने का कारण बन सकती है।

हर गर्भवती महिला के लिए यह महसूस करना बहुत आवश्यक है कि उसे उन सभी कारकों से स्वयं को सुरक्षित रखना चाहिए, जिसके कारण भ्रूणीय असामान्यता हो सकती है। खासकर अगर वह गर्भावस्था के प्रथम चार महीनों में इन कारकों से प्रभावित होती हैं।

ये कारण या तो खेड़ी पर प्रभाव डालते हैं या फिर वे खेड़ी की बाधा को पार कर बच्चे तक पहुँचकर उसके विकास और वृद्धि में हस्तक्षेप करते हैं।

गर्भावस्था के दौरान बरतनेवाली सावधानियाँ

• शारीरिक और मानसिक रूप से शिथिल रहें, ताकि शांत रहने के लिए आपको किसी दवा की जरूरत न पड़े। ज्यादा काम करने से अनिद्रा की तकलीफ हो सकती है। दिन

में दो या तीन बार थोड़े-थोड़े समय के लिए आराम की सलाह दी जाती है।

- संतुलित भोजन करें। खाने के बारे में स्वर्णिम नियम है, 'हर चीज थोड़ा चखें, लेकिन बहुत ज्यादा कुछ भी न खाएँ।' अगर जरूरत हो तो विटामिन, आयरन, कैल्शियम इत्यादि की अलग खुराक के लिए डॉक्टर से सलाह लें। कुछ महिलाएँ मितली, उल्टी इत्यादि से पीड़ित रहती हैं। उन्हें कुछ भी खाने की इच्छा नहीं होती। इन महिलाओं को वैसे खाने से परहेज करना चाहिए, जिनसे गैस बनता है। उन्हें छोटी मात्रा में कम अंतराल पर पोषक भोजन करना चाहिए, खासकर दोपहर या शाम में, जब मितली की तकलीफ अपेक्षाकृत कम होती है।

- इन दिनों युवा महिलाएँ अपनी छरहरी काया बनाए रखना चाहती हैं। कुछ महिलाएँ सोचती हैं कि अगर वे कम खाएँ तो उनका बच्चा छोटा होगा और प्रसव में आसानी होगी। भ्रूण परजीवी की तरह होता है। वह अपनी आवश्यकतानुसार सारे पोषक-तत्त्व माता के शरीर से ले लेगा, भले ही माता के शरीर में वह पर्याप्त मात्रा में हो या नहीं। इसके परिणामस्वरूप माता का शरीर कुपोषित हो जाता है। इसलिए ऐसी सलाह दी जाती है कि माता अच्छी तरह संतुलित भोजन की पर्याप्त मात्रा ले।

- शराब, तंबाकू या लत पड़नेवाली ऐसी किसी भी चीज के सेवन से बचें। ऐसी आदत वाले लोगों के संगत से भी दूर रहना अच्छा रहेगा। इससे आप इन चीजों को खाने-पीने के सामाजिक दबावों और अपनी खुद की इच्छा पर भी लगाम लगा पाएँगी। सिगरेट पीने वालों के लगातार संपर्क में अगर माता रहे तो समझिए, वह भी एक तरह से सिगरेट पी ही रही है।

- हर तरह के संक्रमणों से खुद को सुरक्षित रखें। बीमार रिश्तेदारों एवं दोस्तों से मिलने न जाएँ। इसके बजाय उन्हें गुलदस्ता या फिर शीघ्र स्वस्थ होने की शुभकामना वाला कार्ड भेज दें। अस्पतालों के चक्कर लगाने से बचें; क्योंकि वहाँ आप कई तरह के संक्रमणों की चपेट में

आ सकती हैं। भीड़-भाड़ वाली जगहों, जैसे—सिनेमा हॉल, बाजार इत्यादि जाने से परहेज करें।

- थकान, चिंता, तकलीफदेह यात्राओं, चक्करवाले झूले पर बैठना, घुड़सवारी इत्यादि से अगर परहेज कर सकें तो ज्यादा अच्छा रहेगा।
- अगर हो सके तो किसी भी प्रकार की दवाइयाँ न लें। अगर पीठ में या सिर में दर्द होता है तो गोलियाँ लेने की बजाय मलहम लगाएँ।
- डॉक्टर को गर्भावस्था की जानकारी देकर एक्स-रे करवाने से बचें।

टेरेटोजेनेसिस विरुपता-उत्पत्ति के बारे में ज्यादा चिंतित न हों, क्योंकि फिर आपका मानसिक तनाव आपके लिए परेशानी पैदा करेगा। शारीरिक और मानसिक रूप से शिथिल होने के लिए समय निकालें। याद रखें कि बच्चे के स्वास्थ्य का 50 प्रतिशत वंशानुगत कारणों पर निर्भर होता है और बाकी का 50 प्रतिशत इस बात पर कि आपने अपनी कितनी अच्छी तरह देखभाल की है।

इस दौरान परिवार के लोग आपके नाज-नखरे कुछ ज्यादा ही उठाते हैं। इसका पूरा फायदा उठाएँ और उन्हें आपकी देखभाल करने दें। यह आपको और आपके बच्चे की देख-रेख करने का उनका तरीका है। अगर आपको लगता है कि जितना ध्यान आप पर दिया जाना चाहिए, उतना लोग नहीं दे रहे तो इस बात को लेकर अवसादग्रस्त होने की जरूरत नहीं। इसके बजाय खुद अपनी देखभाल करें और इस प्रकार बच्चे की भी खुद-ब-खुद देखभाल हो जाएगी।

—डॉ. आशा सिंह
एम.बी.बी.एस., एम.एस., पी-एच्.डी. (जेनेटिक्स)
प्रोफेसर ऑफ एनाटॉमी,
मौलाना आजाद मेडिकल कॉलेज, नई दिल्ली

इन्हें भी पढ़ें

गर्भावस्था और जन्म के साथ व्यावहारिक सलाह

प्रेगनेंसी एंड चाइल्डबर्थ, शीला जिंजर
माइकल जोसफ लिमिटेड, 1980

द एन्साइक्लोपीडिया ऑफ प्रेगनेंसी एंड बर्थ
जेनेट ब्लास्कस, येहूदी गार्डन
मैकडोनल्ड एंड कं. लि., 1989

न्यू एक्टिव बर्थ–जेनेट बलास्कस, अनविन पेपर बैक्स, 1989

प्रसव पर एक नई दृष्टि, जन्म के शांत और मृदुल पहलुओं पर जोर डालते हुए

बर्थ विदाउट वायलेंस
डॉ. फ्रेडरिक लेबॉयर
फोंटेना कालिंस, 1977

बर्थ रिबॉर्न
डॉ. माइकल ओडेन्ट

स्तनपान

द ब्रेस्टफीडिंग बुक
मेरी मेसेंजर डेविस
सेंचुरी हचिंसन लि., 1988

हेल्पिंग मदर्स टू ब्रेस्टफीड
फेलिसिटी बेलेज और आर.के. आनंद, 1992
उपलब्ध है : एसोसिएशन फॉर कन्ज्यूमर एक्शन ऑन सेफेटी एंड हेल्थ (ACASH), पोस्ट बॉक्स नं. 2498, मुंबई-400002

ब्रेस्टफीडिंग, द बेस्ट ऑप्शन, 1994
उपलब्ध है : सरवाइवल फॉर वीमेन एंड चाइल्ड फाउंडेशन (SWACH), सेक्टर-16, पंचकुला, हरियाणा-134113, टेली-(0172) 267770, 278376

शिशु की देख-रेख

डॉ. आर.के. आनंद्स् गाइड टू चाइल्ड केयर
डॉ. आर.के. आनंद
वकीलूस, फेफर एंड सिमोनस लि., 2001

बेबी चाइल्ड केयर–डॉ. आर.के. सुनेजा, रूपा एंड कं., 1998
इसमें इनका पता शामिल है–
इंस्टीच्यूसंस फॉर .....
थेलेसेमिक्स इंडिया
मेन सेंटर फॉर जेनटिक स्टडीज

व्हाट डू यू रियली वांट फ्रॉम योअर चिल्ड्रेन–डॉ. वायने डब्ल्यू. डायर, ऐरो बुक्स, 1997

विविध

वूमेनूस एक्सपीरिएंस ऑफ सेक्स, शीला जिंजर
जी.पी. पुटनेमूस् सन्स, 1983
लैंगिक व्यवहार, अनुभवों, कठिनाइयों, दुःखों और प्रावस्था पर एक संपूर्ण पुस्तक।

हम क्या खाएँ–डॉ. रमेश बिजलानी, एन.सी.ई.आर.टी.
हिंदी की किताब, जिसमें भारतीय स्थितियों में संतुलित आहार, घी, कॉलेस्ट्रॉल, कब्ज, बीमारी इत्यादि की जानकारी दी गई है।

मैजिकल चाइल्ड, जे.सी. पियर्स
बैंटम बुक्स, न्यूयॉर्क, 1986
जन्म के उपरांत बच्चे पर किस प्रकार सकारात्मक प्रभाव डालें, इसके लिए इसे पढ़ने की सलाह दी जाती है। बच्चे का अलग लेकिन वैज्ञानिक तरीके से लालन-पालन के बारे में इसमें चर्चा है।

चाइल्ड डेवलपमेंट : एलिजाबेथ बी. हरलॉक मैकग्रा हिल कं. (सायकोलॉजी सीरिज), 1978, बच्चे के मनोवैज्ञानिक, शारीरिक, सामाजिक, भावुक, नैतिक और संपूर्ण विकास के ऊपर एक अति उत्तम पुस्तक।

टच मी., टच मी. नॉट, 1997, उपलब्ध है–कली फॉर वुमेन, बी-18, हौज खास, नई दिल्ली-110016 स्त्री रोगों, जैसे योनिस्राव, मूत्रपथ के संक्रमण, मासिक संबंधी गड़बड़ियाँ, गर्भाशय की शिकायत इत्यादि के लिए सामान्य भारतीय वन औषधियों के प्रयोग की जानकारी।

आवश्यक जानकारियाँ

डब्ल्यू.एच.ओ. की सलाह (स्रोत : लासेट (ए.क्यू.) 1985, 2:437)

वर्ल्ड हेल्थ ऑर्गनाइजेशन (डब्ल्यू.एच.ओ.) प्राकृतिक प्रसव के महत्त्व को समझते हुए सलाह देता है कि बच्चे के जन्म के लिए तकनीकों का कम-से-कम प्रयोग किया जाए। 1985 में डब्ल्यू.एच.ओ. ने बच्चे के जन्म के लिए सटीक तकनीकों के लिए एक सम्मेलन किया। फ्रोटालेजा, ब्राजील में प्रसूति-विज्ञान, शिशु-विज्ञान और दूसरे प्रासंगिक पेशाओं के लगभग 50 लोगों ने उसमें हिस्सा लिया। डब्ल्यू.एच.ओ. ने समूचे विश्व के लिए जो सलाह दी, उसे प्रतिभागियों ने एक मत से अपनाया।

डब्ल्यू.एच.ओ. की सलाह

प्रसव और बच्चे के जन्म के दौरान गर्भवती महिलाओं को सलाह दी जाती है कि वे 'डोरसल लिथोटॉमी' मुद्रा को न अपनाएँ। प्रसव के दौरान टहलने के लिए प्रोत्साहित किया जाना चाहिए और हर महिला स्वतंत्र रूप से यह निर्णय करे कि उसे बच्चे को जन्म देने के दौरान कौन-सी मुद्रा अपनानी चाहिए।

सामान्य शब्दों में इसका अर्थ हुआ कि प्रसवकाल में महिलाओं को सीधी मुद्राएँ, जैसे—टहलना, खड़ा होना, बैठना, घुटने पर झुकना चाहिए, न कि सिर्फ बिस्तर पर सीधी पड़ी रहें। वास्तव में अगर कोई महिला इस दौरान पीठ के बल बिस्तर पर पड़ी रहती है तो निम्न कारणों से यह उसके लिए नुकसानदेह है।

सबसे पहले तो इसके परिणामस्वरूप गर्भाशय और माता की रीढ़ की हड्डी के बीच की रक्तनलिका 'वेना कावा' पर दबाव पड़ेगा। इस रक्तनलिका पर दबाव पड़ने से हृदय तक जाने और आने में रक्त-प्रवाह पर असर पड़ेगा, जिसके परिणामस्वरूप माता के रक्त में ऑक्सीजन की कमी हो जाएगी, जो बच्चे और माता, दोनों के द्वारा प्रयोग में आती है। अतः अगर माता हमेशा पीठ के बल नहीं लेटी रहेगी तो बच्चे और माता को ज्यादा ऑक्सीजन की आपूर्ति होगी, जिससे दोनों ही तनावरहित रहेंगे।

दूसरे, जब माता पीठ के बल लेटी होती है तो उसकी योनि ऊपर की तरफ उसके शरीर के सामने की ओर झुकी होती है। बच्चे को जन्म देने के लिए, गर्भाशय को ज्यादा कड़ी मेहनत करनी पड़ती है और इसके लिए यह सिकुड़कर ज्यादा जोरदार तरीके से बच्चे को योनि की तरफ धकेलता है। यह पहाड़ पर चढ़ने जैसा ही है। दूसरी तरफ, जब माता सीधी मुद्रा में होती है, तो बच्चे का नीचे की तरफ झुकाव होता है; स्लाइड में जाने जैसा। नीचे की तरफ यह अवरोहण बच्चे के वजन के कारण ज्यादा तेज हो जाता है। 1868 में गणना कर यह पता लगाया गया था कि अगर माता सीधी मुद्रा में हो तो एक पूर्ण विकसित बच्चे का वजन ही उसे बाहर ढकेलने के लिए काफी होता है। जैसा कि हम जानते हैं कि चीजों को उनके वजन के अनुसार पृथ्वी की गुरुत्वाकर्षण-शक्ति उसे अपनी ओर खींचती है। यानी अपने वजन के कारण ईंट तेजी से नीचे की ओर जाकर 'थड' की आवाज के साथ गिरेगी, जबकि कम वजन के कारण पंखुड़ी हवा में तैरती हुई नीचे जाएगी। एक औसत भारतीय नवजात बच्चे का वजन लगभग 3 किलो या 6 पाउंड होता है। जब माता सीधी मुद्रा में होती है तो बच्चे के शरीर का वजन उसे योनि से नीचे की ओर खींचता है। यह गर्भ के मुख पर भी दबाव बनाकर, इसे खुलने के लिए प्रोत्साहित करता है।

तीसरे, जब बच्चा माता के शरीर से नीचे की तरफ सरकता है तो यह माता के श्रोणीय ढाँचे के निचले हिस्से से होकर निकलता है। माता के श्रोणीय ढाँचे के एक हिस्से में टेलबोन शामिल है। यह स्वतंत्र और लचीली हड्डी होती है, जो आसानी से रास्ते से हटकर बच्चे को बाहर निकलने के लिए कुछ अतिरिक्त स्थान देती है, लेकिन ऐसा तभी होगा जब माता इसकी गति को किसी भी प्रकार से अवरुद्ध न करे। अगर माता सीधी मुद्रा में होगी तो इसकी गति स्वतंत्र हो सकती है।

(सावधानियों के लिए पृ.सं.—110 देखें)

मजे की बात है कि जब तक आधुनिक प्रसूति-विज्ञानियों का उदय नहीं हुआ था और बच्चे को अस्पताल में जन्म के लिए ले जाया जाता था, पूरी दुनिया में सीधी मुद्रा ही अपनायी जाती थी। एशिया में महिलाएँ जन्म देने के दौरान सीधी बैठती थीं और पश्चिम में बैठने के लिए स्टूल का प्रयोग किया जाता था। इसके बदलने के तीन कारण थे—

1. फ्रांस का राजा लुई सोलहवाँ, अपनी पत्नी को जन्म देते हुए देखना चाहता था। उसने उसे उस दौरान लिटा दिया और फिर तो यह फैशन ही बन गया।

2. जन्म देने का स्थान घर और दाई से बदलकर अस्पताल और डॉक्टर तक पहुँच गया।

3. चिमटे का प्रयोग चलन में आ गया, जिसमें माता के लेटी रहने की अवस्था में होना जरूरी था।

जन्म देने के समय एवं उसके बाद माता के परिवार के किसी भी इच्छित सदस्य की उस तक स्वतंत्र पहुँच होनी चाहिए, ताकि माता को अच्छा महसूस हो। इसके अलावा चिकित्सकीय दल को माता को भावनात्मक सहारा भी देना चाहिए।

रॉयल कॉलेज ऑफ मिडवाइफ्स् एवं रॉयल कॉलेज ऑफ अल्स्ट्रेट्रिशियन्स एंड गायनीकॉलोजिस्ट, यू.के. के अनुसार बच्चे के जन्म के दौरान किसी साथी का मौजूद रहना देखभाल का सबसे प्रभावी तरीका है।

मिडवाइफ्स् इन्फॉर्मेशन एंड रिसर्च सर्विस का कहना है, 10 अलग सर्वेक्षणों में, जिनमें 3000 महिलाओं को शामिल किया गया था, परिणाम आश्चर्यजनक रूप से समान थे। जिसमें किसी एक साथी को लगातार मौजूद रहने दिया गया था, जिसे जन्म के दौरान की तैयारियों का हल्का प्रशिक्षण दिया गया था। उसमें पता चला कि लगातार मिलने वाला साहचर्य से कई फायदे हैं—

* एनेस्थीसिया और दवाइयों का कम प्रयोग
* उपकरणों का अल्प प्रयोग (जैसे—चिमटी)
* ऑपरेशन की कम आवश्यकता
* ज्यादातर बच्चे जागरूक हालत में पैदा हुए, जिन्हें ऑक्सीजन की पर्याप्त मात्रा उपलब्ध थी। इन सभी जानकारियों में महिला की रुचियों पर ध्यान दिया गया, जिसमें लगातार किसी का साथ रहा।
* प्रसव उम्मीद से भी अच्छा होना।
* महिला के लिए सब मिला-जुलाकर एक सकारात्मक अनुभव
* प्रसव के दौरान साथी की मौजूदगी का कोई नकारात्मक परिणाम नहीं रहा। माता के प्रसूति-कक्ष से निकलने से पहले की तुरंत स्तनपान कराने को बढ़ावा दिया जाना चाहिए।

अगर प्रसव के दौरान माता को कोई भी दवा, जैसे—पेथीडाइन, कम्पोज आदि नहीं दिया गया है, तो बच्चा जागरूक पैदा होता है। अगर ऐसे बच्चे को माता के वक्ष से लगा दिया जाए तो वह स्तनपान शुरू कर देगा। इससे तुरंत ही माता में मातृत्व की भावना पैदा हो जाएगी, जो अब तक उसके रूप-रंग आदि को लेकर चिंतित थी। अतः इससे भावनात्मक लगाव पैदा होता है।

जन्म के समय स्तनपान से माता में ऑक्सीटोसिन हार्मोन पैदा होता है, जिससे गर्भाशय अपने मूल रूप में वापस जाता है, खेड़ी निकल जाती है और रक्तस्राव रुक जाता है।

ऊपर लिखे फायदों के अलावा, बच्चा स्तन को अच्छी तरह पकड़ना सीख लेता है, और उसे दूध आने के बाद स्तन पकड़ना सिखाने की जरूरत नहीं पड़ती। इसके अलावा बच्चे को अमूल्य कोलोस्ट्रॉम मिलता है, जो उसका पहला प्रतिरक्षी होता है। बच्चा अगर जन्म के समय जागरूक है तो उसे 30 मिनट के अंदर दूध पिलाना सर्वोत्तम होगा।

अगर आप जन्म के समय बच्चे को दूध पिलाना चाहती हैं तो अपनी इच्छा के बारे में डॉक्टर को बता सकती हैं। इसमें आपकी प्रसव के समय दी जानेवाली दर्द-निवारक औषधि से परहेज भी शामिल है। अगर इसमें आपको शर्म या घबराहट महसूस होती है तो ऐसा महसूस करने की कोई वजह नहीं। याद रखें कि यह डॉक्टर के लिए कई डिलीवरी में से एक है। हालाँकि यह आपके और बच्चे के लिए अद्वितीय अनुभव है, जो आप दोनों की यादों में जीवनभर के लिए बस जाएगा।

पहले या दूसरे दिन बच्चे को ग्लूकोज के पानी या कृत्रिम दूध की कतई आवश्यकता नहीं होती। सबसे अच्छा तो यही होगा कि जब बच्चा स्तनपान की माँग करे तभी उसे स्तनपान कराया जाए (शुरू-शुरू में यह माँग 6 घंटे पर होगा) और बच्चे को कुछ और न दिया जाए। कृत्रिम पान कराने से बच्चे का पेट भर जाएगा और वह स्तनपान से परहेज करने लगेगा।

इसके महत्त्व को समझते हुए बेबी फ्रेंडली हॉस्पीटल इनिशिएटिव (बी.एफ. एच.आई.) नाम का अंतरराष्ट्रीय प्रयास शुरू किया गया है। इन अस्पतालों में माता को जरूरत से ज्यादा दवा देने से परहेज किया जाता है और जन्म के समय एवं उसके बाद स्तनपान कराने को बढ़ावा दिया जाता है।

भारत में ऐसे अस्पतालों को UNICFF के द्वारा संचालित किया जाता है और इन बेबी फ्रेंडली हॉस्पीटल के नाम और पते BFHI, इंडियन मेडिकल एसोसिएशन, IMA हाउस, इंद्रप्रस्थ मार्ग, नई दिल्ली-110002 से प्राप्त किया जा सकता है।

प्रसव-संबंधी देख-रेख, जिसमें तकनीकी देख-रेख को खारिज कर जन्म के भावनात्मक, मनोवैज्ञानिक एवं सामाजिक मुद्दों को शामिल किया जाता है, उसे बढ़ावा दिया जाना चाहिए।

जन्म में तकनीकी के प्रयोग का विचार इस धारणा से आता है, जिसमें जन्म को अत्यंत खतरे की चिकित्सकीय घटना मानी जाती है। टॉस क्लेक्स्टन के 'बर्थमैटर्स', अनविन पेपरबैक्स, 1986 के अनुसार अस्पतालों में नियमित रूप से होनेवाली चिकित्सकीय तकनीकों से सुधरने की बजाय ज्यादा समस्याएँ उत्पन्न होती हैं। डच प्रसूति-विज्ञानी प्रोफेसर जी.एल. क्लूस्टर मैन का मानना है कि 80 से 90 प्रतिशत महिलाएँ बगैर किसी चिकित्सकीय हस्तक्षेप के सामान्य प्रसव कर सकती हैं।

शायद लोगों ने इस बात को भुला दिया है कि शिशु-जन्म एक सामान्य जैविक घटना है।

जन्म के समय प्रयोग में आनेवाली अधिकतर तकनीकों का परीक्षण नहीं हुआ है। एक मजेदार तथ्य है कि भ्रूण के दिल की स्थिति की जानकारी के लिए जो मॉनीटर माता के पेट से लगा होता है, जिसके कारण माता को पीठ के बल लेटे रहना पड़ता है, वही भ्रूण की परेशानी का कारण बनता है। यानी इससे बच्चे

की हृदयगति असामान्य हो जाती है, क्योंकि पीठ के बल लेटने से माता की एक प्रमुख रक्तनलिका दब जाती है। अब ऐसा है कि जो मशीन भ्रूण की परेशानी जाँचने के लिए बनी थी, वह अत्यधिक प्रयोग के कारण स्वयं ही परेशानी का सबब बन गई है।

यह जानना दिलचस्प है कि द्वितीय विश्वयुद्ध के दौरान चिकित्सकीय सुविधाओं का अकाल-सा पड़ गया था और गर्भावस्था के दौरान विशेष देख-रेख लगभग समाप्त ही हो गई थी। इसका कारण बताना तो संभव नहीं, लेकिन इस दौरान प्रसूति के समय मृत्युदर (जच्चा-बच्चा की मृत्युदर) काफी कम गई थी। संपूर्ण विश्व में होनेवाली इस घटना को वर्णित नहीं किया जा सकता। (स्रोत : 'परसूईंग द बर्थ मशीन', एश ग्राफिक्स, 1994, डॉ. एम. वेगनर, डब्ल्यू.एच.ओ. में महिला और बच्चे के स्वास्थ्य परामर्शी।)

अलग-अलग अस्पतालों में जन्म के दौरान होनेवाले उपायों की सूचना, जैसे कितने बच्चे ऑपरेशन से हुए आदि की सूचना लोगों को उपलब्ध होनी चाहिए।

इससे लोगों को यह निर्णय लेने में आसानी होगी कि वे अपने बच्चे का जन्म कहाँ कराना चाहते हैं। वे ऐसा अस्पताल चुन सकते हैं, जहाँ ऑपरेशन के द्वारा बच्चों का जन्म कम कराया जाता हो, जहाँ नियमित दवाओं का प्रयोग आम नहीं हो, जहाँ स्तनपान को बढ़ावा दिया जाता हो और जहाँ प्रसव के समय एक सहयोगी को उपस्थित रहने दिया जाता हो।

कुछ खास चिकित्सकीय लक्षणों में ही प्रसव को प्रवृत्त कराने की प्रथा हो। किसी भी क्षेत्र में प्रवृत्त प्रसव का प्रतिशत 10% से ज्यादा न हो।

रिगली (1962) के अनुसार, यह बात अभी भी सवालों के घेरे में है कि ऑक्सीटॉसिन ड्रिप से आज तक किसी बच्चे की जान बची है और यह निश्चित है कि इससे कभी भी किसी मरीज का प्रसव सामान्य या ज्यादा बेहतर नहीं हुआ।

लेकिन चिकित्सकीय रूप से देखा जाए तो प्रसव प्रवृत्त कराने की आवश्यकता कुछ स्थितियों में पड़ेगी—अगर माता उच्च रक्तचाप से पीड़ित हो, डायबिटीज हो या गुर्दे की तकलीफ से ग्रसित हो।

अगर जरूरत से ज्यादा प्रसव को प्रवृत्त कराया जा रहा हो तो इससे गर्भाशय फट सकता है एवं आकस्मिक शल्य-क्रिया की आवश्यकता पड़ेगी।

जैसा कि शीला जिंजर अपनी किताब 'फ्रीडम एंड च्वाइसेज इन चाइल्डबर्थ' में लिखती हैं, 'प्रवृत्त प्रसव के नुकसान हैं। यह ज्यादा पीड़ादायी हो जाता है, अतः शक्तिशाली दर्द-निवारक दवा देने की जरूरत पड़ सकती है। वदले में यह प्रसव

प्रक्रिया को धीमी कर देता है और इसके कारण चिमटे से प्रसव कराना पड़ सकता है। सामान्य प्रसव के मुकाबले प्रवृत्त प्रसव में ऑपरेशन तक पहुँचने की नौबत आने की आशंका बढ़ जाती है।

कृत्रिम रूप से झिल्ली का जल्द फट जाना—इसे नियमित रूप से होने को किसी भी प्रकार वर्णित नहीं किया जा सकता।

कभी-कभार डॉक्टर एक प्रक्रिया के रूप में पानी की थैली को फाड़ देते हैं। इससे प्रसव की प्रक्रिया तेज हो जाती है। इसे नियमित रूप से न करने की सलाह दी जाती है। इसके कारण बच्चे को उद्विग्नता हो सकती है और माता एवं बच्चे दोनों संक्रमित हो सकते हैं।

इयन डोनाल्ड के 'कॉमन आब्सटेट्रिक प्रॉब्लम्स' के अनुसार, कुछ अपवादों को छोड़कर अक्षत झिल्लियों का अर्थ है—अक्षुण्ण माता एवं अक्षुण्ण बच्चा।

प्रसव के समय पीड़ाहारी या संवेदनाहारी दवाइयों (किसी जटिलता में प्रयोग के अलावा) से परहेज करना चाहिए।

जब माता गर्भवती हो, तो दवाइयाँ बच्चे के फायदे में नहीं हैं और न ही वे तब बच्चे के लिए फायदेमंद हैं, जब माता प्रसवरत हो।

प्रसव के दौरान दी गई दवाइयाँ खेड़ी के द्वारा बच्चे के रक्तप्रवाह तक चली जाती हैं और बच्चे पर भी उनका वैसा ही असर पड़ता है, जैसा माता पर पड़ता है और यह बच्चे के लिए ओवरडोज हो जाता है। अगर माता को इस दवाई के प्रभाव से बाहर निकलने में दो घंटे लगते हैं तो बच्चे को इससे बाहर निकलने में 20 घंटे लग सकते हैं। जन्म के बाद बच्चे को प्रतिकारक औषधि का इंजेक्शन दिया जा सकता है। कुछ दवाएँ बच्चे के तंत्र में रहकर उसके अविकसित गुर्दे को प्रभावहीन बना सकती हैं, जिसके कारण दवा का बाहर स्राव हो जाएगा। इसके कारण बच्चे को पीलिया हो सकता है।

दवाइयों के अलावा प्रसव की तकलीफ को कई प्रकार से कम किया जा सकता है। उदाहरण के लिए, माता गर्म पानी से तकलीफ कम कर सकती है या गर्म पानी से भरे टब में थोड़ी देर रह सकती है। टब के पानी का तापमान शरीर के तापमान के बराबर होना चाहिए यानी कि 98.4^0F। इसके अलावा प्रसव के दौरान टहलने से एवं एक सहानुभूतिपूर्ण साथी की मौजूदगी से दर्द का एहसास कम हो जाता है। सकारात्मक रूख, सचेतं श्वास एवं शिथिलता के अभ्यास से माता को काफी मदद मिलेगी।

हालाँकि अगर आप यह सोचकर अस्पताल जा रही हैं कि आप और आपका साथी नियमित दवाओं और प्रक्रियाओं के लिए 'न' कहेंगे तो यह अच्छा नहीं होगा।

बेहतर तो यह होगा कि आप अपनी पसंद के बारे में डॉक्टर से पहले ही बात कर लें। इसके बाद आप अपनी पसंद की एक फेहरिस्त बनाकर अपनी पसंद को जाहिर करें। डॉक्टर इसे आपके कागजात में लगा देंगे। यह आपके और डॉक्टर, दोनों के लिए मददगार होगा। अगर नर्सिंग होम और उसके स्टाफ आपकी पसंद के अनुरूप नहीं तो किसी दूसरे विकल्प के बारे में सोच सकती हैं।

आपकी वरीयता की सूची कैसी हो, नीचे उसके बारे में सुझाव हैं–

1. कम-से-कम अल्ट्रासाउंड परीक्षण किया जाए।
2. आपकी इच्छा है कि प्रसव के दौरान आपका साथी, आपके साथ मौजूद हो।
3. प्रसव के दौरान आप टहलना चाहती हैं। (लेकिन जाँच के लिए एवं पानी की थैली फट जाने की स्थिति में आपको लेटना होगा।)
4. दाखिले के बाद बस एक प्रक्रिया के तहत आपकी जल की थैली न फाड़ी जाए।
5. जब तक आपको इसकी आवश्यकता की पूर्ण सूचना न हो, आप चिकित्सकीय परिणति नहीं चाहेंगी।
6. आप जन्म के समय अपने बच्चों को सँभालना चाहेंगी। (देखें पृ. 186-187)
7. आप अपने बच्चे को सिर्फ अपना दूध पिलाना चाहेंगी, अतः आप चाहेंगी कि बच्चे को बोतल न पकड़ाया जाए और न ही ग्लूकोज दिया जाए।
8. आप बच्चे को अपने साथ उसी कमरे में रखना चाहेंगी।
9. अगर जन्म के बाद आपके बच्चे को खास देख-रेख में रखा गया है तो आप अपने बच्चे को स्वयं के द्वारा निकाला हुआ दूध देना चाहती हैं या उसे स्वयं स्तनपान कराना चाहती हैं।
10. आप अपने अनुरोधों को हॉस्पीटल नोट्स से नत्थी करना चाहेंगी।
11. जन्म के बाद बच्चे को हल्के गर्म पानी के टब में रखें।
12. किसी भी प्रक्रिया को शुरू किए जाने से पूर्व उसकी जानकारी चाहेंगी।